年輪で読む世界史

チンギス・ハーンの戦勝の秘密から失われた海賊の財宝、ローマ帝国の崩壊まで

バレリー・トロエ［著］
佐野弘好［訳］

築地書館

世界地図・歴史年表作成　Oliver Uberti

Translated by Hiroyoshi Sano
Published in Japan by Tsukiji Shokan Publishing Co., Ltd., Tokyo

人生を送るための心得

注意を払え。
瞠目せよ。
そして、それを語るのだ。

——メアリー・オリバー（1935年〜2019年）

序章

１９３９年、オックスフォードにあるアシュモレアン博物館はアントニオ・ストラディヴァリの伝説的なバイオリン、メシアを入手する。それは実在する最も高価な楽器のひとつで、推定価格は今日なら２０００万ドルを上回る。メシアは自動車業界の大物、ヘンリー・フォードからのバイオリン購入のための金額未記入白地小切手の受け取りを拒否したことがある、ロンドンの名高い楽器製作会社であり、収集家でもあったW・E・ヒル＆サンズ社から博物館に寄贈された。ヒル＆サンズ社は、桁外れの資産を持った個人愛好家がこっそりメシアを隠し持つのではなく、一般市民がその音色を楽しめるように、そして未来の楽器製作者の模範になるように広く公開されるべきだと考えていた。しかし、60年後、この桁外れな額の寄贈品をめぐる論争が突然巻き起こった。１９９９年、メシアの真贋に対してニューヨークのメトロポリタン美術館の楽器副管理者スチュアート・ポーレンズによって異議が唱えられたのだ。それぞれの主張を補強すべく、ポーレンズ氏とヒル家は年輪年代学者にメシアの製作年代の測定を委託した。

ストラディヴァリは彼の最高の作品であるメシアを１７１６年に製作し、バイオリンは彼が亡くなった１７３７年まで彼の工房に残されていた。１８２０年代、メシアは定期的にパリを訪れていたイタリアの楽器収集家で、楽器商でもあったルイジ・タリシオに売却された。パリ滞在中にタリシオはパリの楽器商にストラディヴァリの傑作を自慢したかったのだが、それを携えて公衆の前に現れることはなかった。このことが同時代のフランスの傑出したバイオリニスト*に「あなたのバイオリンは皆がいつも待っているのに決して現れない。まるでメシアのようだ」と言わしめたのだという言い伝えがある。１８５５年のタリシオの死後、メシアはこうしたパリの楽器商のひとりで、彼自身優れたバイオリン製作者であり、過去に製作された楽器の複製でもよく知られたジャン・バプティスト・ヴィヨームに売却された。ヴィヨームは30年以上にわたってメシアを所蔵しており、これがメシア論争の核心的な疑問になった。アシュモレアン博物館のメシアはストラディヴァリの傑作の真作なのか、ヴィヨームの巧みな手による19世紀の見事な複製品なのか？

*彼の名前はデルファン・アラールだ。

この疑問に答えるべく、年輪年代学（デンドロクロノロジー）――ギリシャ語で「木」を意味する「デンドロ」と「時間」を意味する「クロノス」からつくられた用語――が登場する。メシアに使われている木の年輪の幅を測定することによって、バイオリンの製造年を決定できるのだ。つまり、メシア製造に使われた原木の生育時期を定めることができるわけだ。メシアの原木の最も新しい年輪（すなわち木の伐採時期）は楽器が製作された最初の年代を示すはずだ。仮にメシアの原木で測定された最も新しい年輪が１７３７年以後のものなら、メシアの原木はストラディヴァリの死後もなお成長していたことになり、メシアはおそらく彼の手によって創作されたのではないことになる。しかし、仮にストラディヴァリがメシアを製作したと思われる1716年よりも年輪が遡れば、それはバイオリンが本物だとする説を支持することになるだろう。

不幸なことにこの場合、年輪による年代決定は論争の火に油を注ぐだけの結果になった。ポーレンズに雇われた年輪年代学者はメシアの測定可能な最新の年輪を1738年とし、ストラディヴァリの死後1年間は木が成長し続けたことを示唆した。一方、ヒル家に雇われた年輪年代学者はバイオリンの最も新しい年輪は、記録されているメシアの製作年、1716年よりも以前の1680年にまで遡ると測定し、本物だとする説を支持した。しかし、両方の研究ともにバイオリンそのものではなく、メシアの写真にのみ基づくもので、また第三者による審査を受ける科学雑誌に掲載されることもなかったので、暫定的なものだった。

この論争が起きたため、年輪年代学による楽器、とくに弦楽器の製作年の決定は広く知られるようになり、年代測定技術はそれまでよりもずっと向上した。例えば、年輪測定と画像解析方法の進歩は、研究者が現実のバイオリンを使って直接、作業することを可能にしている。数千もの楽器の年代を測定し、参考年輪年代の膨大なデータベースを構築することで、メシアの年輪幅の測定結果とを比較することを可能にしたドイツ、ハンブルク大学の年輪研究室もある。幅広い樹木の種類と地理的分布から得られた参考年輪年代は楽器の原木の年代を正確に決定するだけではなく、原木の生育地を確定する、木材産地推定法とよばれる技術にも有効だ。

メシア論争からほぼ20年後の2016年、イギリスの年輪年代学者のピーター・ラトクリフはこの論争に決着をつけるためにイタリア製弦楽器の広範囲なデータベースを構築した。ラトクリフはメシアの年輪パターンが、1724年のストラディヴァリ作のバイオリンであるEx-ウィルヘルミ*の年輪パターンと合致することを明らかにした。すなわち2つのバイオリンは同じ原木から製作されたことになるのだ。ストラディヴァリの工房でのEx-ウィルヘルミの真贋には議論の余地はなく、ラトクリフの年輪年代学的な研究によってアシュモレアン博物館のメシアが本物であること（私たちが望む）が最終的に裏付けられた。

＊Ex-ウィルヘルミの最終年輪はバイオリンの高音側で1689年、低音側で1701年と年代が測定され、両方ともメシアが製作された1716年より前であった。

1998年春のこと、私はベルギー、ヘント大学環境工学の修士号をとろうと思っていた。修士論文の研究計画を選ぶときが来ていたが、ドイツでの交換プログラムで1学期間を過ごしてきたばかりで、私は立ち後れていた。クラスメートたちは旅行や海外での研究などの最も面白い機会に飛びついた。夏休み前に研究計画を決めたくて、私は植物生態学と木材解剖学を教えるハンス・ベックマン教授に話を持ちかけた。彼はタンザニアの樹木の年輪の研究を考えるよう奨めた。年輪年代学について聞いたのはこれが最初だが、たいしたためらいもなく私は、はいと答えたのだ。

そのときまで私は、樹木の年輪に科学的な分野として保証されるに足りる十分な情報が含まれているとは思いもしなかった。しかし私は、発展途上地域で研究することへの強い願望と気候変動に関心を持っていて、もし年輪年代学を研究することで発展途上地域で気候変動を結びつける修士研究ができるのならば、樹木の年輪を研究してみようと思った。環境工学の研究者で年輪年代学を志す者はほとんどいなかった。年輪年代学をめざすほとんどの学生は、私の場合のように、学部生時代か、大学院生時代の偶然に始めたフィールド、あるいは室内実験を基本にした研究の機会を得ることから研究者生活が始まる。その始まりはいろいろだが、研究を続けていると、なんとか一人前のキャリアを積んでいくのだ。

私の研究者生活で出くわした最初のハードルは、アフリカでの年輪の研究が工学修士号のためには大切な総仕上げの研究になると母を説得することだった。「バレリー、お金も稼げて素敵な仕事に就ける将来が拡がる学位取得からあなたは1年遅れているのよ。それなのに年輪？　アフリカ？　そんなことからあなた自身のキャリアをどうやってつくるつもり？」。思い返すと、経験もなければ準備もなく、アフリカをほっつき歩こうという私を母はおそらく一番心配していたのだと思うし、彼女の心配はたぶんもっともなことだった。しかし20年後、国際的な年輪研究者として成功を収め、私は折に触れてあの母の言葉を思い起こさずにはいられない。

私を年輪研究に夢中にさせたのは修士研究の室内実験だった。タンザニアで採集した木を顕微鏡で観察するのは画期的なことだった。木はとても美しいもので、合致する年輪パターンを見つけ出すのはパズルを解くようなものだ。――やめられない。時間が経つことにも気づかず、私は年輪年代学に没頭した。博士号をめざして年輪年代学の研究をさらに4年間続ける道が開けようとしたとき、決心するのに長い時間はかからなかった。25歳の時点で、私の選択肢はオフィスに縛られた政府職員としての40年のキャリアを開始するか、またはアフリカを訪れて年輪年代学研究者になるかの2つだった。考えるまでもなかった。しかし、学位論文を書くことは、私が想像していた以上に長くて退屈な過程だとわかった。コーヒーを飲み、タバコを吸い、遠くに目をやりつつ、論文を書いた。私はブリュッセルの下町のエレベーターもない6階建てのアパートで研究の最後の年を過ごした。

２００４年12月に学位論文審査に合格し、ステートカレッジという町にあるペンシルベニア州立大学地理学教室の博士研究員のポジションを得てすぐにアメリカに渡った。ニューヨークを訪問するために1度アメリカに来たことがあったが、ステートカレッジが最も近くの市からでも3時間離れたアーミッシュ派が多く住んでいる農地の真ん中にある小さな町だということしか知らなかった。スーツケース2つとバックパックを持ってステートカレッジの小さな空港に着いたとき、指導教員のアラン・テイラーが迎えに来てくれていた。ステートカレッジがどんな町かがわかるように、繁華街を通っていくように彼に頼んだが、アランはそれに戸惑ってペンシルベニア州立大学のキャンパス沿いに車を走らせた。あとでわかったが、ステートカレッジに繁華街といえるようなものはなかった。キャンパスと、商店とバーがある通りが2、3あったが、それだけだった。国際都市ブリュッセルから直接ステートカレッジに移動してきて感じたのは、まさしくカルチャーショックだった。しかし、カリフォルニアの歴史的な山火事の数々を過去の気候に結びつけようとする、アランの植生ダイナミクス研究室での研究に引きつけられた。アランの研究室で過ごすうちに年輪研究欲が膨らんで、このときはカリフォルニアのシエラネバダ山地に私は見学旅行に出かけた。

　ヨーロッパで最も優れた年輪研究室であるスイス連邦森林・雪氷・景観研究所（ＷＳＬ：森林、雪、景観のドイツ語頭文字）の植物科学研究グループの主任研究員、ヤン・エスパーに出会ったのはペンシルベニア州立大学に在籍中のことだった。ヤンが私に仕事を提供してくれたとき、ペンシルベニアの田舎でもう十分に時間を過ごしたと思い、ヨーロッパに、チューリッヒという都会に戻るときが来たと決心した。ＷＳＬで、私は年輪から過去の気候を復元する方法と、ネイチャーやサイエンスのような広い読者層を持つ最高の科学雑誌に論文を掲載する技術を学んだ。しかしスイスで4年間を過ごした後、私は再び大西洋を渡って、年輪年代学の発祥の地ともいうべきアリゾナ大学の年輪研究室（ＬＴＲＲ）で常勤職のポジションを得た。

ＬＴＲＲでは自身の研究グループを初めて持って、私はどの年輪が古気候を私たちに語ってくれるのかという問題をさらに追究した。たいへん能力ある博士研究員と大学院生を投入して、私たちは年輪を用いてカリフォルニアでの旱魃、カリブ海地域のハリケーンなどの極限的な古気候を検討した。またジェット気流などの大気上層部で発生する気候変動要因にも注目した。

私は年輪年代学研究者だ。過去の気候と生態系と人類社会への影響を研究するために年輪を用いる。20年以上にわたって、過去と将来の気候変動を考え、論文を書き、講演することにほとんどの時間を使ってきた。これはとても困難な仕事といえる。毎年、私たちは気候について研究するし、化石燃料の燃焼が引き起こす大惨事についても研究する。人間が原因となった全世界的な気候変動の結末――人間社会を襲うハリケーン！　スノーマゲドン（破滅的猛吹雪）！　生態系に対しては森林火災！　ホッキョクグマの絶滅の危機についても研究する。しかし、二酸化炭素の排出の抑制、人為的気候変動による最悪の結果の緩和に対して毎年のように政府レベルで行われていることは、あまりにもわずかでしかない。気候変動と闘うという大胆な努力を１９６の国が分担することを約束した２０１５年のパリ協定以後でさえも事態の大きな改善はない。二酸化炭素の排出レベルは史上最高であり、ドナルド・Ｊ・トランプ政権下のアメリカでは、人為的な気候変化の危険な兆候は無視されていたばかりか、現実には虚偽報道、「フェイクニュース」とよばれていた。

２０１７年の初め、私は疲れ果てて欲求不満だった。気候についての悪いニュースが連続することにもうんざりしていた。私の専門的知識、私の社会的性、そして私が支持する科学さえをも守る必要に絶え間なく迫られて苛立っていた。私は、まもなくやって来る長期有給休暇（サバティカル）で気候変動がもたらす破滅と憂鬱を考えながら論文を書くのではなく、科学的発見の興奮の物語、私たち人間の長くて複雑な歴史、そしてそれが自然環境といかに絡み合っているのか、またいかに樹木がつむぐ物語に根ざしているのかというテーマで書き記そうと決心したのだった。

主に2つの理由から、年輪年代学はこのテーマにずば抜けて適している。1番目には、子どもがするように切り株の断面を見て、年輪の数を数えることで、多くの人びとが年輪年代学の概念のわかりやすさを直感できることだ。年輪年代学は研究対象を手で触れることができる自然科学の一分野だ。つまり直接樹木に手で触れることができるのだ。肉眼で年輪が見える。年輪年代学には、ぼんやりとしたナノ粒子もはるか遠くの銀河も含まれていない。2番目に、年輪年代学は生態学、気候学、環境史学のちょうど中心にあって、人類の歴史と環境変動の歴史の相互作用を明らかにできる独自の位置にある。そしてこれこそが、この科学がほぼ100年前にアメリカ南西部で最初に登場したとき以来主張してきた点なのだった。

20世紀、年輪年代学という発展中の科学分野は時間、空間ともに拡がり続ける年輪データのデータベースをつくり出した。現在では、年輪研究の全世界データベースには、最も近くにある同種の木から270キロ以上も離れた場所で生育している、南極海のキャンベル島にある世界一孤独な木とよばれる木も含まれている。連続した最長の年輪記録であるドイツのブナ－マツ年輪年代は1年たりとも欠損がなく過去1万2650年をカバーする。この拡張し続ける年輪研究データベースのおかげで、ますます複雑化する研究上の疑問に立ち向かうことができるようになってきた。全世界規模のデータベースによって、樹木が成長する地表だけではなく、地表の気候に連動する大気の上層での過去の変動を研究できるようになった。また、データベースは過去の平均的な気候のみならず、熱波、ハリケーン、森林火災などの異常気象の研究を可能にした。年輪年代学研究の1年ごと、年輪ごとの高精度化は、人類の歴史と気候変動の歴史の間の複雑な相互関係の研究における足がかり、拠り所をつくり出す。過去の気候－人間社会の関係についての短絡的で決定論的な特性評価から、社会の復元力と適応力の重要性を主張して、よりいっそう全体的な理解に向かって動き続けることを可能にした。

本書では、年輪年代学の創設当時の状況から、森林、人類、気候の複雑な相互関係を研究する基本的手法のひとつになるまで、どのように発展してきたかを述べることを目的にしている。その道のりは直線的なものからはほど遠く、驚きに満ちたものだ。本書のストーリーは、樹木が疎らなソノラ砂漠での不可解な出発から、考古資料・歴史的建造物の「年輪を数えること」でもたらされた新事実、前の千年紀の気候の壮大な物語へと展開する。私は年輪に記録されている自然災害（地震、火山噴火など）と二次災害、そして過去の気候変動がヨーロッパではローマ帝国、アジアではモンゴル帝国、アメリカ南西部の古代プエブロ人など世界の人間社会にどのような影響を及ぼしてきたのかに焦点を当てる。

私は本書で多くの領域を対象にする。人間の1本の髪の毛よりも小さな樹木の細胞、そして航空機が飛行する高度で北半球全体を周回するジェット気流について述べよう。この2つを海賊、火星人、サムライ、チンギス・ハーンなどの話を通じて関連付ける。私を虜にした年輪の話も述べよう。そしてこれらすべての話を貫いているのは、年輪年代学研究者が過去を研究し、将来の居住可能な惑星を保証することに貢献できるような樹木の利用と、森林破壊の歴史の物語だ。現在の気候変動に対する疑念と無関心にもかかわらず、そのような発見の話を語る余地はあると思う。願わくは読者には本書から、何か新しいことを学ぶときの興奮を感じてほしい。それこそ、私たち科学者が頑張ることができる原動力なのだから。

年輪で読む世界史　目次

第4章　年輪が語る驚愕の事実

第5章　石器時代、感染症、難破船と年輪

第6章　真実を葬ろうとする政治家たち

第7章　鍾乳石と年輪から見るヨーロッパの気候変動

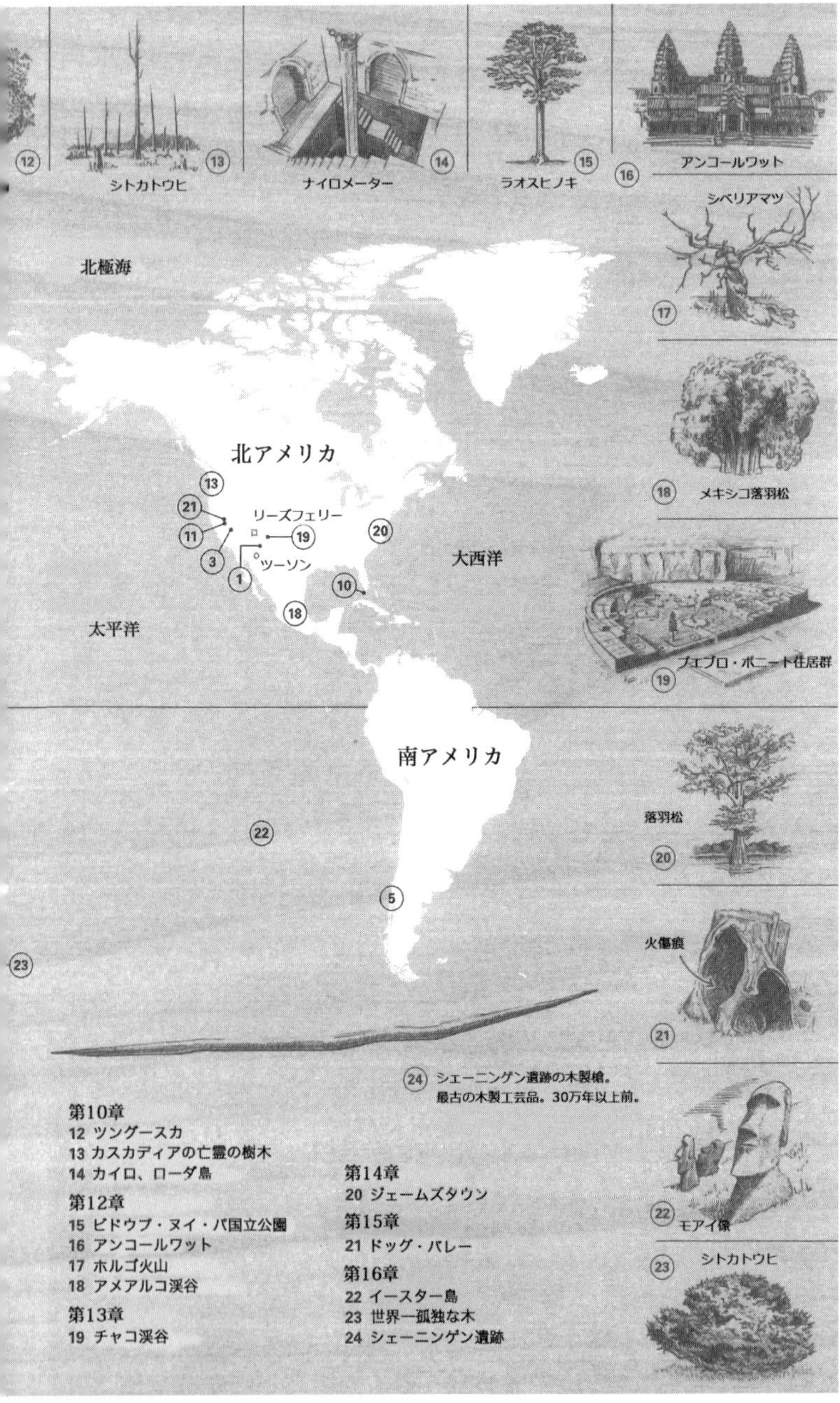

シトカトウヒ
ナイロメーター
ラオスヒノキ
アンコールワット
シベリアマツ
北極海
北アメリカ
リーズフェリー
ツーソン
大西洋
太平洋
メキシコ落羽松
プエブロ・ボニート住居群
南アメリカ
落羽松
火傷痕
モアイ像
シトカトウヒ
24 シェーニンゲン遺跡の木製槍。最古の木製工芸品。30万年以上前。
第10章
12 ツングースカ
13 カスカディアの亡霊の樹木
14 カイロ、ローダ島
第12章
15 ビドウプ・ヌイ・バ国立公園
16 アンコールワット
17 ホルゴ火山
18 アメアルコ渓谷
第13章
19 チャコ渓谷
第14章
20 ジェームズタウン
第15章
21 ドッグ・バレー
第16章
22 イースター島
23 世界一孤独な木
24 シェーニンゲン遺跡

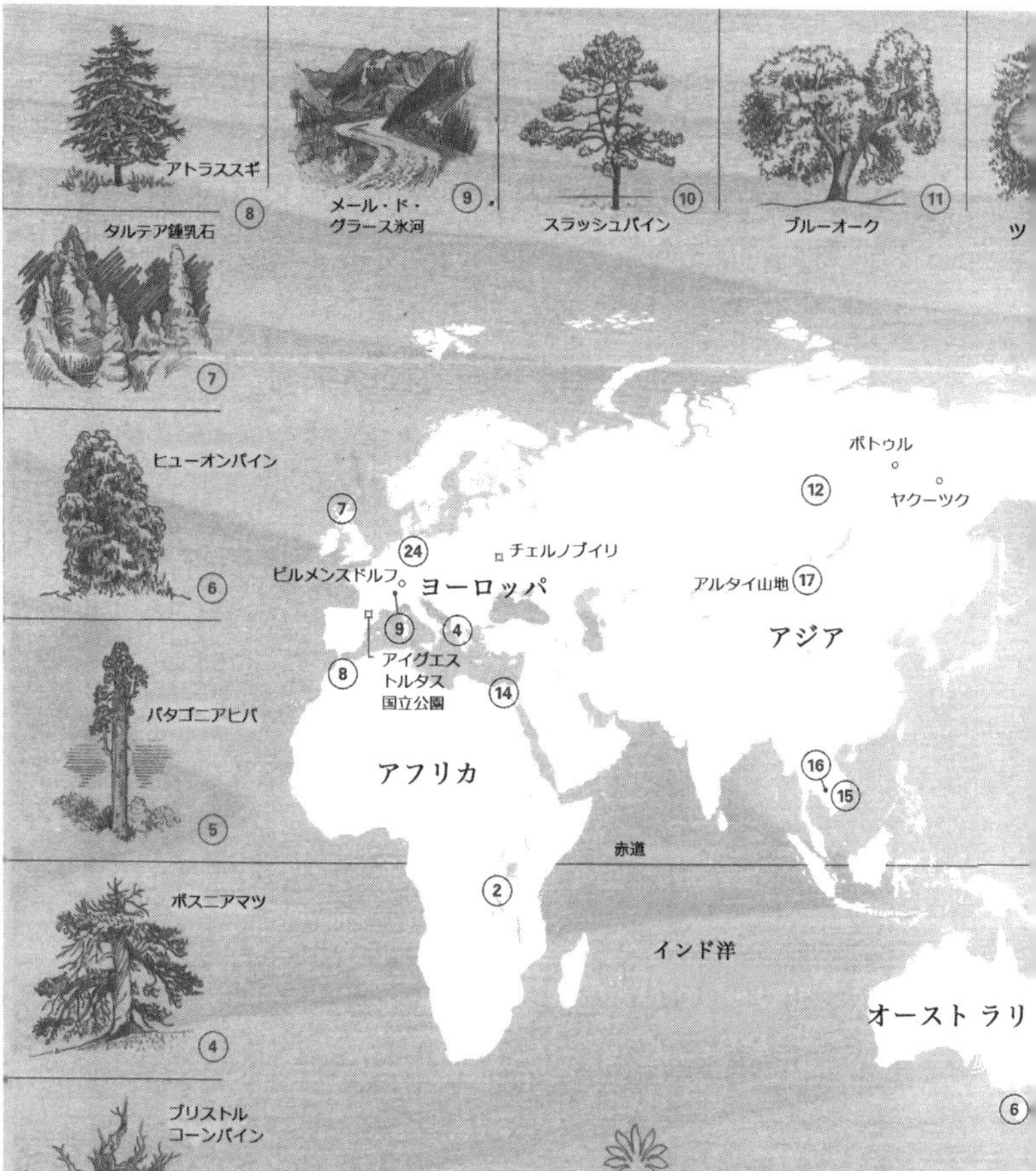
アトラススギ
⑧
メール・ド・
グラース氷河
⑨
スラッシュパイン
⑩
ブルーオーク
⑪
ツ
タルテア鍾乳石
⑦
ヒューオンパイン
⑥
パタゴニアヒバ
⑤
ボスニアマツ
④
ボトウル
ヤクーツク
⑫
⑦
㉔
チェルノブイリ
ビルメンスドルフ
ヨーロッパ
アルタイ山地
⑰
アジア
⑨
④
アイグエス
トルタス
国立公園
⑧
⑭
アフリカ
⑯
⑮
赤道
②
インド洋
オーストラリ
⑥

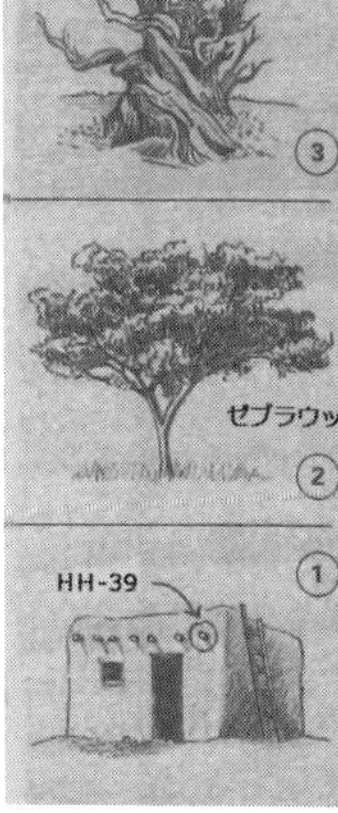
ブリストル
コーンパイン
③
ゼブラウッド
②
①
HH-39

世界地図で見る
樹木とその物語

00　3000　1000　0

最初の木工職人　共通紀元前5206年～5098年
ムルテン湖の杭上住居　共通紀元前3867年～3854年
スイート・トラック　共通紀元前3807年～3806年
最古のブリストルコーンパインの原正木　共通紀元前3050年～現在
ギルガメシュ叙事詩　共通紀元前3000年～2000年
プトレマイオス王朝　共通紀元前305年～同30年
ローマ時代の気候最安定期　共通紀元前300年～共通紀元200年

1200　1400　1600　1800　共通紀元2000年

中世気候異常　共通紀元900年頃～1250年
アドニス　共通紀元941年～現在
グリーンランドのノルウェー人集落　共通紀元950年頃～1450年
ウェストミンスター寺院、最古の木製扉　共通紀元1032年～1064年
チャコ渓谷文化　共通紀元1035年～1145年
チンギス・ハーンの皇帝在位期間　共通紀元1207年～1226年
メサ・ヴェルデ文化　共通紀元1200年～1285年
アンコール王朝期の旱魃　共通紀元1340年～1375年
ヨーロッパの黒死病大流行　共通紀元1346年～1353年
イースター島の森林伐採　共通紀元1400年～1680年
アンコール王朝の崩壊　共通紀元1431年
ハフランの生存期間　共通紀元1499年～2006年
小氷期　共通紀元1500年頃～1850年
メキシコでのココリツトリの１回目の流行　共通紀元1545年
ココリツトリの２回目の流行　共通紀元1576年
チチメカ戦争　共通紀元1550年～1590年
北半球熱帯域の拡大　共通紀元1568年～1648年
ジェラーリーの反乱　共通紀元1569年～1610年
メール・ド・グラース氷河の前進　共通紀元1600年～1648年
ジェームズタウンの飢饉時代　共通紀元1609年～1610年
メディチ家フェルディナント２世の温度計の発明　共通紀元1641年
明王朝の滅亡　共通紀元1644年
マウンダー極小期　共通紀元1645年～1715年
海賊の全盛期　共通紀元1650年～1720年
カスケード地震　共通紀元1700年
ストラディヴァリがバイオリン、メシアを作製　共通紀元1716年
カリフォルニアに伝道所開設　共通紀元1769年～1833年
1815年のタンボラ火山噴火の翌年に続く「いまだ夏は来ず」　共通紀元1816年
カリフォルニアのゴールドラッシュ　共通紀元1848年～1865年
合衆国林野庁の開設　共通紀元1905年
ツングースカ隕石落下　共通紀元1908年
コロラド川協定　共通紀元1922年
ダグラスによる年輪研究室の開設　共通紀元1937年
チェルノブイリ原発事故　共通紀元1986年

アドニス

ハフラン

現在

1200　1400　1600　1800　共通紀元2000年

共通紀元前1万1000年　9000　7000

ドイツのナラ類の年代　共通紀元前1万461年〜現在

ブリストルコーンパインの年代　共通紀元前1万6827年〜現在

ブリストルコーンパイン

0　200　400　600　800

民族大移動　共通紀元250年〜410年

ローマ帝国の移行期　共通紀元250年〜550年

古代後期の小氷期　共通紀元536年〜660年

腺ペスト流行　共通紀元541年〜544年

最古の木造建築、法隆寺　共通紀元 594年〜現在

ウイグル帝国　共通紀元744年〜840年

マヤ文明古典期末期　共通紀元750年〜950年

太陽スーパーフレア発生　共通紀元774年

ノルウェー人のアイスランド到着　共通紀元874年

法隆寺

シェーニンゲン遺跡の木製槍、最古の木製工芸品　30万年以上前　時期の詳細

300,000 ya　200,000　100,000

歴史年表

初期のネアンデールタール人の木製槍から、ペストの大流行、チンギス・ハーンの台頭、チェルノブイリ原発事故を経て、初期完新世の年輪年代測定まで、本書で取り上げた題材は、全世界の人類、気候、年輪年代学的イベントに及んでいる。

0　200　400　600　800

第1章　砂漠と天文学と年輪

年輪が語る物語を解読することで、私たちは歴史の限界を押し戻した。

――アンドリュー・エリコット・ダグラス、1929年

砂漠で年輪研究？

2010年6月、私はスイス、チューリッヒからアリゾナ州、ツーソンに移るという不思議な決心をした。ツーソンは2008年の経済危機後の混乱期にあって、経済が破綻しかけていたが、一方チューリッヒでは世界で最も安定した経済が力強く脈打ち続けていた。そして熱心なスノーボード愛好者であるけれど、私はスイスアルプスを離れ、ソノラ砂漠に移った。しかし友人や家族がこの決心に納得したとき、皆が私に訊いてきたのは経済やスノーボードについてではなかった。一体全体なぜ年輪科学研究者が砂漠に移り住むのかを誰もが不思議に思った。「あなたの研究に樹木は必要ないのか？」

それはもっともな質問だ。どうあろうとも、私は過去の気候を、そして気候が生態系とともに人間社会に対していかに影響を及ぼしてきたのかをさらに理解するために長寿木の年輪を研究するのだ。直感的には、森林が濃密で、山岳気候で、文書による長い歴史の記録を持ったスイスは、年輪年代学研究者には理に適った場所に思える。アリゾナ州南部のソノラ砂漠に位置するツーソンはそうではない。では、

年輪年代学に特化した世界で最初の付属研究所である年輪研究所（ＬＴＲＲ）がメキシコとの国境から１００マイルもないツーソンのアリゾナ大学に設置されたのはなぜだったのだろう？

ＬＴＲＲでの私のポジションを了承したときには、私自身はサワロサボテンとアメリカドクトカゲが生息する真っ只中になぜこの研究所が開設されたのか詳しい経緯を知らなかった。私は天文学者、アンドリュー・エリコット・ダグラスが１９３０年代にＬＴＲＲを創設し、それ以来研究所はアリゾナ大学のフットボールスタジアムの下に設置されていたことは知っていたが、それ以上のことはよく知らなかった。私が新米教員として年輪年代学入門を教え始めたときに初めて、ツーソン、天文学、年輪の歴史的なつながりの詳細を知ったのだった。

年輪研究のいわゆるメッカでの常勤職に就いたことに加えて、私のチューリッヒからツーソンへの移動はもうひとつの恩恵をもたらした。それは気候だ。チューリッヒでは、太陽が照るのは平均すると10日間に４日以下なのだ。ツーソンでは、逆にそれは10日間に９日で、その結果、年平均降水量は25ミリ以下でしかない。ソノラ砂漠は日照時間の長さと降水量の少なさの結果なのだ。雲がかかることがほとんどなく、雨が少ない、この暑くて、晴れ渡った気候では自然の植生としての森林は維持されえない。ほとんどの樹木はそのたくましい幹を成長させるためにかなり多くの水を必要とする。しかし、この気象条件は澄み切った、雲がない空に依存する科学の一分野を支えている。それは天文学だ。そしてそれが樹木の育っていない場所に年輪年代学が創設された理由なのだ。創設者は20世紀初頭、透明度が高く、安定した空を求めてツーソンに移ってきた。

天文学という分野は、かつては想像できなかった星と星雲の詳細な観測と新しい惑星や小惑星の発見につながる改良された望遠鏡と新しく発明された機器を備え、19世紀全体を通して劇的な進展を見せた。

天文学が継続的に進歩するには、近代的観測機器の利用と熟練した観測技術だけではなく、安定した大気の状態の下での精密な観測をも必要とする。そのような大気条件を見つけるために、天文学者と天文台設立者は、天文台の設置場所として1882年にリック天文台が最初に設立されたカリフォルニア州中部を含むアメリカ南西部に注目した。

たちまち天文学は富裕なアマチュアだけでなく、多くの聡明な人間の想像力をもかき立てて、その時代で最も魅力的な科学のひとつへと発展した。19世紀後半の天文学の裕福な後援者のひとりがハーバード大学で教育を受けた実業家のパーシバル・ローウェルで、彼は火星に深く魅了され、時間と財産のすべてを惑星研究に注ぎ込もうと決めたのだった。1892年、ローウェルは、1894年の火星の衝(しょう)に備えてこの赤い色の惑星の研究に特化したアメリカ南西部の天文台建設への経済支援を約束した。地球が太陽と火星の間を通過する(太陽、地球、火星が一直線に並ぶ)およそ2年ごとに火星は衝の位置に来る。これは赤い色の惑星が最も明るく輝いて見え、観測に最も適した時期なのだ。ローウェルは、当時ハーバード大学天文台で天文学者として勤務していたダグラスをアメリカ南西部で天文台建設の最適地を選定し、天文台の設置計画を指揮させるために雇った。ダグラスは最適な建設地をアリゾナ州北部のフラッグスタッフに決め、ローウェル天文台の建設を監督したのだ。天文台は火星の衝の直前、1894年5月下旬に完成した。ダグラスは、長く続いたローウェルとの天文学上の論争によって彼の終身地位保障が解消された1901年まで実質的に天文台を運営した。彼らの仲違いの理由は何だったのだろうか? それは火星人だった。

火星についての研究で、1877年の衝のときに火星の表面に網目状の長い線状の模様を発見し、それをイタリア語で*canale*(運河)と記述した天文学者、ジョバンニ・スキャパレリの研究にローウェルは着想を得た。イタリア語の*canale*は「渓谷」（自然の地形）と「水路」（人為的な構造物）の両方の意味を持ちうるので、スキャパレリの記述には曖昧さが含まれていた。このイタリア語は「水路」の意味で英語に翻訳されたため、火星に運河があるという見解は、別の惑星の知的生命体に関しても数多くの仮説を生み出した。ローウェルは、火星の運河は知性を持った異星人の文明によって、乾燥した環境下で灌漑のために建設されたのだと考える学説に固執し、この学説の検証のために彼はローウェル天文台での観測にかなりの時間をつぎ込んだ。ローウェルは火星に生命体が存在するという考えを幅広く社会に広めることに専念し、この分野での彼の努力が、1898年のH・G・ウェルズによる、火星人が乾燥した死の惑星を放棄して地球に攻め込んで来るという内容で大きな反響をよんだ小説、『宇宙戦争』でさらに多くの支持を集める結果となった。

火星に知的生命体が存在するという学説は、さらに広く大衆の間で熱狂的な支持を得るようになったが、天文学の専門家たちはこの考えに対しては大きな不信感を表明した。初期の運河の観測は比較的低解像度の望遠鏡を使って行われ、しかも写真ではなく、スケッチに基づいたものであり、人為的な誤りや主観が入り込む余地が大きかった。そのため火星に運河が存在するという学説は、ローウェルが研究に参入する以前ですら異論が多かった。しかし、ローウェルは、火星の運河に対して最も妥当な唯一の説明として知性を持った文明の存在をいっそう声高に語るようになり、その結果彼への科学的敵対者をつくってしまった。ローウェル天文台の主任観測者として、ダグラスがこの科学的論争に巻き込まれることは避けられなかった。

ローウェル天文台は1894年の火星の衝の観測のために建設された天文台のひとつで、ダグラスは形態、大気、そしてローウェルの火星についての思い込みを下支えする火星の運河を数限りなく観測した。しかしこれらの思い込みに対する懸念が膨張し、天文台の欠陥と、思い込みの原因になっている錯視を検討する必要をダグラスは痛感した。この検討のために、ダグラスは天文台からの距離をさまざまに変えた位置に球体と円盤（「人工的な惑星」）を据えて、望遠鏡でそれらを観察した。彼は、望遠鏡で観察できる長い直線的な線状構造などの人工的な惑星の表面の細かな構造の多くが錯視であることを確かめた。そしてこの実験を通して、ダグラスは火星表面に見られる線、つまり火星の「運河」はこれらの錯視のひとつであって、火星の進歩した文明というローウェルの仮説とは、結局のところ自己妄想の産物にすぎなかったことに気づいたのだった。

これが認識されたことによってダグラスと彼の雇い主の関係性に緊張が生じた。ダグラスは「火星からのメッセージ（訳註：1913年製作の英SF映画作品）」の興行失敗のあとでさえもローウェルが強い野望を抱いていることにいっそう幻滅した。1900年12月の火星の観測のときに、ダグラスはいちだんと明るく輝く画像を見つけ、その結果をローウェルに打電した。ローウェルは検討を加えることなく、火星から来る明るい光のニュースをハーバード大学とヨーロッパにいる研究者仲間に転送した。数日のうちにヨーロッパとアメリカの新聞社はこの話を取り上げ、その光を火星の住人からのメッセージだと大騒ぎした。ダグラスと同僚の天文学者はこの話が偽りだということを証明し、観測された現象が雲でしかないのだと一般市民を説得するために次の数週間を費やした。この大失態のあと、彼の雇い主が実践し、普及に努めている科学に対する取り組みへの軽蔑をダグラスは隠そうとしなくなった。1901年3月の同僚への手紙で、彼はこう書いた。「ローウェル氏は科学ではなく、文学の強烈な才能を備えているように思える」。彼が書いた別の手紙には、「ローウェル氏が科学的な人物に変わることは不可能ではないかと思う」。手紙の受取人には秘密厳守を強く言い渡していたのだが、4ヶ月後にローウェルから天文台での職を解かれたのはダグラスにとってはそれほどの驚きではなかったに違いない。*

*A・E・ダグラスからウィリアム・H・ピカリングへの書簡、1901年3月8日、ボックス14、『アンドリュー・エリコット・ダグラス論文集』、アリゾナ大学特別コレクション。ダグラスからウィリアム・L・プトナムに宛てた書簡、1901年3月12日。ボックス16、同上。

5年後の1906年、ダグラスは、その当時は学生が215人、教員が26人の研究機関で、天文学の学科がなかったツーソンのアリゾナ大学で物理学と地理学の助教という新しい職を得た。アリゾナ大学で、ダグラスはアリゾナ州南部での天文学の進展を促進し、1923年に開設されたスチュアート天文台の資金調達、建物建設、監督で成功を収めた。これに加えて、ダグラスは自身が万能型の教養人だということを明らかにした。彼は年輪年代学という新しい科学の一分野を創出し、天文学だけでなく、古気候学や考古学をも飛躍的に進歩させたのだ。

太陽活動と樹木

天文学で大仕事をしようとやって来たアリゾナで、ダグラスは年輪年代学の研究を始めた。フラッグスタッフの材木置き場から、彼は丸太の端や切り株の最上部から幹の円板を切り出して25の年輪試料を初めて採集した。樹木の年輪を使えば過去の太陽活動の周期性を追跡できるという彼の仮説が動機となってこの試料採集が行われた。ダグラスは太陽活動の周期性と地球の気候への影響の関係に興味が膨らみ、この分野での新しい進歩を求め続けた。新しい進歩とは、（1）太陽黒点（太陽表面の暗くて、低温の部分のことで、望遠鏡での観測が可能）出現の11年周期の認識、（2）この周期性と、地球が受ける太陽放射エネルギーの類似した周期性の関連、（3）太陽放射エネルギーの地球の気候への影響と気候の周期的変動を生み出す潜在的可能性などである。例えば、19世紀のイギリスの天文学者、ノーマン・ロッキャー――科学雑誌ネイチャーを創刊し、後に女性参政権論者のメリー・ブロッドハーストと結婚した――は、1世紀以上経った今日なお研究が行われているテーマである、太陽黒点の出現周期とインドにおけるモンスーンによる降雨の関連について仮説を提案している。太陽放射エネルギーと地球の気候はともに複雑であるため、両者の関連性を明らかにするには長い時系列データ、すなわち時間的に連続した測定点で記録され、年代順に並べられた一連のデータが必要だった。長寿木の幹の年輪ならそのような時系列データを提供してくれるというのがダグラスの着想だった。

ダグラスは年ごとの樹木の成長は、年輪の幅で決められるはずだということに気づいた。樹木の幹回りは年ごとにどのくらいずつ成長するのか、そして年輪の幅が1年でどれくらい成長するのかは、樹木が吸収する栄養分で決まる。アメリカ南西部はほとんどが半乾燥地域にあるので、樹木の栄養分供給は多くの場合、雪と雨による降水から樹木がどれくらいの水を吸収できるかに依存している。個々のデータをコンパイルして、ダグラスはある年の年輪の幅はその年の降水量を示している可能性があるという仮説を立てた。もし降水量と太陽からの放射エネルギー量の間に関係があるなら、例えば、ロッキャーの仮説に述べられているように、年輪は降水量の変動だけでなく、もしかすると、太陽活動の過去の変動の記録媒体としても使えるかもしれないのだ。古樹から得られた年輪のデータに基づく年輪時系列からは太陽放射エネルギーの変動の数世紀分のデータを得られることになる。この着想を検討しようと、ダグラスはアリゾナ州北部からポンデローサマツ（*Pinus ponderosa*）の試料を１００以上採集した。

1915年、ダグラスは年輪年代学*を創出した。年輪時系列は共通紀元1463年†まで遡り、ダグラスは樹木の成長の450年にわたる周期的変動を研究することができたのだった。

*私たちは、ひとつの試料から得られた年輪のデータを議論する場合は「年輪パターン」、複数の樹木または地域から得られ、標準年輪曲線と対比された年輪のデータを議論する場合、「年輪年代」という用語を使うのが一般的だ。
†私は本書を通して、CE（共通紀元）とBCE（共通紀元前）を使うことにする。これらはAD（西暦紀元）とBC（紀元前）と同じことを意味している。例えば、CE1463年はAD1463年に、BCE1305年はBC1305年にそれぞれ対応する。

その性質が古く遡ることが知られているカリフォルニア州、シエラネバダ山地のセコイアオスギ（*Sequoiadendron giganteum*）の森に、さらに古い年輪試料を求めて、ダグラスはさらに遠くへと調査旅行を行った。彼の調査から、採集したセコイアオスギの試料の中で最古の年輪は共通紀元前1305年にできていたことがわかった――彼は樹齢3200年の樹木を採集したのだ！　アリゾナ州北部のポンデローサマツは決してそのような樹齢に達することがないので――彼が採集した樹木の中で樹齢500年を超えた試料はたった2つしかなかった――ダグラスはアリゾナ州での樹齢記録をもっと遡ることができる別の年輪試料がどうしても必要だった。このような試料がコロラド州、ニューメキシコ州、アリゾナ州、ユタ州の境界が集まった地域、フォー・コーナーズの考古遺跡から樹木試料として発掘されるにはさほど時間はかからなかった。

古代プエブロ人遺跡は語る

アメリカ南西部の考古学は、年輪年代学でのダグラスの研究の発展と同期するように絶頂期を迎えた。フォー・コーナーズ地域の古代プエブロ人の遺跡や洞窟住居跡の多くは現在では国指定文化遺産や国立公園として保護されている——チャコ・キャニオン、メサ・ヴェルデ、キャニオン・デ・シェイ、カサ・グランデ、アステカなどの遺跡は、1800年代後半から1900年代の初期に発掘が行われた。これらの先史時代の素晴らしい構造物の発見は一般市民の想像力を虜にした一方で、その形成と放棄の年代については答えよりもむしろ多くの疑問が考古学者に残された。20世紀初期のアメリカ南西部の考古学研究は、相対的な新旧関係を導き出した。つまり、チャコ・キャニオン遺跡はアステカ遺跡成立の以前か以後かなどの疑問を解決するためには、大きな特徴のある、この地域全体から多産する工芸品である陶器類の様式が使われてきた。しかし数値年代ははっきりしないままだった。

ニューヨークのアメリカ自然史博物館は、フォー・コーナーズ地域の遺跡の絶対年代を追究している研究機関のひとつだった。ダグラスの年輪年代学研究の成果を読んだ、博物館の考古学担当の学芸員がダグラスに手紙を送った。「あなたの研究成果が南西部の考古学研究の助けになるかもしれません……これらの遺跡がどれくらいの古さなのかを私たちは知りませんが、これらの遺跡で採集した年代が判明した樹木の試料と、現在の樹木の試料とを成長曲線を比較することによって関連付けられるかどうか、あなたの意見をうかがえたらありがたいのです」*。この手紙を受け取った後、1915年には早くも、ダグラスはその考古学者と共同研究を始めた。それは、フラッグスタッフで彼が最初の年輪試料を採集してから11年後のことだった。ダグラスがめざすところは、フォー・コーナーズ地域から採集した木材の考古試料中の年輪パターンと彼がアリゾナ州北部から採集した樹齢450年の現生木の年輪パターンを関係付けることだった。もしこれら2つの年輪パターンの間で重複を見つけることができれば、現生木の年齢を木材の考古試料に年レベルの確かさで当てはめることができるはずだ。それは当時考古学分野で広く用いられていた年代推定法による漠然とした年代幅からの大きな飛躍といえる。

＊クラーク・ウィスラーからＡ・Ｅ・ダグラスへの書簡、１９１４年5月22日。

フォー・コーナーズ地域の関連する遺跡から出土した木製の梁や木炭などの考古試料から、ダグラスは年輪パターンをたちまち測定することができた。* しかし、どの年輪パターンも現生木の年輪年代とは重ならなかった。結果として、考古遺跡の木材の年代は浮動した（確定していない）ままであった。考古遺跡の木材の年代決定には、現生木に関連するか、プエブロ人の遺跡の精密な年輪年代あるいは数値年代が欠落していた。しかし、たとえ年輪年代が数値年代を示さなかったとしても、相対的な新旧関係を示す可能性があるので、浮動年輪年代は他に類を見ないほど価値ある研究手法だった。アメリカ南西部の考古学的研究に年輪年代学を適用することによって、着実に増え続ける遺跡の相対的な新旧関係とフォー・コーナーズ地域の先史時代の遺跡の古さについての最初の正確な順番付けができた。ダグラスの年輪年代学的研究は、例えば、チャコ・キャニオンの主な遺跡5つはすべて20年間という時間の中で成立し、そのプエブロ・ボニート複合遺跡はアステカ遺跡の40年～50年前に先だって成立していたことを立証した。

＊木炭は通常の木材よりもよく保存され、はっきりとした年輪を示すのだ。十分な数の年輪を含んだ大きな木炭片なら年輪年

ダグラスの年輪年代研究の考古学への貢献は計り知れないほど重要なものになったが、目標として強く望んでいた年輪の絶対年代値の把握にはさらに14年が必要だった。古代プエブロ人による建築物構築の正確な暦年を得るために、ダグラスは考古試料の浮動年輪年代と、彼が確実な絶対年代値を決定している現生木の年輪年代の間の失われた関連性を見つけ出す必要があった（図1）。ダグラスは2つのアプローチによって2つの時系列の不連続部分を接続するものの作成に着手した。2つのアプローチとは、現生木の年輪年代を可能な限り遡ることと、浮動年輪年代をできるだけ現在に近づけることだった。これらを行うことによって、最終的には2つの年輪年代が重なって編年の不連続部分が接続されることをダグラスは期待していた。1929年には、年代が決定されている現生木の編年を拡張して共通紀元1260年まで遡った。フォー・コーナーズ地域の75ヶ所の遺跡から出土した試料を含む彼の浮動年輪年代は585年にわたった。2つの編年の間の不連続部分の接続を可能にし、飛躍的進歩をもたらしたのはアリゾナ州東部のショー・ロー遺跡で採集した1本の梁材だった。梁材HH−39には編年されている現生木の初期（1260年〜1380年）と年代的に重なる143の年輪があり、ダグラスはそのHH−39の最も内側の年輪の年代を1237年と決めた。その次に、彼はHH−39が浮動年輪年代の最新期の49年分とも重なっていることを発見し、その結果として彼が年代を確実に決めた浮動年輪年代の最終年は1286年になった。HH−39は、一挙に、浮動年輪年代（いまや未確定ではない）の決定に貢献したショー・ロー遺跡（1174年〜1383年）、アステカ遺跡（1110年〜1121年）、プエブロ・ボニート複合遺跡（919年〜1127年）やその他の遺跡から出土した梁材の絶対編年を明らか

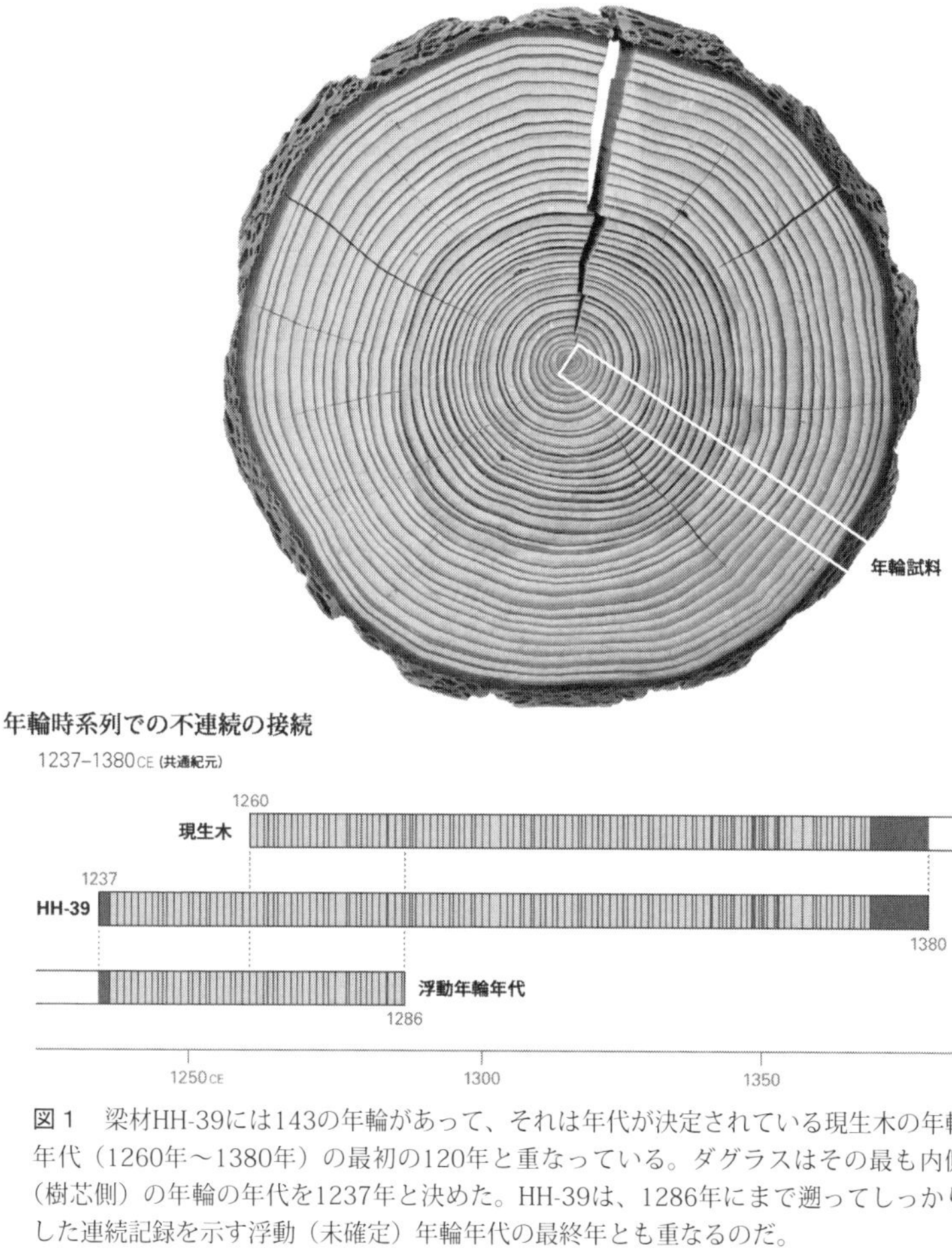

図1　梁材HH-39には143の年輪があって、それは年代が決定されている現生木の年輪年代（1260年～1380年）の最初の120年と重なっている。ダグラスはその最も内側（樹芯側）の年輪の年代を1237年と決めた。HH-39は、1286年にまで遡ってしっかりした連続記録を示す浮動（未確定）年輪年代の最終年とも重なるのだ。

にした。ダグラスの「ロゼッタストーン」であるＨＨ-39は、１年以内に75ヶ所の古代プエブロ人遺跡の的確な歴史的見方を提供した。

推定年代が何世紀、何千年にもわたっている工芸品を展示している博物館を訪れるたびに、私はダグラスの考古学への貢献の大きさを思い浮かべる。年輪年代学研究者として、私は正確な年代というものに慣れてしまっている。年代が不正確または不明な先史時代の石や金属の考古学的発見物は年輪による年代決定がなければ考古学的世界が人びとにどのように映るのかをそれとなく示している。学位号をめざしていた頃に働いていたベルギー、テルビューレンの王立中央アフリカ博物館では、木製工芸品の多くの年代は「未詳」になっている。博物館所蔵の仮面、彫刻、首飾り、腰掛けの大多数は、中央アフリカでつくられたもので、ここでは今日までのところ信頼に足りる現生木の年輪、20世紀の木片ですら編年に利用できるものがない。もしＨＨ-39を見つけ出し、年輪年代の不連続部分を接続するダグラスと彼のチームの努力がなかったら、アメリカ南西部と他の多くの地域の古代プエブロ人の文明は、これと同じように年代未詳のままであったかもしれない。

年代が確定している現生木の年輪年代学と浮動年輪年代を統合し、ダグラスはフォー・コーナーズ地域の年輪記録を５００年以上遡って共通紀元７００年にまでさらに拡張した。この連続的で、正確に決められた編年の結果から、ダグラスはもともと研究すべきだった１２００年間以上の太陽黒点の変動周期と気候変動の関係性のデータを手に入れたのだ。その後の数年間、彼はその編年記録をさらに時代を遡らせて拡張することに全力を注ぎ、１９３４年までに、彼は教会暦（共通紀元11年～１９３４年）全体を取り扱うことに成功した。１９３７年には、年輪考古学と年輪気候学の分野での30年以上にわたる成果を積み上げて、ダグラスは年輪研究に全面的に特化した初の付属研究所である年輪研究所をアリゾナ大学に開設したのだ。アリゾナ大学はフットボールスタジアムの西側の観覧席の下に新しい研究室の場所を提供し、この建物はよりふさわしい場所が見つかるまでの一時的なものだとダグラスに約束した。私が２０１１年にツーソンに赴任したとき、ＬＴＲＲはまだフットボールスタジアムの観覧席の下にあった。アリゾナ大学フットボールチームの本拠地ゲームを見ようとスタジアムを訪れたら、その西側観覧席に私の名前が書かれた扉をいまでも見つけることができるだろう。アリゾナ大学が75年も前の約束を果たして、ＬＴＲＲが新しい建物に移転したのは２０１３年のことだった。

　科学的専門知識の一分野として、年輪年代学は１９３０年代のアリゾナ州南部でのつつましやかなスタート以来、大きく発展してきた。アメリカ南西部の先史時代の編年に加えて、年輪年代学は数多くの考古学的、また美術－歴史研究での正確な年代決定ツールとして使われ、放射性炭素による年代測定結果の精度の吟味、過去２０００年以上の気候変動の研究、20世紀と21世紀での旱魃と多雨*についての歴史的背景をふまえた考察、過去の地震、火山噴火、森林火災その他の自然災害の研究、森林－歴史の研究を行ってきた。ＬＴＲＲの正式発足以来、多くの年輪年代学研究室が次々と世界中で開設されたため、年輪年代研究の多彩な応用が可能になってきたのだ。データをつくり出せる年輪年代研究室が世界には１００以上もあって、その多くが経験豊かな年輪年代研究者を複数配置している。例えばＬＴＲＲには現在、年輪研究を専門とする常勤教員が15人以上在籍し、加えて約50人以上の事務職員、技術系職員、資料管理職員、大学院生、博士研究員、非常勤講師がいる。この他、規模の大きな年輪年代研究室は、北アメリカと南アメリカ（例：ニューヨーク市のコロンビア大学、アルゼンチンのメンドーサ大学、カナダのビクトリア大学など）、ヨーロッパ（例：スイス連邦森林・雪氷・景観研究所〈ＷＳＬ〉、ウェールズのスウォンジー大学、オランダのワーゲニンゲン大学）、ロシア（例：クラスノヤルスクのシベリア連邦大学)、アジア(例:北京の中国科学院)、オーストラレーシア(例:ニュージーランドのオークランド大学)などに拡がっている。

＊多雨気候とは、複数年にわたって降水量が多い期間のことである。

年輪年代学の全世界的な開花によって、年代の確定した年輪年代データが急増した。年輪年代学研究者が旺盛な共同研究の精神を持つ傾向があるのは幸運なことだ。個々の力をそれぞれで発揮するより、皆でまとまったほうがより強い力を発揮できるということを私たちは理解しているし、また苦労して手に入れた年輪データであっても研究者が相互に交換、またはNOAA(米国海洋大気庁)が運営する公式にアクセス可能なインターネット上のデータベース、国際年輪データバンク＊を通してより広範囲の科学者仲間で共有することを惜しまない。ほぼ1世紀に及ぶ年輪年代学の発見を集約することによって、国際年輪データバンクは4000以上の地点から得られたデータを保有している。年輪年代による編年は地球の陸域、とくに北半球の大半をカバーし、数百年オーダーから数千年オーダーの拡がりを見せている。

＊www.ndc.noaa.gov/p.aleo/treering.html

しかし、1世紀に及ぶ年輪年代学研究は多くの疑問とこの分野の限界を私たちに示した。年輪年代学で何が意味を持ち、何が意味を持たないのかがわかってきたので、ダグラスがアメリカ南西部に移ってきたときの状況から考えると、年輪年代研究の創設はじつに時機を得たものだったことがますますはっきりしてきた。例えば、ポンデローサマツ——ダグラスや研究者たちがこれまでに最もよく使った樹種——はたいへんはっきりした年輪を持っていて、アメリカ南西部に豊富で、広く分布し、比較的長寿である。南西部では樹齢350年〜400年の樹木はまずまず簡単に見つかり、採集された時点で樹齢が742年に達していたポンデローサマツがアリゾナ州では知られている。ほとんどのアメリカ南西部の樹木と同様に、ポンデローサマツのある年の成長はどれほどの水を吸収できるかによってほぼ決まり、つまりこの樹種は降水量の年々変化をよく記録しているといえる。降雪と降雨が多く、多湿の年には、樹木はよく成長し、幅広い年輪を形成する。乾燥の年には、樹木の成長は抑制され、年輪の幅は狭くなる。アメリカ南西部での降水量は年ごとに大きく変化する。多湿気候と乾燥気候が年ごとに交互に続くことによって、多湿と乾燥の年を同時に経験するので、アメリカ南西部の樹木に共通して見られる幅狭い年輪と幅広い年輪の一連の繰り返しが形成される。この共通に見られる年輪パターンには、明瞭な特徴があって、アメリカ南西部のすべての樹木で認識可能なひと続きの長いモールス信号（幅が広い-広い-狭い-狭い-狭い-狭い-広い）のようだ。現生木にも枯れ木にも、歴史的建造物でも考古遺跡の木材でも、木炭や半化石*にさえ見られるこのような年輪パターンはクロスデーティング（**図2**）とよばれる方法によって互いを対応させることができるのだ。例えば、アメリカ南西部全体は1580年に旱魃に見舞われたことがわかっている。この地域の大半の樹木と木材、そしてカリフォルニア州のセコイアオスギにも見られる極端に狭い幅の年輪という証拠からこの旱魃が発生したことがわかる。そのため、1580年という年を年代未詳の木材の年代決定や現生木の年輪パターンあわせのための指標年、または基準年として使うことができる。

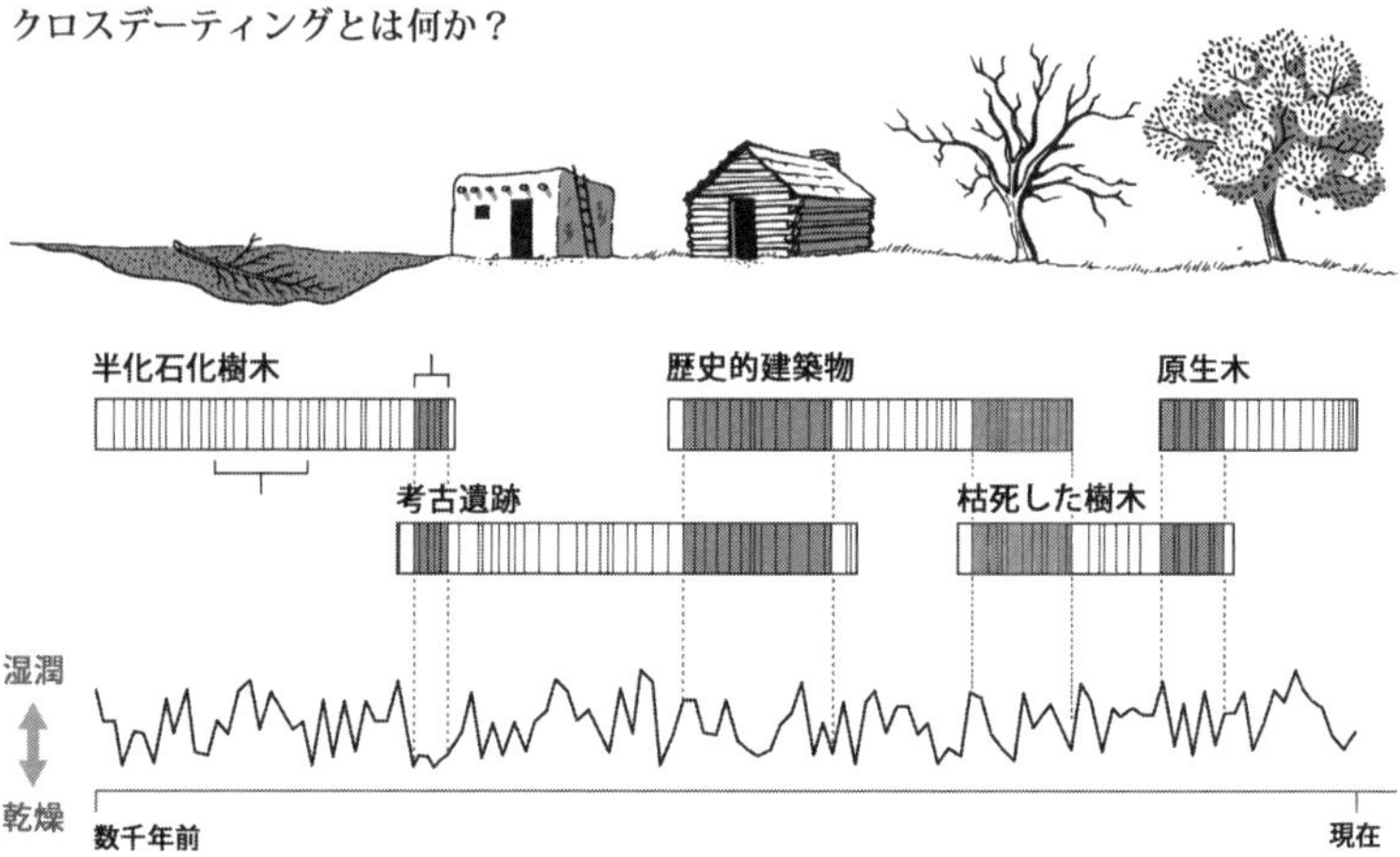

図２　多湿と乾燥の年が交互することによって、同一地域の樹木につくられる一連の幅の狭い年輪と幅の広い年輪。これを使って現生木と枯死した樹木、歴史的建築物と工芸品、木炭と半化石でさえもそれらの年輪パターンを照合することができる。

ポンデローサマツの豊富さ、長寿命、旱魃への敏感さに加えて、アメリカ南西部は古代プエブロ人がその建造物にポンデローサマツを広く利用し、その結果、遺跡に保存されたといういっそうの有利性がある。考古遺跡に見つかるこの樹種の木材はダグラスの年輪研究と、次々に新たな発見が出るためますます注目を浴びたアメリカ南西部の考古学研究を結びつける橋渡しの働きをした。明確な年輪があって、長寿で旱魃に敏感なこの樹種と、出土数が多く、かつ保存が良好な考古遺跡の材木とを組み合わせると、なぜ年輪年代学がアリゾナの砂漠で創設されたのかが説明できる。19世紀後半、アメリカ南西部よりも森林の生物多様性が低く、樹木の年輪が不明確で、樹木が旱魃以外の要因にも影響されやすく、

＊湖底で見つかる樹木のように化石化していない樹木。

また先史時代の遺跡がまれで保存状態が不良な地域にもしもローウェル天文台が設置されていれば、年輪年代学という分野はまったく異なる出来事の中から台頭していたかもしれない。そして、スイスアルプスからソノラ砂漠への私の移住もなかっただろう。

女性研究者はつらいよ

アメリカ南西部における年輪年代学では、女性初の年輪年代学研究者であるフローレンス・ホーリー・エリスが先駆けで、アメリカ中西部には年輪年代学研究者はほとんどいない。ホーリーは１９３０年にアリゾナ大学で就任当時のダグラスの年輪年代学の講義を受けた。チャコ・キャニオン遺跡での数年の年輪年代学の研究と博士学位取得の後、彼女は１９３４年に教職に就き、１９７１年の退職までニューメキシコ大学で勤務した。ホーリーはミシシッピ川以東では誰もが認める年輪年代学の先駆者だった。彼女は土砂に埋もれたミシシッピ文化（共通紀元約９００年〜１４５０年）の儀礼墳丘の考古学的木材試料の採集と、現生木をクロスデーティングして年代を確立させる目的で中西部の１０００以上の現生木の試料採集に長い時間を費やした。先駆者にはありがちなこととして、ホーリーと彼女のチームはさまざまな技術的な課題に直面した。彼女らは樹齢が短く、年輪が不明瞭でクロスデーティングが難しい落葉性樹木が分布する広大で、気候的にも多様な地域で研究を行っていた。これに加えて、アメリカ東部と中西部の森林の多くは18世紀から19世紀までのヨーロッパからの移住者によって伐採されており、そのため古い森林が少なく、長期間に及ぶ編年を確立するための樹齢の長い樹木が不足していた。アメリカ南西部と違って、中西部の考古遺跡の多くでは、木材のような有機物質が湿気の多い墳丘の土砂に埋もれているため、保存状態が不良で、考古学的検討のための木材試料も不足していた。

1930年代後半から1940年代前半にかけて研究を行って、ホーリーと彼女のチームは技術的ではなく、むしろ時代の文化に関係した問題に出くわした。第2次世界大戦中、ホーリーのチームの一員がケンタッキー西部の地主たちによってドイツのスパイの疑いで告発されてしまった。その所有地内で彼女たちが樹木を抜き取り採取しているところに、地主がたまたま出くわし、そのあと車を物色した所ドイツ語の教科書を発見して容疑をかけたのだった。ホーリーのチームの別のメンバーは研究者としての彼女の地位を奪い取ろうとして、科学研究での女性に対する不安定な評価を利用して彼女を傷つけるような陰謀を仕組んだ。彼自身を弁護し、その性差別的な振る舞いを隠そうと、別のメンバーはホーリーの上司に手紙を送った。「ルイスは一人前になろうとしたのです。どうか……このことすべてを内緒にしておいて下さい。一部の者はホーリーが昨年これに巻き込まれた状況を知っているし、明るみに出ればそれは彼女を傷つけることになるでしょうから、万事うまくいくように私を信頼してくださることをお願いできませんか」[*]。私について同じような言い回しをした電子メールがどこかに存在することを私はかなり確信している。ホーリーが女性初の年輪年代学研究者になって以来80年以上の間に多くのことが変わり、幸運なことに改善された。しかし不運なことには、科学に身を置く女性にとっての難題はあいかわらず昔のまま残っている。

*ロイ・ラセッターからシド・スターリングス宛ての手紙、1936年3月5日。が、もともと主張している。スティーブン・E・ナッシュ著『時間、樹木、先史時代：年輪年代測定と北アメリカの考古学の進展、1914年～1950年』(ソルトレイクシティ：ユタ大学出版局、1999年)、227頁。

第2章　アフリカで年輪を数える

タンザニアで初の試料採集

数年前の感謝祭の週末、学期中の狂乱からの待望の息抜きのためアリゾナ大学の特別研究員の友人2人と一緒に、ツーソンからニューメキシコ州サンタフェに車を走らせていた。長いドライブを楽しむのに、私たちは#サイエンスソングというそのときのツイッタートレンドにヒントを得て、実際の歌詞をその人の研究に関連するものに置き換えるゲームをした。それぞれ植物-土壌微生物学、陸上の炭素循環を研究するレイチェルとデイブにふさわしい歌詞を見つけるのに私は苦労していた。しかし、年輪年代学の親しみやすさにちなんで、TOTOのヒット曲「アフリカ」を改作してレイチェルは勝ちを収めた。「アフリカで年輪を数える」*という歌詞テーマは、いまや私たちの定番ジョークだ。

*もとの歌詞は「I bless the rains down in Africa（アフリカに雨が降るよう祈る）」。

レイチェルの賢明なところは、私の母の心配をよそに、特別研究員で修士課程院生のクリストフ・ハネカが同行した1998年6月の素晴らしい野外調査の時、私がタンザニア北西部で最初の年輪試料を採集したという事実を引き合いに出したことだった。この当時のタンザニアは年輪世界地図上の空白地域で、厚かましくも私たちはそれを変えることができるだろうと思っていた。私たちはこの地域の樹木に年輪があるかどうか、そしてもしあるなら年輪を東アフリカの気候研究に利用できるかどうかを調査するために乾期のタンザニアの森林で樹木の試料を集めることに狙いを絞っていた。

クリストフも私もヨーロッパを離れて旅行するのは初めてだった。私たちはどの樹種を採集すればよいのか、採集する樹木の見つけ方も、採集の方法すらも、地元の専門家に共同作業を依頼する方法も、重要そうな試料をベルギーに向けて船積みする方法もわかっていなかった。私たちは専門的技術の欠如を、情熱で補った。私たちは2、3の標本抜き取り器、弓鋸2本、GPS（全地球測位システム）を荷造りし、タンザニア最大の都市、ダルエスサラームに向かう便に搭乗した。

ひとつわかっていたことは、ダルエスサラームの西1200キロに位置し、タンガニーカ湖畔にあるキゴマ市で、私たちの落ち着き先を世話してくれるはずのアフリカで唯一のカウンターパートである、ベルギーのアフリカ博物館の科学者に会うには、1週間しかないということだった。私たちの移動は航空便の20時間の遅れから始まり、それに続いたのは鉄道の橋が大雨で流され、36時間の列車移動が3日間のバス移動に変更されたという知らせだった。野外調査の最初の決まり事を身につけたのはこのときだった。常に計画を立てよ、しかしその変更に備えておけ。最終的にキゴマ行き列車になんとか乗ったとき、私たちはすっかり安心してしまい、バックパックを何気なく列車の床に下ろして、車窓の景色を楽しんだのだった。30秒して振り向いたとき、GPSと標本抜き取り器とともに私たちのバックパックのひとつがなくなっていた。パスポートとトラベラーズチェックは持っていたが、すぐにもうひとつの教訓を身につけた。1分たりとも所持品を目が届かないところに放置してはいけない。1週間の長い移動の後、唯一のカウンターパートだった人物がキゴマ市を出発してしまったのと同じ日にキゴマ市に到着した。ＧＰＳと標本抜き取り器がなければ、私たちに残されたのはたいしたものではない道具類だけだった。

キゴマはブルンジとの国境の約64キロ南、タンガニーカ湖の北東岸にある小さな市だ。キゴマとブルンジの間にはジェーン・グドールがチンパンジーの研究を行ったゴンベ渓流国立公園がある。キゴマの幹線道路は私たちが到着した湖のそばの鉄道駅から、道路を８キロほど行ったところにある昔の奴隷貿易の中心地、ウジジ*につながっている。

＊ウジジは１８７１年11月にヘンリー・スタンレーがデビッド・リビングストンに出会った場所で、「リビングストン博士でいらっしゃいますか？」という言葉で自己紹介した。

クリストフと私にはキゴマに滞在するという目的があった。そこで年輪試料を採集することになっていたのだ。ほとんどの年輪試料採集には、年輪年代学研究者が現生木や木造梁から樹芯を抽出するのに使う、内部が中空の特別な採集装置である標本抜き取り器が登場する（図３）。チェーンソーで切るのとは違い、この標本抜き取り器は樹木を傷つけることも切り倒すこともなく、また歴史的建造物への損傷を最小限にとどめて、必要とする年輪の情報を取り出すことができるのだ。残念なことに、クリストフと私はこの標本抜き取り器を列車内で盗まれてしまった。現生木を研究目的ででも切り倒したくはなかったので、木炭製造のために最近切り倒された樹木を探し、幹や切り株を採集することにした。私たちは運がよかった。年輪年代学の立場からいうと、キゴマ市周辺の大きな森は木炭製造のためにきれいに伐採されつつあり、採集できる切り株がたくさん残っていたのだ。

図３　モンタナ州のイエローストーン川の氾濫原のポプラ（*Populus deltoide*）から年輪試料を採集する。採集には標本抜き取り器を使い、試料は輸送用に白い紙製の細い管に保存する。写真はデレク・ショークによる。

キゴマ市に拠点を置くジェーン・グドール環境NGOのひとつによる援助の下に、私たちは最近伐採が行われた近くの場所を選び、そこで木炭製造業者に出会った。業者たちはタンザニアで話されている１２４の言葉のひとつである彼らの母語しか話さず、そのため私たちが何を望んでいるのか、とくにその理由を伝えるのが難しかった。弓鋸を実演しながら身振り手振りでことの次第をなんとか説明した。ところが生活の糧として木を切り倒し、枝をはらう木炭製造業者たちは斧と山刀で私たちの弓鋸よりもはるかに楽々と、また効率的に作業したのだ。その日の終わり、大雑把に切った樹幹の輪切りサンプルと棒状試料（クッキー）でいっぱいになったバックパック２つを背負って私たちはキゴマ市に戻った。

キゴマ市滞在の最後の１週間を使って

気象データを収集した。70年分の月ごとの気温と降雨のデータを手書きで書き写したのだ。採集した30ほどのクッキーのベルギーへの輸送の手配をした。クッキーがいっぱいに入った大きな郵便袋2つを駅に持って行って置いてきた。そこでその郵便袋はダルエスサラーム行きの列車に積み込まれ、ベルギーに向けて輸送されることになっていた。大男が郵便袋2つをまるで木材ではなく、羽毛が入っているかのように軽々と持ち上げて、暗い隅に放り投げたのだった。この時点で私たちは数週間の辛い作業の成果品がうまくキゴマ駅から出発し、ましてやベルギーに届くだろうとは思ってもいなかった。

実際、6ヶ月後、私たちの試料はまだベルギーに届いていなかった。パニック状態になりながら、クリストフと私が修士研究のプランBの仕事をしていたある日、クッキーが詰まった郵便袋2つが奇跡的にアフリカ博物館の階段に姿を見せたのだ。卒業まであとわずか2、3ヶ月しかなく、年輪試料の準備、測定、クロスデーティングの作業、解析、そして修士論文の執筆のための時間はたいへん限られていた。よくわからないが、私たちは2人ともキゴマでの冒険旅行の1年後になんとか卒業した。私たち2人にはこの野外調査の経験は、印象として長く残り、研究を継続し、さらに経験を積むことへのモチベーションの高揚になった。私たちは揃って年輪年代学の博士学位研究を続けたのだ。*

*クリストフは現在ベルギー、ブリュッセルのフランダース文化遺産庁の年輪年代学研究者として成功を収めている。

試料採集のやり方

私たちのキゴマでの年輪研究は、予察的で探索的なものだった。私たちが初めてタンザニアで年輪試料を採集し、タンザニアの森林地帯で年輪年代研究を行うことが可能かどうか調査したのだった。もし可能ならば、私たちの研究は気象記録がとられるよりも以前の気候を調べるために年輪データを使っており、最終的には気候復元につながることになるのだ。気候の復元には、その地域で樹齢が最も長く、気候に敏感な樹木に狙いが定められる。私たちの予察的な調査では、最も長寿命の樹木をえり好みして探す余裕はなかった。調査の過程で木は伐採せず、限られた経費と時間が許す限り多くの試料を集めた。私たちは運がよかった。採集した樹木にははっきりとした年輪があり、なんとか38年の長さのクロスデーティングで編年した年輪年代をつくり上げることができたのだった。

そうはいっても38年分のデータでは気候復元にはあまり役に立たない。しかし、どの樹種に気候と最近の環境の変化を反映したクロスデーティングに利用できる年輪が含まれているかを調べる、このような予察的な調査は年輪気候学研究にとっての重要な基礎を築くものなのだ。クロスデーティングされている年輪幅の正確な測定は、データの基準点の設定と目安となる過去1年ごとの年輪幅の測定が必要になる研究には欠かせないものだ。基礎的な研究の次には、長寿木と枯死した木についての試料採集に狙いを絞って、可能な限り時間を遡った気候の復元に集中することができる。

樹齢が長い樹木の試料採集を行う場合、標本抜き取り器なら樹木を枯死させることも傷つけることもないので、私たちは山刀やチェーンソーよりも標本抜き取り器のほうを好んで用いる。最も新しい年輪は樹皮のすぐ内側にあり、最も古い、最初にできた年輪は樹木の芯の部分にある。木部の成長を担っているのは樹皮と木部の間にある維管束形成層といわれる傷つきやすい層である。樹木の若い細胞は維管束形成層でつくられ、樹木の細胞でできたすでに形成されている（古い）層の外側に蓄積されていく。樹幹全体としては、樹皮のすぐ内側にあるこのたいへん薄い維管束形成層が、実際に生きているたったひとつの部分だ。他のすべての部分――木部と樹皮――は樹木の安定性と保護、根から葉またはその逆に水と栄養分を輸送する機能が第一義的な枯死した部分である。水の輸送は辺材といわれる樹幹の外側部分でのみ行われ、樹芯で行われるのではない。標本抜き取り器を使う抜き取り採集では、樹芯のその周辺に損傷が及ぶにすぎない。同じように、年輪の抜き取り作業は生きている維管束形成層のごく小さな範囲、およそ箸の太さでしかない、一般的には直径約５ミリの部分を抽出するが、樹木に損傷は及ばない。

標本抜き取り器を使う現生木の抜き取り採集は、とくにコナラのように緻密な木部を持った樹種の場合、体力的に厳しいものがある。私たちはハンドルを回転させて手動で樹木に穴を開け、樹芯を取り出した後、ハンドルを逆向きに回転させて標本抜き取り器を取り外す。この作業にはかなり上半身の強さが必要で、とくに1日に多数の年輪試料を抜き取り採集しようとする場合は、年輪年代学研究の初心者にとってはしばしば驚きとなる。経験豊かな年輪抜き取り採集者は実際の作業に慣れており、年輪抜き取り採集をしてみせるときはいつでも、傍から見て骨が折れる仕事をしているようには見えない。抜き取り採集を試みた場合、その作業で不足しているのは作業に要する体力であって、標本抜き取り器の性能ではないことに気がつかずに、古くなった標本抜き取り器に文句を言う学生がどのグループでも少なくともひとりいる。

肉体的に厳しい抜き取り採集作業も、樹木の樹芯を採集したとき得られる満足感で報われる。標本抜き取り器が立ち往生したり、樹芯が腐っている樹木にあたったりしなければ、年輪をすぐに観察できる試料を取り出せるはずだ。樹木を痛めつけることなく、これらの年輪があなたの研究に使う何百、何千もの基準点（データポイント）に変わることがわかれば、あなたは元気づけられることだろう。もし運がよければ、抜き取り採集した試料の年輪幅が狭く、多様性に富むもので、高樹齢の樹木を抜き取り採集できたことがわかる。もっと運がよければ、標本抜き取り器が樹木の中心をまっすぐに貫き、まさしく樹芯部分を採集できるだろう。それはその樹木の最も初期の年輪の抜き取り採集に成功したことを意味している。*

*少なくとも樹木掘削を行った高さで。

チームの人数、樹木の大きさ、地域固有の問題などにもよるが、経験豊富な年輪年代学研究者のチームなら1日に100から200の抜き取り試料を採集するのは容易だ。チーム内で誰がいちばんたくさんの樹芯をあてたかをノートにつけておくと、チームのメンバーの、樹芯をうまく抜き取ろうという意欲をかき立てることができる。チームとして抜き取り試料採集作業を行った素晴らしい1日が終わった後、作業の結果として積み上げられた多数の抜き取り試料の束は、腕の痛みはあるものの嬉しいものだ。年輪年代学研究の野外調査の長い1日の後、研究者は指で触れることができる結果を手にするが、これは大切なことだ。数字がたくさん並んだだけの1枚の紙きれあるいはタブレットではなく、研究者が労力を注ぎ込んだ厳しい作業の実際の物的証拠になるからだ。わかった！という瞬間は科学の研究ではめったに来ない。科学者の仕事（論文執筆、研究資金の申請、学位論文執筆、書籍執筆）の大半はゆっくりと徐々に進行する段階からできている。もし即座に得られる満足が科学に欠落しているのが一般的であれば、樹木の抜き取り試料採集の後にじかに試料に触れることで得られる小さな衝撃はかけがえのないものだ。

年輪研究に最適な樹木とは

樹木1本1本、それぞれの物語を持っている。背が高い樹木の陰で生育期間のほとんどを過ごしてきた下層の樹木はそのまわりの樹木に不平を言うが、気候に影響されることはほとんどないだろう。低湿地に生えている樹木はその葉を食べるヤギやシカにまず不平をもらすことだろう。地中海地域の森の樹木は鬱陶しい春より、むしろ悲惨な結末を招く数年ごとの森林火事に不平をもらすかもしれない。しかし人間と同じく、多くの樹木は天気について話すことを楽しむのだ。旱魃が発生すると、アメリカ南西部の樹木は狭い年輪幅をきっかけにして不平をこぼす。しかしスイスアルプスまたはアラスカの寒帯林でこれに対応する樹木は旱魃よりも低温の夏をもっと嫌い、その年輪パターンには降水不足よりも生気のない夏の気温が記録される。樹木の成長を制限するこれらの「不平不満」は年輪科学の世界では成長抑制因子とよばれている。

年輪年代学研究者はできるだけ確実性が高い気候の復元を目標にしており、採集する樹木と地域を選ぶときには成長抑制因子に大きな注意を払う。私たちはその年の成長が基本的に気候の年々変化で決定(または制約)され、その他の影響を受けない樹木を選ぶ。周囲の樹木との競争に伴った複雑な要因の影響を受けないことから、私たちは立木密度が高い森林よりも、樹木が疎らな森林最上層部の樹木を選ぶ。人間が成長抑制因子として振る舞う可能性があるので、私たちの研究には、アクセスが難しく、人の手がほとんど入らないまま残されている人里離れた場所の樹木や森林が格好のフィールドだ。例えば、バージニア州南西部で降雨量の変化の復元をめざす場合は、ハイカーがたびたび薪にするために枝を切り取るアパラチア自然歩道沿いに生える樹木は避けるのだ。枝を失うことは、樹木にとってはストレスが高まる要因になりうるし、山火事による火傷の跡や食害の損傷のように、樹木の主要な成長抑制因子である気候の影響を覆い隠してしまうことがあるからだ。

気候変化の最も顕著な兆候を捉えるために、私たちは気候の厳しい場所に出かける。そこでは樹木の1年間の成長とその年輪の幅はその年の気象条件に制約される。もし過去の旱魃を調査したいと思ったら、樹木が寒さよりも降水不足の影響を受けやすい乾燥地域の樹木を採集する。一方、過去の気温変化を復元しようと思ったら、夏の気温が必ずしも樹木にとって快適とは限らない寒冷環境を調査地として選ぶだろう。これは気温復元が多くの場合、高緯度地域（シベリア、カナダ北部、スカンディナビア地域）または高地（ヨーロッパアルプス）の調査地域の樹木に基づいているためだ。一方、旱魃の復元は降水量が少なく、はっきりとした季節変化を示す地中海地域とモンスーン地域から始められた。

過酷な気候条件下で、人里遠く離れた場所に生育する樹木を求めて、年輪年代学の野外調査は年輪研究者を最も禁欲的でしかも美しい景観の中に誘う。息をのむような美しい景色を見るには人里離れた地域につながる急な斜面の長時間のハイキングを伴う。ほとんどの年輪年代学研究者が、仕事の中で好きな場面について訊ねられると、こう答えるだろう。「野外調査」。それは最初の調査地でこの分野の研究に私たちの多くを引きつけたものであり、その後も何度も私たちが戻っていくものなのだから。

第3章　**ギリシャ神の名を持つ長寿木**

古い樹木に狙いをつける

年を経た樹木はフィールドでも、または写真ででもわかる共通の特徴を備えている。おかげで探す手間が省ける。古い樹木に狙いをつければ、森のあらゆる樹木の抜き取り採集をするような必要もなく、私たちの労力と樹木の損傷を減らすことができる。古い樹木を見ると、目利きの研究者はその多くが共通に持っている特徴に気づく。それは、数少ないがしっかりした枝、先細り形ではなく円筒状の幹、露出した大きな根、枯死した樹冠部だ。古い樹木はらせん状に成長する場合もあり、樹皮は細長い短冊状になる。人間と同じで、古い樹木（樹齢250年以上）は、若い樹木（50年以下）とも、中程度の樹齢（50〜250年）の樹木とも違って見える。また人間に似て、樹木も若いときには高さだけが成長するが、年を経るにつれて幹回りが成長する。樹木がどれほどの高さまで伸長するのか、そして最終的な高さにまで成長するのにどれほどの時間がかかるのかは主にその遺伝子で決まる。コースト・レッドウッド（*Sequoia sempervirens*）はあなたの家の裏庭のスミミザクラ（*Prunus cerasus*）よりも高くなる。事実、おそらく120メートルに近い高さがあり、知られている限りでは世界で最も背が高い現生木であるコースト・レッドウッドのハイペリオンには8本のサクラの木がぴったり収まるだろう。樹木の高さは、他の樹木との競争の他に樹木が成長する土壌にも強く影響される。しかし、樹木はその種ごとに伸長しうる範囲内の高さに成長するだけである。

樹木はまずその最大の高さに成長し、そのあとから幹が太くなるので、高さが伸びつつある若い樹木は先端が尖って見える。幹の頂部は形成後わずか2、3年しか経っておらず、多くの年輪をつくり、そして幹を太らせるだけの時間はないが、それに対して幹の基底部はより古く、年輪を形成し、幹を太く成長させるのに費やした時間もずっと長い。樹齢の長い樹木で高さの成長がいったん止まると、次には幹の上部がそれに追いつこうと、年ごとに幹回りが成長し、幹は先細りの外形から円筒型になっていく。これに加えて、樹木の最先端部は枯れて、盆栽の木とは異なり、樹冠のてっぺんが平たくなる。樹木の枝も太く成長し続ける。樹齢が大きい樹木の枝と根は相当な太さになることがしばしばある。樹木は、ずっと上のほうから伸びている枝の陰になっているため、光合成や成長にあまり役立っていない下の枝を失ってしまうことがある。長い間の土壌侵食で長寿木の根が露出するため、根はもはや地下にはない。樹齢が長い針葉樹にはらせん状に成長するものもある。垂直にまっすぐ伸びるのではなく、その新しい細胞は斜めに成長し、旋回木理をつくることになる。旋回木理はさまざまなストレス要因（非対称な樹冠基底断面積、風向、成長地の傾斜）の変化だけでなく、遺伝子的要因も関係し、商業的な木材生産の妨げになる。旋回木理に見られるらせん状構造を標本抜き取り器で追いかけていくのは不可能なことなので、旋回木理は年輪年代学研究の邪魔にもなる。それでも、樹齢が最も長く、最も抜き取り採集が難しい樹木を探し出すことは間違いなく魅力的だ。それを追い求めるスリルは年輪年代学研究者が野外作業の途中で出合う困難さをしのぐものだし、ときには私たちを成功に導くこともあるのだ。

２０１５年6月、私たちは樹齢が長く、高地に生える樹木を求めてギリシャ北部のピンドス山地での10日間の野外調査チームを組織した。私にとっては、ピンドス山地での野外調査はアメリカ国立科学財団の資金援助を受けた、年輪を利用してジェット気流のパターン復元を目的とした研究の一部だった。私は年輪と気候システムの関連性の概略を調べており、この研究にはヨーロッパで最も長寿の樹木をいくらか採集することが必要だということがわかっていた。そのためにも私は最近バルカン半島でたいへん長寿の樹木を採集しているポール・クルシックに連絡をとった。ポールはケンブリッジ大学に在籍する優れた年輪年代学者で、野外調査に熟達していた。ゆったりした「冒険野郎マクガイバー」みたいに彼は鷹揚で器用で、チェーンソーの腕は比較にならないほど巧みで、ランドローバーに情熱を注いでいた。その2、3年前、ポールはピンドス山地最高峰のスモリカスに生えているきわめて独特の外見を持ったボスニアマツ（*Pinus heldreichii*）の写真を偶然見た。長寿の樹木の類型的な性質をすべて示していたので、間違いなくそのボスニアマツは樹齢が長いという考えが彼の中に生まれた。そのうえ、ボスニアマツは急傾斜の岩石だらけの環境の中で成長していたのだった。ポールは現地に行って、彼自身の目でその木を見る必要があると感じた。

最初のスモリカス山への野外調査を終えてケンブリッジ大学に戻ったとき、非常に驚いたことに、採集した年輪試料のひとつに９００層以上の年輪を数えたのだった。残念なことに彼が予察的な野外調査に携行した標本抜き取り器は、最長のものだったが樹齢９００年以上のボスニアマツの樹芯に到達するにはかなり短かった。私たちは特別な事情のときに長さ64センチという最長の標本抜き取り器を野外に持って行くが、それにはたくさんの現実的な問題がある。その採集用具は、（１）高価で、入手が難しい。（２）重量があり、野外調査用バックパックに相当な重みが加わる。（３）通常の標本抜き取り器よりも直径が大きい（26～58センチ）ために樹木の抜き取りさえも難しく、お手上げ状態になってしまうリスクが大きい。そこで、能率を高め、リスクを減らすために、私たちはどんな樹木でも樹芯に到達するために必要最小限の大きさの標本抜き取り器を使うのだ。まれに長さ91センチの標本抜き取り器が必要になる場合がある。ポールはそれが必要になったことを確認した！　高樹齢の樹木の内部にはまだ見つかっていない、もっと古い年輪がある。唯一の問題はその年輪が何層あるかであった。この疑問を解決するために、ポールと私は協力し、スモリカス山での2度目の徹底的な採集作業を続けることを決めた。

私たちは再度の試料採集のためにフル装備でスモリカス山に戻ってきた。より正確には、調査チームの人数を増やし、それまでよりも長い標本抜き取り器と、いちばん重要なこととして枯れ木採集用のチェーンソーも携行したのだ。スモリカス山への最初の調査のとき、太陽の光で白くなってしまった枯れ木がたくさん現場に転がっていることにポールは気がついていた。これらの枯れ木は数百年前に枯死し、徐々に侵食されながら横たわったままになっている古い倒木の幹の残骸だった。この倒木がもしかするとスモリカス山の年輪年代編年をずっと遡って拡張するのに使えるかもしれないと想像するのは刺激的なことだった。

ポールはランドローバーを運転してストックホルムの自宅からギリシャにやって来た。記録係、試料にラベルをつける係、そしてときには抜き取り採集係としても、野外でおおいに役立ったおませな12歳のバイキングの息子のヨナスを連れていた。私たちのチームはドイツのマインツ大学からの2人の研究者を加えて全員が揃った。身長が190センチ、独特のユーモアのセンスを持ったカリスマ的ドイツ人で、私の前の指導教員だったヤン・エスパーと、小柄な見かけにもかかわらず、野外で並外れた力を発揮するクラウディア・ハートル。彼女は力強く、几帳面で、疲れを知らず、決して不平を口にしない人物だ。

スモリカス山の麓にあって、ギリシャで最も標高が高い位置にあるサマリナという小さな町に泊まった。最初の朝、町で朝食をとったところからスモリカス山の森林限界まで急傾斜を歩く２〜３時間は耐えがたいほど辛いものに思えた。しかし、山の尾根の上では、植生がまったくない中に古い樹木だけが立っている光景が私たちを待っていた。時間が過ぎるにつれて、私たちの試料の山は大きくなっていったが、山歩きは午前中よりも楽になった。スモリカス山の標高約２０００メートルの森林限界地点での天候は晴れて、穏やかだった。思いもかけずありがたかったことには、森には蚊がいなかったし、山中を徘徊する野犬、オオカミ、クマとの遭遇を避けることができた。そして私たちは食事が美味しく、人びとは親しみ深く、ワインが豊富なギリシャにいたのだ。試料の抜き取り採集と切断作業の長い１日が終わると、ホテルに戻って靴をサンダルに替えて、素晴らしい食事を楽しんだ後、ベッドに倒れ込んだのだった。

私たちは10日間で50個以上のクッキー（棒状試料）を切り出し、ポールが最初に見つけていた長寿木など１００本以上の樹木を抜き取り採集した。しかし、２０１６年にはもっと大人数のチームと、ついには１００センチの長さの標本抜き取り器を携行して３回目の野外調査を行った。それはアドニス――ギリシャ神話の美と希望の神にちなんで名付けられた――の１０７５年以上という本当の樹齢が明らかになる前のことだった。ギリシャでの運命のその日、私たちはアドニスからほぼ１メートル（！）の長さの抜き取り試料を採集したが、それでもなお樹芯に到達していなかった。どんなに多くの調査が行われようとも、ヨーロッパ最古の現生木発見は壮大なスモリカス山での野外調査にふさわしいものだった。

自然遺産木の曖昧な樹齢

スモリカス山でアドニスを最初に見つけ、樹齢1075年の長寿木がヨーロッパ最古の現生木だという発言を広めたとき、2つのグループからたくさんの反発を受けた。クローン樹木研究グループと自然遺産木研究グループだ。両者はともに、もっと高樹齢の樹木を見つけられるし、その樹齢はヨーロッパで信頼性を持って測定できると主張するのだ。この議論での合理的な見方は、樹木とその年齢を私たちがどのように定義するのかに拠っているというのが私の見解である。根からの発芽によって無性生殖して増殖し、拡散していくクローン樹木は遺伝的に同一で、共通した根の構造を持っている。そのような根の構造は放射性炭素同位体年代測定法で明らかにされているように1万年以上に及んで生きることもありえる。しかし、個々の幹が200~300年の年齢に達することはまれにしかない。例えば、1本のアメリカヤマナラシ（*Populus tremuloides*）に由来し、4万以上の幹があるユタ州のクローン群生体であるパンドは推定8万年以上とされている根系を持っているが、その個々の幹はわずか130年の年齢でしかない。樹木の定義にクローン群生体の根系を含めるかどうか次第であるが、ヨーロッパで最長寿の現生木は、スウェーデンのオールドティッコかもしれず、それは発見者の犬にちなんで名付けられた――樹齢9550年のヨーロッパトウヒ（*Pinus abies*）のクローン樹木か、それとも私たちが年輪年代学的に樹齢はほんの1000年だと決定したアドニスかだ。

私はアドニスの発見に関係する何年も前、スイスに住んでいたときに自然遺産木研究グループとの論争に初めて出くわした。教師であり、アマチュア写真家でもあった友人のフランクは新しいガールフレンドに会わせるために、私を彼の家の夕食に招いた。フランクが次の休暇にイギリスの田舎に行って、そのガールフレンドが何年も心を奪われていたヨーロッパイチイ（*Taxus baccata*）の木を見に行く話を持ち出すまではすべてが順調に運んでいた。フランクのガールフレンドがヨーロッパイチイの中には樹齢３０００年以上のものがあるのだと言い、その主張を裏付ける古いヨーロッパイチイのウェブサイト全部を引き合いに出した。イギリスに樹齢３０００年の樹木があるかどうか――次に樹木の年齢を測定して生活している専門家として私はそのことを知っているはずだと主張し出したとき、雰囲気が緊迫した。作り話をする気はなかったと彼女が猛烈に言い張る一方で、私の中にいる議論好きな年輪年代学研究者は彼女の主張に疑いを投げかけた。もちろん、その夜は予測したよりも早く終わってしまった。

私が家に帰ってから、フランクのガールフレンドが示したウェブサイトをざっと見て回ると、すぐに私たちの白熱した議論の核心にある問題に気づいた。自然遺産木は多くの場合、大型で、単独で生えており、他にはない文化的または歴史的な価値を持っている。イギリス各地の教会の中庭にあるヨーロッパイチイは自然遺産木のよい例だ。他には、地中海各地に見られる古いオリーブの木（*Olea europaea*）、シチリア島のエトナ山の斜面に生えているセイヨウトチノキ（*Castanea sativa*）などがある。自然遺産木の文化的な重要性は、セイヨウトチノキ（１００頭の馬のトチノキ）の名前の来歴について述べたシチリア人の詩人、ジュゼッペ・ボレーロ（１８２０年～１８９４年）が解説している。

トチノキの木はとても大きかったので
枝は、その下で雨、雷鳴、稲妻からの傘になった
１００人の騎士を連れた女王ジョバンナが
エトナ山に行く途中
激しい嵐に驚いて

それ以来そのように名付けた
この木は谷やその流れに育つ
100人の騎士と大きなトチノキの木

自然遺産木が古いことに疑いはないが、その正確な樹齢はわかりにくいのが一般的だ。記念碑的な多くの自然遺産木の場合、幹回りが破片化してしまい、主幹の最も古い樹芯部は腐って失われてしまっている。このため年輪年代学あるいは放射性炭素による年代決定が不可能になっており、自然遺産木の年齢はそのサイズで推定されるかまたは仮定された成長速度を外挿して推定されている。成長速度は樹種の間でかなり違うし、樹木の中でさえも違うので——若い木は古い木よりもかなり早く成長する——これらの推定は不正確なものになることがある。結果として、自然遺産木の年齢は往々にして過大評価されがちで、厳しく議論される対象になる。例えば、イギリスのヨーロッパイチイの樹齢は簡単に600年ないし800年にもなりえるが、それはウェールズ北部のクルーイドにあるスランゲルナウイチイに対して主張された4000年～5000年という樹齢、あるいはスコットランドのパースシャーにあるフォーティンゴールのイチイで考えられた3000年～9000年という樹齢からはほど遠い。理論上はヨーロッパの自然遺産木の樹齢が1000年以上になることも可能だが、私は納得のいく証拠をまだ見つけていない。しかし、私は他の研究者の熱意あふれる研究からそのような証拠がはっきりしたときにはもっと思いやりをもって見るべきだということをずっと学んできたし、私はアドニスこそが年輪年代学的に樹齢が決定されているヨーロッパで最古の現生木だと問題なく結論できる。

自然遺産木の樹齢を考えるにはもうひとつ考慮すべき点がある。それは樹木が生育する場所だ。年輪年代学的に世界で最長寿だということが明らかになった樹木には、強力な成長抑制因子が作用している、人里離れた植生の薄い環境で生育しているものだ。ウェールズ地方の田舎のような穏やかな環境、あるいはシチリア島のように長い樹木利用の文化的歴史がある環境で生育する樹木がたいへん長い樹齢に達することはまれである。これには理由がある。過酷な環境では樹木の成長が厳しく抑制され、ゆっくりと成長する――きわめてゆっくりとだ。例えば、アドニスの場合、平均すると幹の直径の成長は年間1インチの10分の1（約1・5ミリ）以下である。このゆっくりとした成長の結果、年輪の幅はたいへん狭いものになり、材質はきわめて緻密になる。針葉樹の場合、ゆっくり成長する樹木に見られるように、しばしば樹脂に富んだ緻密な材質になることによって害虫、菌類、バクテリア類の侵入に対する抵抗性がいっそう強くなり、そのため倒壊しにくくなる。一方、ユーカリ（*Eucalyptus spp.*）やポプラ類のような成長が速い樹木の場合、大量の木質を急速に生産することによって春の気象を最も有効に利用できるように生体設計されている。そのような先駆性樹種――しばしばそれらが裸地で最初に群生することからそうよばれる――は春に形成される色が淡い早材をたくさん生産する。早材に見られる太い導管は、根から水分を成長する葉に送るには最も適している。そのため、アメリカクロヤマナラシ（*Populus deltoides*）の場合、幹の直径が年間約2・5センチの速さで急速に成長できるようになっている。こうした先駆性樹種に見られるような急速に形成された材は軽く、軟質で、強度が小さく、害虫被害を受けやすい。先駆性樹種はその名前に栄誉が授けられている。先駆性樹種は一生懸命に働き、一生懸命に遊び、そして早くして世を去るのだ。先駆者たちは次第に消えていくよりも燃え尽きるほうがいいというニール・ヤングの信条にしたがったものだ。

長寿木の呪い

時とともに我慢強く耐えるのは樹木の中での成長減衰装置にたとえられる。ブリストルコーンパイン（*Pinus longaeva*）は、その我慢強さが擬人化される。生育を抑制され、樹幹がねじれたこの樹木は年とともに本当にゆっくりと消えていくのだ。年輪はどんどんなくなり、成長エネルギーをますます減っていく枝に集中させるのだ。年を経たブリストルコーンパインでは根部・樹幹・枝の関連はどんどん消滅し、古木は少数の個々の根を少数の枝に連結する機能を持った、少数の細長い短冊状樹皮によって生き続けている。樹皮が剝がれることで樹木はエネルギーを節約できるので、樹木は火災、落雷、異常気象による樹幹や枝の損傷を免れる。アメリカ西部のグレートベースンは、樹齢が４０００年以上になるブリストルコーンパインがたくさん生育する場所で、最も長寿のブリストルコーンパインは年輪年代測定によると樹齢５０００年を超えており、地球上で最古の樹種になっている。

ブリストルコーンパインは乾燥して植生がない状態の山腹のドロマイトの露岩の上にある孤立した木立で成長する。それは、他の植物がほとんど生き残れず、たいへんまれな植物がブリストルコーンパイン自身であるような環境だ。その環境では、植物は疎らで、葉が少なく、樹幹は何世紀もの間にわたる風と水による風化で磨かれたような外観になって節くれ立っている。この乾いた山岳環境の中で青空を背景にして見ると、ブリストルコーンパインは厳然とした、別世界のもののように見え、芸術家や作家の想像力に語りかける。最古のブリストルコーンパインの木立は、ＬＴＲＲのエドムント・シュールマンによって１９５７年に発見された、翌年に設置されたカリフォルニア州東部のホワイト山地にある保護地区、エンシェント・ブリストルコーンパイン・フォレストで眺めることができる。想像どおり、樹幹がねじれていて、細長い短冊状樹皮を持ち、枯れ木には深い裂け目があって年輪が消えてしまっているブリストルコーンパインに対してはクロスデーティングも、試料採集さえも込み入った作業になる。１９３０年以来、ＬＴＲＲでダグラスとともに研究してきたシュールマンは、この難しい作業に対して十分な準備を行った。彼は古い樹木を探し回ってアメリカ西部の山岳地帯で夏のほとんどを過ごした。その調査は、最長寿といわれる聖書中の族長の伝説にちなんでシュールマンが命名した樹齢４７８９年、最古の現生木であるメトシェラの発見で最高潮に達した。樹齢は共通紀元前２８３３年から始まり、メトシェラはいまなおエンシェント・ブリストルコーンパイン・フォレストを美しく飾っているが、破損行為を避けるためにその正確な位置は訪問客に公表されていない（ここを訪れる年輪年代学研究者に対しても非公開）。

シュールマンはメトシェラ発見からわずか1年後、49歳で死去した。ＬＴＲＲの研究者だったバール・ラマルシェ（１９３７年～１９８８年）、ホワイト山地でブリストルコーンパインの採集の帰り道に致命的な心臓発作を起こして倒れた32歳の林野局職員など、研究者の多くが比較的若くして世を去っているのは事実だ。このぞっとする偶然の一致から、ブリストルコーンパインの木が呪いを運んでくるのだという長年にわたる都市（あるいはむしろ森林）伝説が生まれた。この最古の樹木について研究する者は皆早逝するという話が一部で広まっている。幸運なことに、この都市伝説は私の尊敬すべき同僚の何人かによって誤りだと証明されたが、ブリストルコーンパインの年輪年代についてのもうひとつの古い話がじつは悪夢だったということがわかった。

シュールマンがメトシェラを発見した7年後、現在はグレートベースン国立公園になっているネバダ州東部のホイーラー・ピークでさらに古いブリストルコーンパインが見つかった。樹齢４８６２年、地元の登山家が名付けたプロメテウスはメトシェラよりも樹齢が73年古く、その当時の最長寿の現生木としてメトシェラに取って代わった。登山家のひとりだったダーウィン・ランバートによると、プロメテウスがまだ生きていたときにそれを見た者は50人以下だった。プロメテウスが伐採されるまでその年齢がわからなかったのは悲劇的だったが、事実だ。１９６４年、世界最古の現生木は切り倒されたのだ。その年輪を数える目的で。

その当時、ノースカロライナ大学の地理学の大学院生だったドン・カリーは、アメリカ南西部での完新世の氷河についての彼の研究を進めるためにネバダ州東部のブリストルコーンパインの年代決定と分析に関心を持っていた*。標本抜き取り器を持ってホイーラー・ピークに到着した彼が出合った最初の樹木がプロメテウスだったのだ。次に起きたことについては異なった説明がある。ある者は彼の標本抜き取り器は短すぎて幹を採集できなかったと言い、別の者は大型で、ねじれた樹木の抜き取り採集の方法がわからなかったか、または研究のために樹幹全体の輪切りを採集することを選んだと言う者もいた。動機にかかわらず、彼はプロメテウスを伐採するためにアメリカ林野局に対して許可を申請し、――そして受け取った――。ホテルの部屋でその夜遅く、カリーはプロメテウスから切り出した幹の断面に４８６２枚の年輪を数え、地上で知られている最古の現生木を切り倒して輪切りにしてしまったことに気がついた。

＊完新世とは約１万１６５０年前に始まった現代を含む地質時代の名称だ。

カリーの許されざる大失敗のニュースが流れたとき、市民の怒りは確実なものとなった。１９６８年、オーデュボン協会誌の「種の殉教者」という題名がつけられた記事では、ランバートはカリーを殺人者よばわりした。当然のことながら、カリーは研究課題を変え、科学者として残った時間で蒸発塩平坦地の研究に打ち込んだ。２００１年、全米公共放送サービスの科学番組「ＮＯＶＡ」への数少ないメディアへの出演で、カリーはプロメテウスの樹齢に気づいたときのことをこう述べている。「〝私〟はなにかよくないことをしでかしてしまったと周囲の人たちから見られるようになった。私は詳しく話したほうがいいと思う。もう一度詳しく話すほうがいい。本当に注意深く、詳しく振り返るのがいい」。しかし彼が何度詳しく振り返っても、カリーはいつもそれまでに誰も数えたことがない数の年輪のことを突然に話すのだ。プロメテウスの樹齢を超える現生木が発見されたのはほぼ半世紀が経ってからだった。２０１２年、最終的にはＬＴＲＲの研究者、トム・ハーランが標本抜き取り器を使って、生きたままの立木を残して、あるブリストルコーンパインを採集した。そしてその最も内側の年輪の年代は共通紀元前３０５０年と測定され、樹齢は５０６２年と決定された。

グレートベースンの標高が高くて乾燥した環境は、ブリストルコーンパインが何千年にもわたって生育できるようにするばかりか、枯死した後の枯れ木の木部の保存にも役立つのだ。この裸地の環境ではたくさんの植物は生育しないし、被覆植物と落葉落枝層が少ないことは森林火災が少ないことを意味している。樹木が生えるむきだしの石灰岩は木材を分解するキノコ類や昆虫に適した環境とはいえない。そのため樹脂が多い樹木はその枯死の後、数千年にわたってその状況の中で保存されうる。２０００年代初期の何回かの夏、匿名のブリストルコーンパイン愛好家の資金援助を受けた研究プロジェクトの一部としてＬＴＲＲはホワイト山地でブリストルコーンパインの残存木を発見し、採集する作業を無償で行った。残存木の中には８０００年前に枯死した木から発芽し、以後はその場で生育しているものもあることがわかった。枯れ木と現生木の年代をクロスデーティング法で決定することによって、ブリストルコーンパインの年代を共通紀元前6827年まで遡って拡張した。8000年以上の長い年輪年代はアメリカ西部の気候変化と千年紀を超える森林生態系への長期的影響を研究するには十分な長さだ。このような1000年オーダーの長さの連続的な年輪年代だけが持っている精度の高さは、放射性炭素同位体年代測定法のような他の方法による年代決定と氷床コアのような古気候の記録の補正には計り知れないほど貴重なものなのだ。

メトシェラとプロメテウスのことを考えると、北アメリカのすべての地域の中でアメリカ西部が最長寿の樹種の生育地であるのは驚くことではない。驚くべきはそれらの長寿木すべてが切り株やこぶだらけというわけではないことだ。カリフォルニアのセコイアオスギやコースト・レッドウッドなど西部の長寿木には、老木によくある外見的な特徴を欠いた堂々たる巨木もある。セコイアオスギはシエラネバダ山地のキンググリバー渓谷でダグラスが1915年に採集した最初の樹種のひとつだった。そこでのセコイアオスギの木立はこれに先立つ数十年の間にかなり激しく伐採が進んでいた。そこでダグラスは直径が9メートル以上になることもある残った切り株から輪切りの大型試料を採集した。ダグラスが採集した最古の切り株は3220年の古さだった。進行中の激しい伐採にもかかわらず、シエラネバダ山地にはそれと同じくらいか、またはもっと古いセコイアオスギがまだ生育していそうだったが、120センチの標本抜き取り器——ポール・クルシックがアドニスに対して用いたような——でさえもこれらの巨獣のような現生木の正確な年齢を決定するには不十分だった。アメリカ西部の他の巨木、コースト・レッドウッドは2200年以上生きることができ、少なくとも他の3つの樹種、ウェスタンジュニパー（*Junipeus occidentalis*）、ロッキーマウンテンブリストルコーン（*Pinus aristate*、前述のブリストルコーンパインとは別種）、フォックステールパイン（*Pinus balfouriana*）と樹齢2000年以上の合体樹をつくる。

北アメリカ西部の自然地理が、古い樹木の多さに役立っていることは確かだ。古い樹木の多くは乾燥した山の斜面を好むが、人間の居住地に近い場所で生育していることが、樹木の数の多さとは何かについての私たちの考え方に影響するかもしれない。アメリカ南西部は年輪年代学の生まれ故郷で、その長い歴史と年輪研究計画の数の多さを誇っている。これに加えて、大規模な森林伐採はアメリカ西部で１８００年代になって始まったにすぎず、アメリカの他の地域での大規模伐採に比べると短い。例えば、ヨーロッパの大部分の老木の森はローマ時代に伐採されているため、それ以前の古い樹木は残っていないのだ。結局は北アメリカ西部のよく整備された社会基盤構造は、年輪年代学研究者の老木発見の助けにもなっている。アメリカ西部なら、たとえ最も辺鄙な地域であっても、例えばシベリア、タンザニアなどの地域に比べると、ずっと簡単に到着できる。私が試みているのだから信じてほしい。

世界各地の長寿木

北アメリカで最古の現生木は樹齢５０００年以上だが、これに対してヨーロッパの最古の木はわずか１０００年程度の樹齢でしかない。ほぼすべての大陸で私たちは、およそこの樹齢の範囲内に収まる老木を見つけることができる。タスマニアのヒューオンパイン（*Lagarostrobos franklinii*）はオセアニア最古の現生木だ。年輪年代学のゴッドファーザーとして知られているエドワード・クックとコロンビア大学ラモント・ドハティ地球観測研究所の年輪研究室の彼のチームは１９９１年、ヒューオンパインが樹齢２０００年以下でしかないと思われていたとき、その試料を採集した。その採集された試料の最も内側の年輪は共通紀元前２年と年代が決定されている。アフリカではモロッコ、アトラス山地のアトラススギ（*Cedrus atlantica*）が樹齢１０２５年と年代測定された。アトラススギは、樹齢１２７５年と推定されたナミビアのアフリカバオバブ（*Adansonia digitata*）に年齢を超されているが、アフリカバオバブの樹齢は年輪年代法による年代ではなく、放射性炭素同位体年代測定法によって樹芯の年代を測定したもので、その樹齢には50年の誤差が含まれる可能性がある。放射性炭素による年代測定は年輪年代測定ほど正確ではなく、アフリカバオバブの木にははっきりした年輪がないため放射性炭素同位体年代測定法はこの木の樹齢の上限を推定するものでしかない。アジアで知られている最古の現生木（１９９０年に採集された時点で樹齢１４３７年）は、パキスタン北部のカラコルム地域の森林限界の上部に生育しているビャクシン類（*Juniperus spp.*）だ。

　私はそれぞれの大陸にはまだ知られていないもっと古い現生木があるとほぼ確信している。しかし数値年代の点で最も古い樹木は南・北アメリカにあるように思える。南アメリカのチリのアレルセコステロ国立公園で生育しているエルグランアブエロ（註：スペイン語で偉大なる祖父）とよばれるパタゴニアヒバ（*Fitzroya cupressoides*）は、１９９３年の年輪年代測定によると樹齢３６２２年だった。北アメリカ東部では、落羽松（ラクウショウ）（*Taxodium distichum*）が最長寿の巨木だ。知られている最も古い落羽松は、アーカンソー大学のデーブ・ステールがノースカロライナ州、ブラックリバーで２０１８年に採集した時点では樹齢が少なくとも２６２４年だった。沼地に生育し、樹高約50メートル、幹の直径が約３・６メートルに達するこうした巨木を採集するのは臆病者には向いていない。幹の根元では３メートルもの高さになる「板根」や支持柱を使って、デーブは樹皮には突き刺さるが、樹木を痛めることがない登山用スパイクを使って木に登った。「この方法でたぶん落羽松の木１０００本に登ったと思う」。昔、デーブは私にそう言った。支持柱より高いところにある樹木を抜き取り採集し、彼はロープと細紐を組み合わせて使い、身の安全を図ったのだ。「標本抜き取り器をうまく押したり引いたりできる好位置に体を固定するのはとても難しいのだ」とデーブは説明した。「しかし落羽松の採集で救いなのはバターを抜き取り採集するのに近いことだ。いったん標本抜き取り器をねじ込んだら実際の抜き取り採集はそんなに難しくはない」

落羽松が生育しているのは湿潤環境であるが、この樹種は沼地の水位の変化をよく記録している。水位が高いとき、落羽松は溶存酸素と栄養分の含有量が高く、よい水質を好む。水位が下がって水質が悪くなると、それは落羽松の狭い年輪として反映される。不運なことに、落羽松の魅力的な淡い褐色から赤みを帯びた木質は腐敗しにくいので、建築に適した木材が巨樹から大量に生産される。そのため19世紀後半から20世紀前半、落羽松の商業的開発がアメリカ南東部でブームになり、度を超えた伐採を招いた。いまでは、ほどよい規模の落羽松の古樹の生育地が３つ残っているにすぎない。それらはサウスカロライナ州とフロリダ州南部にある保護区域とアーカンソー州の私有地内にある。

そのため、落羽松を見つけようとした場合、年輪年代学研究者に残された選択肢は少ない。ひとつは沈水木だ。19世紀後半の落羽松の商業的開発では、生育していたもともとの林分（註：同種の樹木が生育している森林の区域）から製材所に向かって川で流していく過程には切断された材木も含まれた。これらの長寿で、木目が直線的な樹木は、川に流されていく途中で動きがとれなくなったり、沈んでしまったりするので製材所までたどり着かないことも多いのだ。このため、アメリカ南東部の多くの川底には数世紀にわたる老木が貯蔵されていることになる。伐採できる現生老木がなくなり、こうした沈水木は抜群の材質を持つので何千ドルにもなる。川の堤防や底からの沈水木の採取につきまとうワニやヌママムシなどの危険にもかかわらず、沈水木採取を専門にする会社がアメリカ南東部各地に出現している。

正当な年輪年代学研究者は沈水木が高級家具になってしまう前に、年輪年代研究のために沈水木のクッキーを切り出すようこのような会社に説得を試みることがある。忍耐が必要だが、もっとたいへんな選択肢は落羽松のニックネーム、「不朽の木」に手がかりがある。

アメリカ南東部の大西洋岸全域には、珪化していない、半化石の落羽松が堆積物中から発見されている。そのような埋没した落羽松の堆積物のひとつ、間氷期のウォーカー湿地堆積物はワシントンDCの市内、ホワイトハウスからほんの4ブロック離れたところに露出しているのだ。ウォーカー湿地堆積物中の切り株は、まだ根がくっついており、約1万3000年の間直立したままで生育当時の姿勢を保っている。しかし、現在では約2600年の期間に及ぶ最古の落羽松の年輪年代と、これにさらにもう1万年を付け加える世界最長の連続年輪年代があって、ウォーカー湿地の切り株との不連続部分を連結させるには私たちにはなお長い時間が必要だ。

第4章　年輪が語る驚愕の事実

年輪を観察する

樹木が数千年を生きることはわかっているし、私たちは自然の中でこうした古樹をどのようにして採し出すのか、またそれをどうやって採集するのかも知っている（チェーンソーを使わずに）。しかし、どうやって年輪年代学的情報を樹木から取り出すのか？　高額なバイオリンの年代を決める、樹木が長寿であることから過去の気候を復元するなど、どのようにして意味のある情報に変えるのか？

1977年の書籍、『飢饉の気候』でリード・ブライソンとトーマス・マレーはこう述べている。「自然は自らが残す記録に間違いを犯さない。私たちはその記録を正しく理解していないこともある。それが難しさの根源だ」。樹木は記憶している。樹木は歴史を記録し、決して嘘をつかない。しかし樹木が私たちに語りかけることを正しく解釈するためにはその年輪パターンをそれにふさわしい注意をもって解読することが必要だ。これにはちょっとしたパターン認識の才能、十分なトレーニングと集中力、そして原因となることへの正しい理解が必要なのだ。樹木は比較的わかりやすい生物だということは年輪年代学研究者にとっては幸運なことだ。人類登場のはるか前、生物がまだ単純だった地質時代に樹木が誕生した。人間に比べると、樹木には動かせる、あるいは不必要な部分がずっと少ない――例えば、尾骶骨や男性の乳首など。樹木が共有せねばならない価値ある情報を見つけ出すには、私たちはそれがどのように見えるかを率直に学ばなければならない。
　1度辛抱強く集められた年輪の試料は野外から実験室に向かって運ばれていく。年輪年代学研究者の第一歩は、抜き取り採集試料を木製の抜き取り試料用試料台に貼り付けることで、その次は研磨だ。ざらざらした研磨していない試料の幅狭い年輪どうしを識別し、正確な年輪幅の測定を行うのは難しい。あなたのまわりにいる木工職人なら、私たちがタンザニアで採集したクッキーを80番から1200番*へと徐々に研磨し、艶を出していく作業をよく理解してくれるだろう。ほとんどの試料は400番から800番で研磨されるので、この超精密研磨は少々やりすぎかもしれない。しかし私たちのタンザニアの試料については、年輪が細胞数個分の幅でしかないことがほとんどで、年輪の境界を捉えるために特別な超精密研磨が必要だった。

*番（番手）とはサンドペーパーに埋め込まれている研磨粉の粒子の粒度のこと。粗いサンドペーパーは番手の数字が小さく、超精密サンドペーパーはより大きな番手だ。

　よく研磨された木材片を顕微鏡で観察すると（そしてこれを読者にも強く奨める）、木材のひとつひとつの細胞と細胞壁の微細な部分までが見えることが多い（図4）。木は、十分に油が差された炭素捕捉機械のようなもので、材の生理的機能と構造に反映されている優雅な単純さを持っている。細胞ひとつひとつには、なくてはならない特定の機能が備わっている。針葉樹の場合、樹木の個々の細胞は、ローマ帝国の軍隊のように最高の強度と機能性を生むために直線的に列をなして並んでいる。遅れて登場した広葉樹の場合、樹木の細胞はより複雑で、経験に富んだ木材解剖学者なら見ただけで樹種を同定で

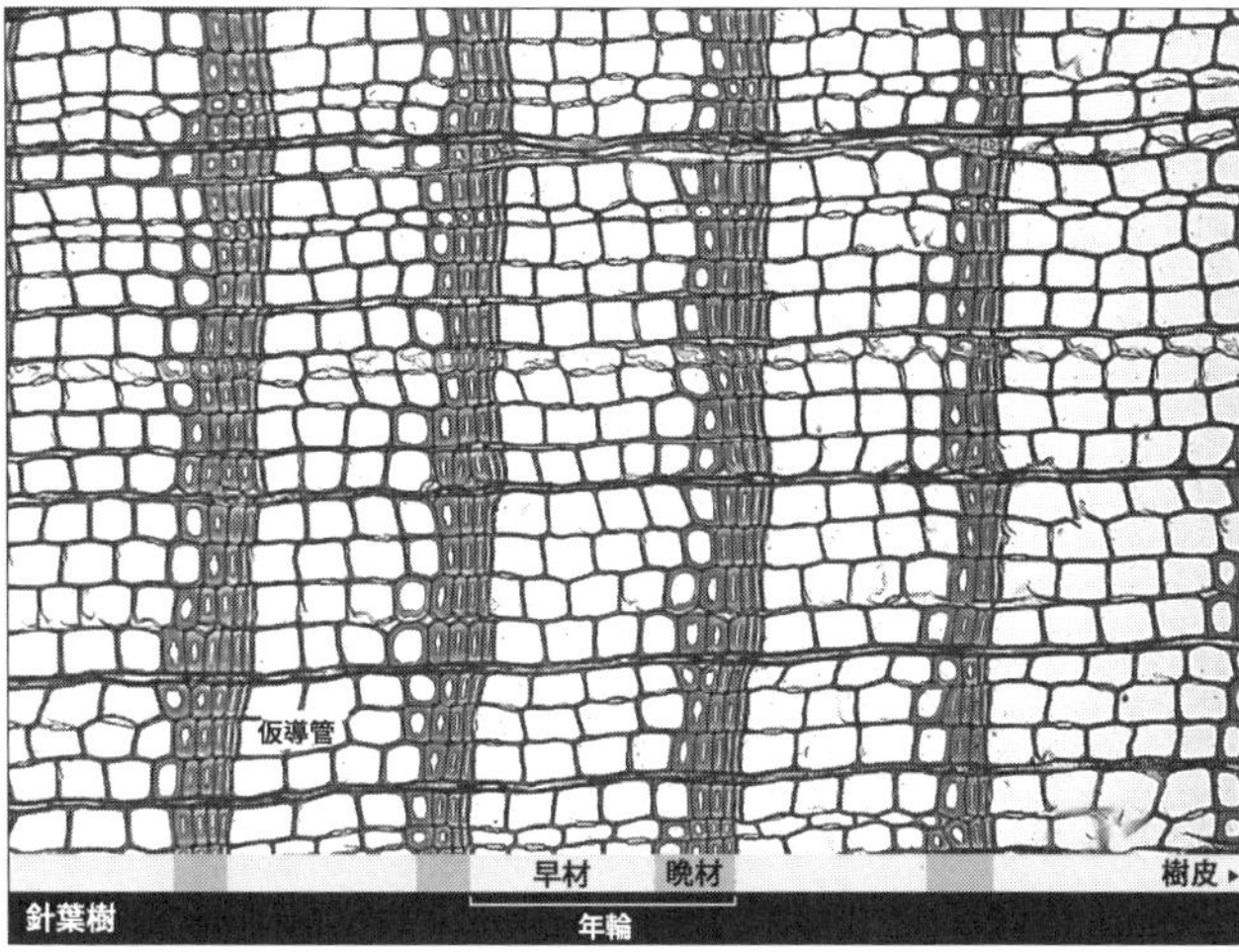

(A)

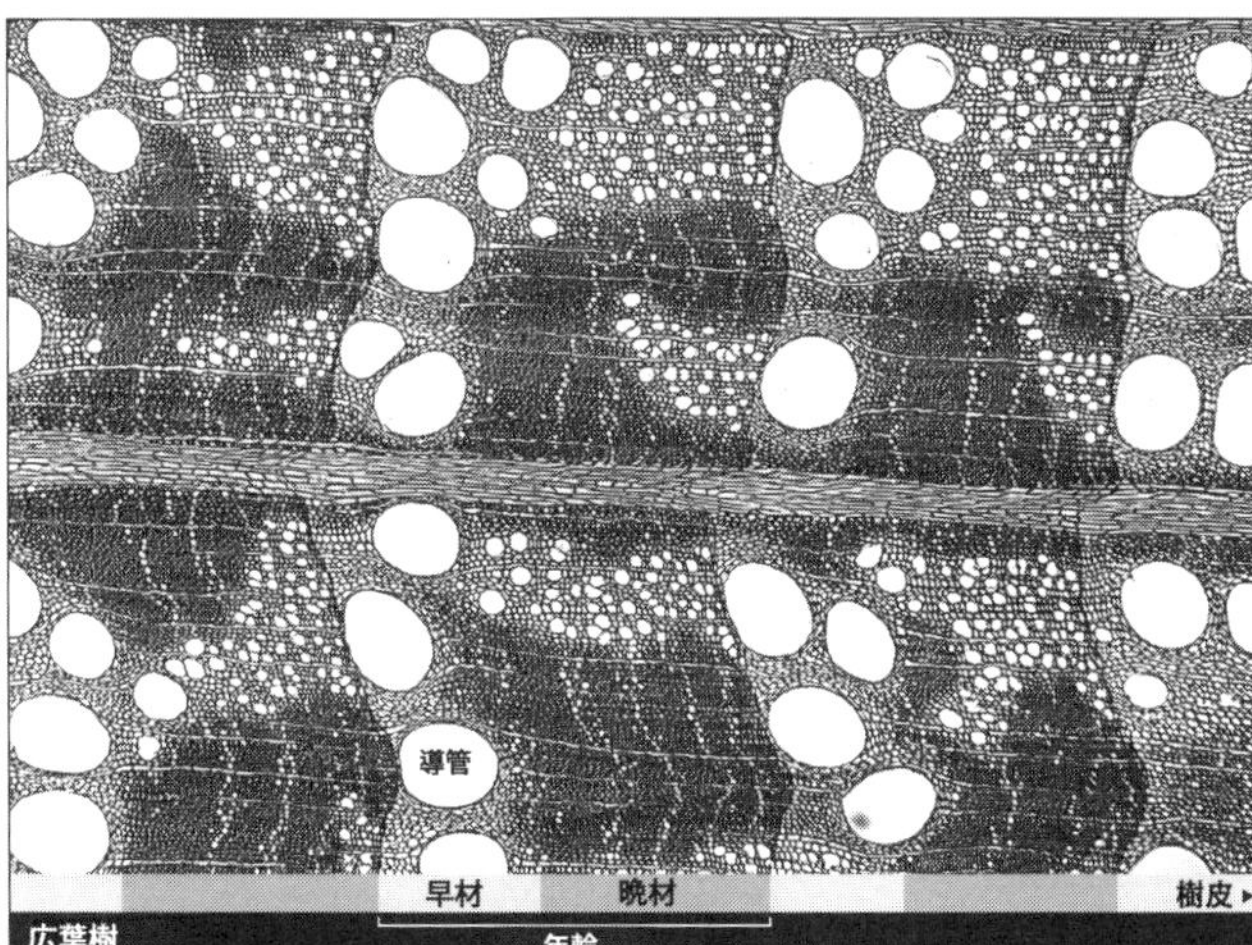

(B)

図４Ａ　針葉樹には、四角い形で、樹木が成長するにつれてきちんとした列をつくって並ぶ仮導管が形成される。早材の細胞は大きく、細胞壁は薄い。夏から秋につくられる晩材の細胞は早材の細胞よりも小さく、細胞壁もより厚い。

図４Ｂ　広葉樹の場合、樹木細胞はより複雑で、樹種ごとに特有の組織を形成する。丸い部分は早材の導管で、細胞は水分の輸送の役目を果たす。ブナのような樹種では、大型の早材導管と小型の晩材導管が連続することではっきりした年輪と美しい木目がつくられる。

きるほど、樹種によって固有性がよく目につく組織を形成するのだ。

樹木は冬の休眠のために準備を整えている秋よりも、冬の間十分な睡眠をとった春にいっそう活発に成長する。春に形成される樹木の部分、早材はエネルギーに満ちた樹木の成長を反映している。針葉樹は細胞壁*が薄い大型の早材細胞をつくり、これに対して広葉樹では、水分の輸送に特化して設計された早材の導管が形成される。針葉樹、広葉樹とも早材は、春に水分と栄養分を根から吸収し、樹冠へと輸送するのに最もよく利用されている。成長シーズンの後半では、水分の輸送よりも構造的な強化と炭素の貯蔵が樹木にとっては大切なものになる。そのため、夏の後半から秋に形成される晩材の細胞は早材細胞に比べて小型で、より厚い細胞壁を持っている。広葉樹の中には、晩材中にあるよりもずっと大きな導管を早材に形成する樹種（最も明瞭なのはブナ）もある。早材中の大きな導管と晩材中のより小さい導管が連なった組織ははっきりした年輪となり、美しい環孔材となる。ブナの早材の導管はたいていの場合、たいへん大きいので、肉眼でそれを見ることができるほどだ。例えば、木口（訳註：こぐち。繊維が伸びる向きに垂直な木材の断面）――典型的には頑丈なブナ材テーブルの短い端部――や短手（訳註：みじかて。直方体の短い辺）方向などに見える。

＊針葉樹の木材細胞は仮導管とよばれる。

春に急成長する早材から、秋の晩材の成長への移り変わり、そして冬の休眠状態での成長休止に至るこの繰り返しは温帯域樹林における代表的樹木で毎年起きていることだ。細胞が小さい前年の晩材から細胞が大きい翌年の早材への急速な移り変わりによって、ある年の成長と次の年の成長が区別できる。

つまり、観察し、数えて、その幅を測ることができる年輪どうしのはっきりした境界がつくり出されるのだ。１日の長さや気温の日変化が1年間を通してほとんど変わらない熱帯域のような季節性がない気候下で生育する樹木には、そのような年輪どうしのはっきりした境界が見られないことがしばしばある。なぜかというと、熱帯性樹木の多くは年ごとに休眠する必要性を必ずしも感じておらず、はっきりと区別できる早材、晩材、そして年輪どうしの境界が形成されないからだ。したがって熱帯性樹木は年輪年代学研究者には手強い研究対象だ。温帯域、寒帯域に比べると、熱帯域（例えば、タンザニアなど）は年輪年代世界地図上では巨大な空白域なのだ。

熱帯性樹木の年輪年代研究の少なさは、熱帯域には年輪を最も解読しやすい針葉樹がたいへん少ないという事実からして仕方のないことだ。しかしすべてのルールと同じく、熱帯地域の年輪に依拠しないスタイルの年代学がある。例えば東南アジアのチーク（*Tectona grandis*）は環孔性の材だ。チークには温帯域のブナのような大型の早材導管とそれよりはずっと小さい晩材導管、そして美しい年輪がある。チークは、１９３０年代には早くも数世紀に及ぶ年輪年代研究を発展させるのに利用された。まったく異なった季節環境が原因となって、ブラジル、アマゾンの氾濫原（バルゼア）の森林で生育するアラパリ（*Macrolobium acacifolium*）にははっきりした年輪（洪水年輪）がある。それはアラパリの生育が、4～8ヶ月続く洪水で土壌が無酸素（酸素欠乏）状態になって生育休止を起こすからだ。

年輪シグナルとクロスデーティング

私は樹木が好きだが、樹木に抱きついて離れないというタイプではない。私が生きとし生けるものとしての樹木のことを語る唯一のときは、（a）甥に『おおきな木』（訳註：シェル・シルヴァスタイン作の絵本“The giving tree”）を読んで聞かせるとき、そして（b）1本の樹木の年輪パターンと別の樹木のそれとを比較する過程であるクロスデーティングを説明しているときだ。樹木にたっぷりの栄養分と水分があり、競争する相手や攻撃してくるものが誰もいないとき、樹木は幸せなのだ。幸福な年には樹木は大きく成長し、年輪は幅広いものになる。幸せではない年、——旱魃があったかもしれないし、寒い年だったかもしれないし、ハリケーンが樹木の葉や枝を吹き飛ばしたかもしれない——樹木には成長するためのエネルギーがなく、年輪は幅の狭いものになるだろう。樹木にとっての幸せとは気候に大きく左右されるものなのだ。樹木は季節の気まぐれだけではなく、——闇の季節、すなわち冬には樹木は休眠する——年ごとの気まぐれにも悩まされるのだ。気候がよくない年には樹木は意気消沈して成長が鈍ってしまう。こうした樹木にとって「悪い気候」の年が寒い状態と乾燥した状態のどちらになるのかは地域次第だ。アメリカ南西部のような半乾燥地帯では、乾燥した年には樹木は意気消沈して、間隔の狭い年輪しか形成しない。一方、高山や北極地域では、乾燥した年よりむしろ寒い年に幅狭い年輪が形成される結果となるだろう。しかしある地域では、乾燥していても、寒くても、気候が悪い年はほとんどの樹木は同じように影響を受けて、全面的に年輪の幅が狭くなることもある。

例えば、アメリカ南西部では、乾燥した年はたいていの樹木の年輪の幅が狭くなるが、それに対して同じ樹種でも十分な降水があった年には幅広い年輪ができる。湿潤な（幸せな）年と乾燥した（不幸せな）年が繰り返す気候が、幅の広い年輪と狭い年輪が連続して交互する年輪パターンとして樹木に記録される。それは第1章で触れたモールス信号のようなものだ。この長い文字列とは、私たちがクロスデーティングを行う場合に試料どうしで照合しようとするパターンのことだ。クロスデーティングには目視でも、統計的手法でも、あるいは最もよく使われる両者の組み合わせによる年輪のパターン照合の作

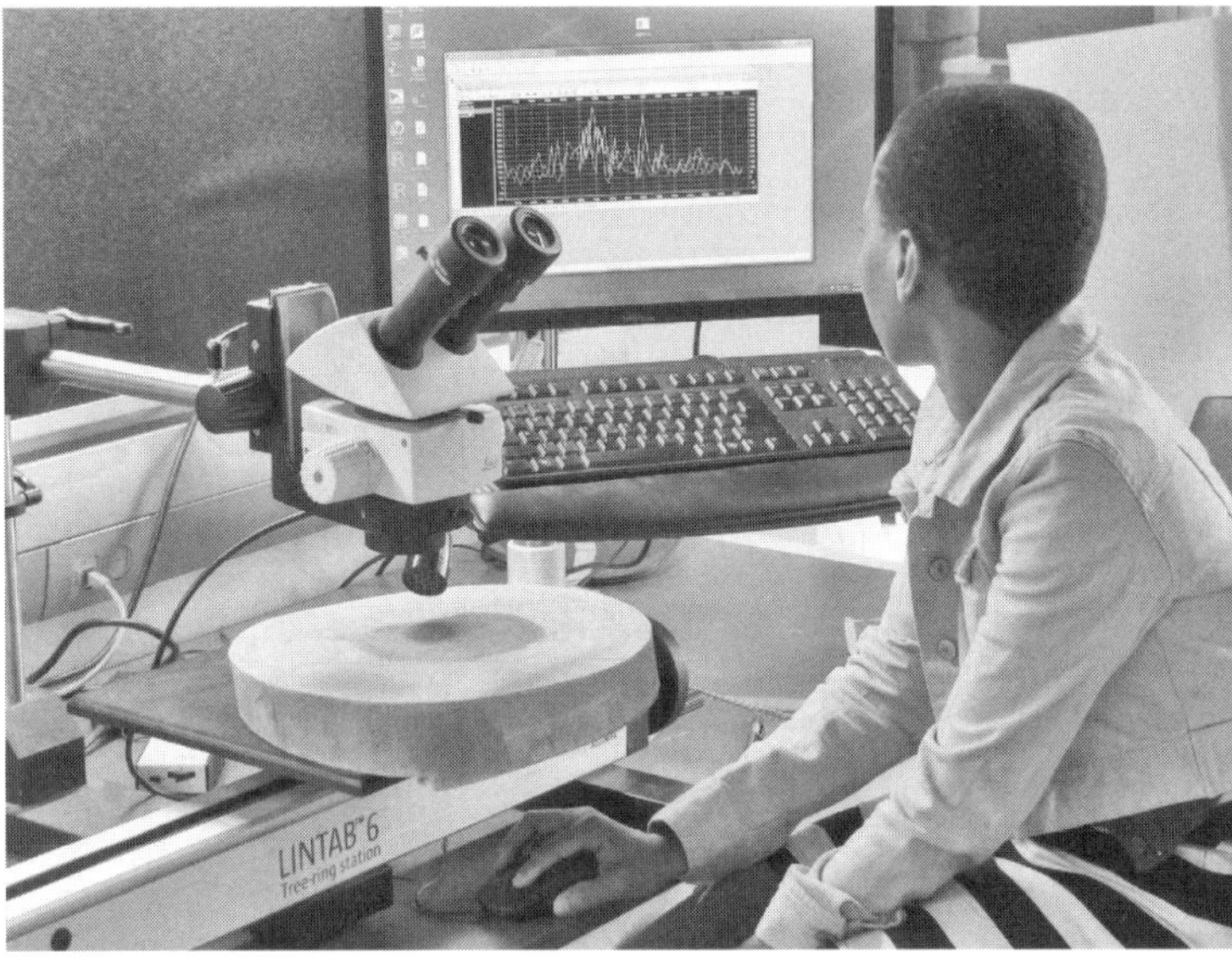

図５　年輪年代学研究者、ザキア・ハッサン・カミシはタンザニアから採集されたブラキステギア・スピシフォルミス（ゼブラウッド）（*Brachystegia spiciformis*）のクッキー（棒状サンプル）の年輪の幅をデジタル式測定装置で測定している。測定装置はデスクトップコンピューターに接続されており、測定結果を同時にモニター上に表示することもできる。写真提供はアリゾナ大学年輪研究所の好意による。

業が含まれる。私たちはクロスデーティングをしようとする試料の個々の年輪すべての幅を測定し、そのあと測定した年輪を比較して統計的に最適な合致を見つけるのだ。正確な測定のために、私たちはマウスをクリックすれば個々の年輪幅の測定と記録ができる可動式のデジタル計測装置を使う（図５）。しかし、年輪幅の測定には長い時間と大きな労力を要する。年代決定（例えば気候復元とは違って）が最も重要な目的となる年輪考古学のような応用面を研究する経験豊かな研究者の場合は、彼らの記憶やデジタル機器の助けによらず、目視で年輪パターンをクロスデーティングする技術を頼りにするので、年輪幅の測定や統計学的クロスデーティングといった作業を実際には省くことができる。

目視によるクロスデーティングはたいていの場合、ダグラスが年輪シグナルとよんだものから始まる。それは幅狭い年輪と幅広い年輪のはっきりしたひと続きのもので、モールス信号のスニペットコードにあたり、年輪シグナルのパターンの中で際立って明白な指標年を含んでいる。ダグラスがアメリカ南西部の考古試料の年代測定を始めたとき、彼は年代が測定されていない試料中に彼が知っていた共通紀元611年（狭い年輪）–615年（狭い年輪）–620年（狭い年輪）のような年輪シグナルが存在しないかどうかをまず調べた。仮にこの610年代のシグナルが試料中で際立ったものであれば、彼はクロスデーティングを始め、年代が測定されていない試料の年代を確定することができただろう（図6）。ダグラスのこの年輪シグナルを人類史全体で見てみると、ムハンマドが神の啓示を授かり、メッカでコーランの伝道を始め、イスラム教を世界に広めたのが610年代のことだった。経験を積んだ年輪年代学研究者なら年輪シグナルと、ある地域で共通していちばん多く見られる樹木の幅狭い年輪と幅広い年輪の数世紀にわたる出現の順序をたいてい暗記している。ほんの少し見ただけで、研究者は顕微鏡の下で見た年代未詳試料の年輪パターンを自分が覚えている年輪パターンと照合することができるのだ。

まぎらわしい欠損輪と偽年輪

カリフォルニア州のシエラネバダ山地から採集した試料を研究していたとき、18世紀後半から19世紀前半にかけての年輪パターンは次のように見えた。

1783年：狭い年輪幅
1792年：広い年輪幅

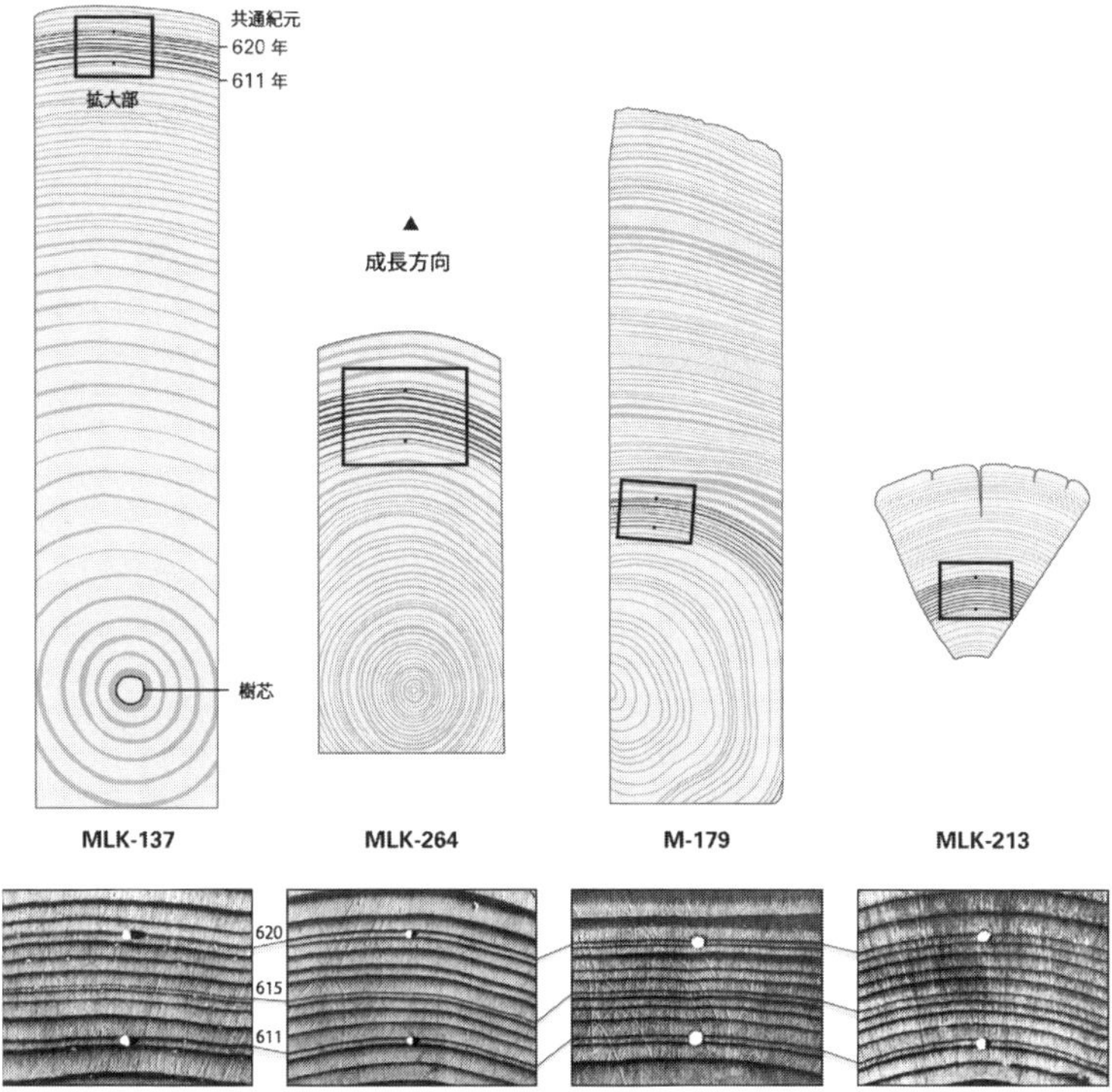

図６　年輪シグナルとは、年輪パターンの中でひときわ目立つ指標年の幅狭い年輪と、幅広い年輪が連続するはっきりした年輪群のことである。ここに示した４つの試料中の年輪シグナルは、ダグラスがアメリカ南西部の考古試料におけるクロスデーティングで使った611年（狭い）、615年（狭い）、620年（狭い）の年輪群だ。

1795年：狭い年輪幅
1796年：きわめて狭い年輪幅
1809年：広い年輪幅
1822年：狭い年輪幅
1829年：きわめて狭い年輪幅

右の指標年の間の年輪はたいていの場合、それほど目立たない年輪幅だった。年輪シグナルで最も目立った指標年は1796年だった。それはジョージ・ワシントンが辞任を表明した年で、私が観察したほぼどの試料でも年輪がたいへん幅狭かったので、シエラネバダ山地はひどい旱魃だったに違いない。他の年代が決まっていない試料を分析するときにまずやるべきことは、このような最も幅狭い年輪を探すことだ。1796年の年輪がほぼどの試料でも狭いことがわかると、次にやることは、ある試料で最も狭い年輪が1796年の年輪かどうかを検討することだった。シエラネバダ山地で採集した試料の大部分は、1850年～1900年に起きたカリフォルニアの鉱山ブームの間に切り倒された切り株から採集したものだった。こう考えて、1796年の狭い年輪を端――いちばん外側、つまり最も新しくできた年輪――からおよそ50から100層の年輪の中から探せばいいことに私は気づいたのだ。

次の段階は、1796年の年輪だと考えた最も狭い年輪に先立って形成された年輪も、前述の年輪シグナル中の1795年の年輪のように幅狭いものかどうかを点検することにあった。もしこれが当てはまるとすると、次に私は古いほうに年輪3層を数えて、1792年の年輪の幅が広いかどうかを点検するのだ。そして時代を遡ってさらに9年分を数えて、1783年の年輪幅が狭いかどうかを検討する。私は、樹木の外側に向かって13層の年輪の中で、1809年の年輪幅が広く、1822年が狭かったことなどを期待する。幅が広いか狭いかという試料の年輪パターンが年輪シグナル中のパターンに合うかどうか、そして年輪シグナルの出現パターンから、私が見つけたきわめて幅の狭い年輪が1796年の年輪だとする前提が正しかったかどうかはすぐに明らかになるだろう。もし正しければ、これはすごいことだ。私は指標年の年輪すべてを1400年代かそれよりも古いことが多い樹木のいちばん内側の年輪に合わせ、いちばん外側の年輪の年代を決め、年代決定した試料について検討を続けていくことができるはずだった。1783年～1829年のシエラネバダ山地の年輪シグナルそれ自身では試料の確実なクロスデーティングには十分とはいえなかったが、次のような作業の見直し、やりなおしを始める機会になった。私が最初に選んだ狭い幅の年輪がシエラネバダ山地の年輪シグナルと合致しなかったので、1796年の年輪である可能性がある別の幅狭い年輪を探して、私は作業全体をやり直した。そして年輪シグナルとの合致を見つけ出すまで次々と検討を重ねた。その当時、とくに初期の頃、それは長い時間がかかり、いらいらする作業だったが、シエラネバダ山地で採集した2000試料の約90％の年代を決定することができた。

　例えば1783年～1829年のシエラネバダ山地の年輪シグナルのような場合では使えるのだが、ある地域の年輪シグナルを記憶する方法は、その地域で採集した非常に多くの試料、そしてさらに多くの試料を観察し、そのあともっと多くの試料を観察する必要があった。年輪にはひとつとして同じものはない。同じ樹木から採集した2つの試料でさえも同じではない！　しかし、もし試料が同一の地域から採集されていれば、それには指標年がいくつか含まれているのが普通で、試料を観察すればするほどその指標年はさらにわかりやすくなる。あなたが数限りなく思える試料を観察すると、多くの樹木の中に年輪幅が異常に狭いかまたは広い年が目につき始め、そしてそれに気づく前に、あなたの頭の中にその地域での指標年の並びが収まっているか、少なくともメモされていることだろう。2年間のシエラネバダ山地での研究プロジェクトの終了時、ほぼ2000試料のクロスデーティングを終えたあとには、1796年の幅狭い年輪の見つけ方がはっきりわかった。私は研究室に行って年代未検討の試料の山から試料ひとつをつまみ取って、一度は顕微鏡で見ていたこともあるその試料1796年の年輪を指で指し示すこともできる。

私たちが年代未検討の新しい試料のクロスデーティングに使える参考年輪年代を構築するときには、試料複製と同じ原理を応用する。現生木の場合、最も新しい年輪の年代*がわかっており、これが地域的なモールス信号（つまり、年輪パターン）を解く鍵になるので、参考年輪年代は最も新しい時間に固定される。個々の試料ごとの特異性や非指標年での無秩序さが平均化されるだろうから、参考年輪年代がより多くの試料に含まれるほど、参考年輪年代は試料中の共通した年輪パターンをよりよく反映する。新しい研究地域で参考年輪年代を構築する場合、私たちは少なくとも20本、そしてしばしばこれ以上の数の樹木を採集し、共通の年輪パターンを表すのに十分な試料を採集するのが一般的だ。

*樹木が掘削採集された年のこと。

私たちが信頼性の高いクロスデーティングを行うために十分な数の試料を必要とするように、個々の試料が十分な年数に及んでいることもまた必要なことなのだ。採集した樹木が長寿で、木製品が古いものであればあるほど、より多くの年輪をクロスデーティングに利用できる。伐採される前や、試料が採集される前に樹木がより長く生育していればいるほど、その樹木が異常気象と異常成長を経験した年が増えるし、参考年輪年代に合致する指標年がより多く含まれることになる。合致した指標年が多いほど、試料がどの年で参考年輪年代と合致したのかがわかり、また最終的にはその年代決定についての誤りや不確かさが入り込む余地がより少なくなる。これはジグソーパズルを解くようにして考えることができる。ピースの縁がよりギザギザの多いもので、多面的であれば、ピースに合致する場所がより少なくなる。実際にはパズルの正解はたったひとつでしかなく、たったひとつの正しい年輪が試料と参考年輪年代に当てはまるのだ。樹木の一生は1度限りで、その年輪パターンは時間軸の1点でのみ合致する。うまく合わない場所にギザギザが多いピースを合わせようと試すことはできても、そのときは力任せにそのピースを押し込まなければならないのだ。年輪は誤りを犯さない。

年輪パターンを見るだけで一片の木材の年代を決められたときの興奮はパズルを解くのと同じだ。そして一定の集中力が求められる。十分に睡眠をとらなかったか、もし（ほんの一例だが）Phish（訳註：ライブ演奏で有名なアメリカのロックバンド）に刺激された研究室の同居者が、パンドラ局（訳註：アメリカなどで展開されているインターネットラジオ局）から流れる大音量のジャムバンド音楽を無理矢理に聞かせてきたとしたら、あなたのクロスデーティングは能率的に進まず、成功はおぼつかない。クロスデーティングは年輪年代学の真髄だ――なぜ年輪年代学が科学であって、単に年輪の枚数を数えているだけのものではないのはこの理由による。いったんあなたの頭脳が訓練されると、たとえそこにたどり着く道には困難が多く、成果を得るには時間がかかるものであったとしても、クロスデーティングは絶対に満足できる作業だ。

クロスデーティングで対処しなければならないもうひとつの問題は、ときどき見つかる欠損輪と偽年輪だ。樹木の中には環境負荷への抵抗力がそれほど大きくないものもあり、極端に乾燥した年にはあっさりと降参してしまう。耐えがたいほどに幅狭い年輪を形成するより、樹木は完全に年輪形成を止めてしまう。それはちょうど樹木の心臓が一瞬でも止まるようなもので、その結果として欠損輪ができる。そのような欠損輪は、乾燥した環境と樹齢が大きい樹木でより頻繁に見られる。例えば、共通紀元1580年は、アメリカ南西部とカリフォルニア州全体でたいへん乾燥した年だったので、その年に年輪を形成したのはごく少数の樹木にすぎなかった。経験豊かな研究者が見れば、クロスデーティングの過程でほとんどの欠損輪は簡単に見つかる。もし年輪パターンがどう形成されるか想定していれば、研究者はすぐに年輪パターンの中の中断に気づくことだろう。もし顕微鏡で観察している年輪パターンが、記憶している年輪パターンに対して違うものなら研究者は気づくはずだ。

それとは逆のことも起こりうる。つまり、場合によっては樹木が1年間に2層以上の年輪を形成することもあるのだ。このような偽年輪は、モンスーンに先立つ春の終わりの乾燥気候に、その年はなぜか春から一足飛びに秋が来てしまったと樹木が思い込んでしまうことによって形成される。この場合、樹木は夏のモンスーン期の前に、より密な晩材を通常よりも早く形成し始める。そしてその誤りに気づき、大型の早材細胞の生産に逆戻りする。本当の秋が来ると、樹木は同じ年に第2層目の晩材細胞を形成することになる。顕微鏡観察では、形成を早まった、モンスーン到来前に形成された偽の晩材層は、本当の晩材層から簡単に区別できる。本当の晩材と翌年の早材の境界は非常にはっきりしているのに対して、偽の晩材層とこれに続くモンスーン期の早材層の境は漸移的な変化を示す。偽年輪が他の樹木よりもごく普通に見られる樹種もあり（例えばセイヨウネズ）、欠損輪のように偽年輪もクロスデーティングの過程で発見できる。しかし、もし欠損輪と偽年輪に気がつかずに研究を進めると、時系列が混乱し、そのために年輪年代学の正確さに大きな間違いが生じてしまう。

ドイツとアイルランドのブナ類の年輪シグナルが一致する謎

単一の強力な気候的成長抑制因子がその地域の大部分の樹木に影響を及ぼすような場合、そうした地域ではクロスデーティングは最も簡単な手法であり、好結果を残せるのが一般的だ。ある地域の大部分の樹木が強力な成長抑制因子の影響をともに受けていると、それらの樹木のモールス信号は互いに合致し、クロスデーティングはうまく機能する。シエラネバダ山地の研究での最初のクロスデーティングは、ほとんどの樹木にカリフォルニア州が見舞われた激しい旱魃（例えば最近では２０１２年～２０１６年の旱魃や１７９６年の旱魃）の痕跡が残されていたので順調に進んだ。アメリカ南西部のポンデローサマツも、ダグラスがクロスデーティングの考えを開発し、適用を可能にする根拠となった厳しい旱魃をたびたび経験している。

しかし、クロスデーティングは不思議なところでも役に立つ。その有効性の背後にある理由は、アメリカ南西部のマツ類の場合のようにどこでも明らかというわけではない。現在までの年輪年代の世界最長連続記録はドイツの砂利採取場で見つかったヨーロッパナラ（*Quercus robur*）とフユナラ（*Quercus petraea*）の半化石に基づいている。半化石の樹幹はかつてドイツの長い河川（ライン川、マイン川、ドナウ川）沿いで生育した森林の遺物ともいえる。しかし時間が経つと、侵食でその根元部分が削り取られてしまう。樹木が水中や泥炭層に倒れ込むと、酸素と木材を分解する微生物がいない嫌気的環境の中でその樹木は保存される。これらの森林でかつて繁茂し、ほとんどが枯死したときは樹齢３００年以下でしかなかったナラ類やマツ類は、枯死したあと長く堆積物に埋積され、クロスデーティングの結果、１万年以上が経過していることが明らかになった。ドイツのナラ類の年輪年代学は６７７５試料を擁し、現在から共通紀元前８４８０年まで連続して遡り、たったひとつの切れ目もなく１万５０

0年の長さに及んでいる。ドイツの年輪年代は、同じ地域から発見されたさらに古いヨーロッパアカマツ（*Pinus sylvestris*）の半化石試料ともクロスデーティングを行っており、その結果、年輪年代がさらに約2000年拡張された。

最古の現生木の樹齢がわずか1000年でしかない大陸で、年輪年代学をこの年代範囲で確立したのはそれ自体たいへんな偉業だ。しかし、私たちが研究範囲を拡げて、クイーンズ大学ベルファスト校の年輪年代学研究者、マイク・ベイリーがイギリス諸島で進めている研究を含めたら、その功績はさらに想像もつかないものになる。アイルランドの泥炭湿地に保存されている太古のブナ類（ヨーロッパナラとフユナラ）に基づいて、マイクは7272年に及ぶ年輪年代を作成した。その結果明らかになったように、ドイツとアイルランドのブナ類の年輪年代には、完全に重なり合う7000層の年輪があって、互いにクロスデーティングできるのだ。しかし、私たちはそれがなぜなのかを完全に理解しているわけではない。私たちには何がドイツとアイルランドのブナ類の心臓の鼓動を同期させるのか、そしてそれらに共通した成長抑制因子が何なのかがまだわかっていない。ドイツとアイルランドの夏は、ほとんどの年でブナ類が幸せになれるほど湿度が高くて、暖かく、多くの指標年が形成されるわけではないが、その夏の気候は似通ったものではない。ドイツの乾燥と湿潤の夏は必ずしもアイルランドの乾燥と湿潤の夏と同期的であるとは限らない。しかし少なくとも過去7000年以上にわたって、ブナ類は認識可能で矛盾のない明瞭な年輪幅の広狭変化パターンを示してきた。ヨーロッパナラは年輪年代学では最もよく研究されてきた樹種のひとつだが、40年以上研究されても、成長を広域的に同期させる原因はまだ見つかっていない。

年輪研究で南極大陸に森林があったことが明らかに

ドイツとアイルランドでの河川堆積物、湖底、泥炭湿地の半化石ブナ類の材は、最終的には数百万年を要する珪化木化の過程のほんの第１段階にすぎない。驚くべき数の古代木の樹幹や切り株が、例えばアリゾナ州東部の化石の森国立公園のように、長年にわたって珪化木として保存されてきた。珪化木は樹木の化石で、すべての有機物が鉱物の――多くの場合、石英あるいは方解石――沈殿物で置き換えられ、もともとの木材組織が残っているものだ。木材をこのような鉱物に変化させるには、木材が砂やシルト質堆積物や火山灰に埋積されることが必要で、それによって酸素が遮断されて、木材が保存されるのだ。時間が経つと、鉱物質に富んだ水が木材を覆った堆積物を通って流れ、木材の細胞の中にこれらの鉱物をいくぶんか沈殿させる。鉱物質の沈殿物によって木材の細胞の内側に鉱物の雌型が形成され、有機質の細胞壁が分解すると立体的な細胞の雄型ができて、木材は完全に保存されることになる。木材の細胞組織とともに、年輪も石化した雄型に保存され、驚くべきことには、その年輪が何百万年も昔ではなく、むしろ前年に形成されたかのようにはっきり見えることが多いのだ。珪化木に見られるこのような年輪は測定できるし、ちょうど現生木の年輪のようにクロスデーティングも可能だ。しかし珪化木が何百万年も前のものだとすると、現生木で最長の年輪年代がせいぜい１万２０００年の範囲に及ぶにすぎないので、２つの記録媒体中の年輪が時間を超えて結びつくことは決してないだろう。

珪化した樹木の年輪研究（古年輪年代学）からは、森林、気候、古代の樹木が生育した環境に関して多くのことがわかる。例えば、現在の氷床環境がたいへん寒冷で乾燥しているため、樹木が生育できない南極からも珪化木が発見されている。しかしいつもそうだとは限らない。ペルム紀後半から三畳紀の間（約２億５５００万年前から２億年前まで）、もっと現在に近い白亜紀と古第三紀の間（約１億４５

00万年前から約2300万年前まで)、南極半島の気候は十分に温暖、湿潤で、針葉樹の森林と、白亜紀・古第三紀の場合は広葉樹林さえも含む多様な植物群落が生育できた。ペルム紀後半から三畳紀にかけては、南極大陸は現在の南半球にある諸大陸と合体して超大陸ゴンドワナを形成していた。プレートテクトニクスによって、1億8000万年ほど前にゴンドワナ大陸は徐々に分裂し始めたが、最も新しくできた大陸、南アメリカは約3000万年前まで南極大陸から分裂しなかった。この長い地質学的な歴史の結果として、ナンキョクブナ(*Nothofagus antarctica*)、マキ類、ナンヨウスギ類のような、はるか昔に絶滅した南極大陸の植物群の近縁植物を南アメリカ南部、アフリカ最南部、オセアニアで発見することができる。

南極大陸の珪化木は、すでに絶滅してしまっているが、分裂してそれ自身もすでに存在していないゴンドワナ大陸でかつて繁茂していた樹種に由来している。しかし、約1億4500万年前から約2300万年前の珪化した樹木がいまもなお現存することは、南極地域がもっと温暖だったことと、この時代には巨大な氷床が欠如していたことの確固とした証拠だ。解剖学的にはっきりと識別できる年輪が化石から見つかるという事実からは、南極の気候には明確な四季があったこと、そしてより温暖だった期間が、以前考えられていたような、地軸の傾斜角の急激な減少によるものではなかったことがわかる。そうではなく、気候モデルは、白亜紀と古第三紀での南極(そして北極も)の気温上昇は、両極地域の気温を上昇させたのみならず、樹木の成長も促した大気中の二酸化炭素濃度の増加によって説明できることを明らかにしている。珪化木に見られる幅広い年輪は、南極大陸では現在からひとつ前の温室気候期の条件下で森林が繁栄していたことを意味するのかもしれない。この気候条件は、膨大な量の温室効果ガスを大気に放出することによって私たちが生み出しつつある現代の気候状況の自然がつくり出したアナローグといえる。地質時代の珪化木中の年輪についての古年輪年代学研究者の研究が、何百万年も過去の地球の気候の移り変わりについて新たな知識を得る手助けになる一方、年輪科学はさらにもっと最近の気候と歴史、そして人類が出現以来、何をしてきたかを追究してきた。

第5章　石器時代、感染症、難破船と年輪

放射性炭素同位体年代と年輪年代の精度

過去1万2650年にわたり、年レベルの正確さを持った壮大なドイツのブナ−マツの年輪年代は共通紀元前1万644年に遡って年ごとの指標を提供する。その年輪年代は年輪のそれぞれの正確な数値年代を示してくれるだけではなく、その正確さは放射性炭素同位体年代測定法などの精密さに欠ける手法を補強するために欠かせない手段になっている。

放射性炭素同位体年代測定法（「炭素年代測定」または「炭素14年代測定」ともよばれる）を使えば、植物または動物由来の物質を含んでいる考古試料を約5万年まで遡って年代を決定できる。放射性炭素とは、地球大気中で光速に近い速度で宇宙空間を飛ぶ高エネルギー粒子である宇宙線の衝突でつくり出される放射性炭素同位体のことだ。放射性炭素は、半減期（放射性炭素のもともとの量が半分に減るのに要する時間の長さ）5730年で放射壊変を経験する。放射性炭素は光合成を通して生きている植物組織に、そしてその植物を食べた動物の組織に取り込まれる。しかしいったん植物や動物が死ぬと、その放射性炭素はもはや周囲の環境とのやり取りがなく、放射壊変していくにつれて組織中での量が徐々に減少していく。1940年代後半——ダグラスが年輪年代決定法を創り出した20年後——化学研究者、ウィラード・リビーが放射性炭素同位体年代測定法を考案した。放射性炭素の半減期がわかっているの

で、木材や骨のかけらのような遺骸中に残存する放射性炭素の量を測定すれば植物や動物がいつ死んだかを計算することができる。考古学分野に革命を起こしたこの発見により、リビーは１９６０年のノーベル化学賞を受賞した。年輪による年代決定に比べて精度の点で劣るが、放射性炭素同位体年代測定法はもっと古い時代の試料の年代を測定することができる。一般的には、放射性炭素年代は数十年から数世紀にわたる年代範囲を表わすのに対して、年輪年代は年のレベルで正確に年代を表せる。

放射性炭素同位体年代測定法の背後にある考え——私たちは試料に含まれている放射性炭素の量を測定できるし、その半減期もわかっている——は、大気中の放射性炭素の量が一定だと仮定した場合のみ有効なのだ。しかし、その仮定が必ずしも正しくないこともわかっている。例えば、大量の化石燃料の燃焼が始まった19世紀後半には大気中の放射性炭素の量が明らかに減少した。石炭、石油、天然ガスは何百万年以上もかかって植物と動物の遺骸から形成されるものだ。生きている有機物質から化石燃料への１００万年オーダーの変化過程は放射性炭素の放射壊変の速度よりはるかに遅いので、化石燃料中の放射性炭素のほとんどすべては時間とともに失われてしまう。放射性炭素をほとんど含んでいない化石燃料由来の大量の二酸化炭素を大気中に放出することによって、結果的には大気中の放射性炭素の含有比率を薄めてしまったのだ。人為的に大気中の放射性炭素の量を変化させた例として、地上核実験の最終年にあたる１９６３年には、大気の放射性炭素含有率の急上昇が記録されている。その年の大気中の放射性炭素の量は核実験が始まる前のほぼ2倍に達している。

大気の放射性炭素量は人為的なものだけではなく、長い時間の間には自然の変動も発生し、その結果として放射性炭素年代は暦年と直接には同じではなくなる。そのため放射性炭素年代測定技術の精度は、同位体年代測定法による年代と確実な数値年代がわかっている試料の年代の補正（較正）によって検証する必要がある。クロスデーティングは年輪ごとに真の年代がわかっていることを保証するものなので、年輪試料はこの補正作業には完全に適している。ある年、樹木はその最も外側の年輪にそのときの大気中の放射性炭素を含む新しい木部を付加するにすぎない。それ以前のすべての年輪に含まれている放射性炭素の含有率はまったく影響を受けることなく、それより更に前の年輪は、形成された当時の大気の放射性炭素含有量を反映する。より以前に形成された年輪の中で、またその樹木の生育期間中にさえも発生しうる放射性炭素の放射壊変のため、放射性炭素の量は樹木の最も外側（最新の年輪）から最も内側（最古の年輪）に向かってゆるやかに減少する。例えば、放射性炭素の半減期が５７３０年だとすれば、樹齢５０００年のブリストルコーンパインの最も内側の年輪の放射性炭素の含有量は、その最も外側の年輪中の含有量のおよそ半分でしかないだろう。樹木の個々の年輪での放射性炭素の含有量の測定ができれば、年輪の炭素同位体量とその試料の数値年代を関係付ける放射性炭素の補正曲線をつくり上げることができる。この補正曲線を用いると、考古試料の放射性炭素の含有量からその暦年の推定値を導き出すことができる。リビー自身も１９６０年代にこのような暦年補正を始め、補正曲線は現在でもなお盛んに更新されている。補正曲線の最新の更新版は、最新の１万３９００年*の長さに及ぶドイツのブナ－マツの年輪年代の年輪試料の放射性炭素、そして古い時代（現在から１万３９００年前から５万年前）†の曲線の補正には日本の水月湖の細かく成層した堆積物中の大型植物化石の放射性炭素の測定結果が使われている。

＊試料が５万年以下の年代でありさえすれば。
†ブナ－マツの年輪年代にはドイツとスイスの樹木２３２試料から得た浮動年代が追加され、補正曲線は１万３９００年にま

で拡張された。

ローマ時代のカシ材の発見

1万2000年以上のドイツのブナ－マツの年輪年代は、放射性炭素同位体年代を微調整しただけではない。ヨーロッパの文明の中での7000年以上に及ぶ樹木の利用の歴史を物語る木製考古試料に対する数値年代の時間軸も提供したのだ。ヨーロッパ最古の木造住居集落の中には、農業が大陸各地に拡がった新石器時代（石器時代の後で、共通紀元前約6000年に始まった）に遡るものもある。新石器時代の多くの農耕集団は水源の周囲に形成され、建築用に広く木を使っていた。それは木がどこにでもあって、加工が容易な資源だったためだ。新石器時代の農耕集団は、防御が容易な湖や湿原に柱や杭を立ててその上に小型の住居を築いた。このような杭上住居はヨーロッパ各地でつくられ、新石器時代後期からおよそ共通紀元前500年頃の青銅器時代末まで人びとが居住した。住居を支える木の柱は水を含んだ湿原や湖の堆積物に深く打ち込むのが容易だったので、水に浸ったままで長い期間にわたって保存された。1854年のチューリッヒ湖でのこのような住居の発見――アメリカ南西部での考古学の台頭と同時期――に続いて、杭上住居群の発掘がヨーロッパとイギリス諸島全域で急増した。1960年代には、スイスの2つの湖上集落の年代が放射性炭素同位体年代測定法によって共通紀元前約3700年とされ、これらの質素な杭上住居群がエジプトのピラミッドより1000年以上も前につくられていたことが明らかになって考古学の世界*で話題を呼んだ。年輪年代学的に年代が明らかにされたスイスのムルテン湖の最古の杭上住居は、共通紀元前3867年〜3854年の間に切り倒されたカシ材でつくられていた。

*最古のエジプトのピラミッドとして知られているのはジェセルのピラミッドで、放射性炭素同位体年代測定法で共通紀元前2630年～2611年の年代とされている。

イギリス諸島の7000年以上の長さに及ぶ埋もれ木の年輪年代によって、古代イギリスの先住民が集落間を移動するためにつくった木製の土手道に加えて、先史時代の数多くの杭上住居と湖上住居*の年輪年代測定も容易になった。これまでに知られているこのような最古の土手道であるスイート・トラックは長さ1・6キロ以上の盛り土された木の歩道で、ところによっては木の止め釘で支えられた単一のカシの厚板でできている。このスイート・トラックはイギリス西部の面積約650平方キロ以上の平坦地であるサマセット海岸低地帯を横切っており、年輪年代によって年代がムルテン湖の杭上住居とほぼ同時期にあたる共通紀元前3807年～3806年の冬と秋と決定された。使われていたのは、サマセット海岸低地帯が水とアシに覆われてしまう前の10年ほどだったらしく、スイート・トラックの数値年代が明らかになったことによって、周辺の湿地から発見された新石器時代の大量の人工遺物（陶器の破片、火打ち石や石の斧など）の年代決定が可能になった。

*湖上住居とは、スコットランドやアイルランドの湖や川につくられた人工島。

しかし、年輪年代学で年代が測定された、間違いない最古の木造建築物はムルテン湖の集落やスイート・トラックよりも１３００年以上も古いものだ。２０１２年、フライブルク大学に所属するドイツの年輪年代学研究者、ウィリー・テーゲルはドイツ東部で木の井桁の枠がつくられている井戸を４つ発見した。地下にあって、水浸し状態だったこれらの木製井戸は唯一現存する、最初期の中央ヨーロッパの農民がつくった長屋集落の遺跡だ。その地上の建造物の中で木製井戸だけが土の中に残されていた。初期の定住者は幹回りの直径が約４・８メートルの樹齢３００年のカシを切り倒して井戸が崩れないようにカシ材で井桁をつくっていた。ウィリーが驚いたことには、井戸が共通紀元前５２０６年〜５０９８年の古さだということだった。それは共通紀元前５５００年頃にバルカン半島からヨーロッパ中央部に最初の耕作民が移住してから、それほど時間が経っていなかったのだ。このような井戸の構築には、高度な木工技術を必要とする精巧な角継手や丸太の構造物が含まれていた。ウィリーはその２０１２年の出版物でこう述べている。「最初の耕作民は最初の木工技術者でもあった」

カシ材の井桁は各地で発見されており、年輪によって鉄器時代（ヨーロッパ中央部では共通紀元前およそ８００年〜１００年）とローマ時代（およそ共通紀元前１００年〜紀元５００年）など、後の時代のものとして年代決定されたものもある。まだチューリッヒにいた頃、私はウィリーがコレクションしているローマ時代の試料の年輪年代を使って、過去２５００年間の中央ヨーロッパの気候を復元する研究を彼と共同で進めた。私はときどきドイツにいるウィリーを訪ねて研究について議論した。そのようなあるとき、彼の研究室に転がっていたほとんど真っ黒で、思った以上に重かったカシの木のひとかけらを私は無造作に拾い上げた。ウィリーは、それがローマ時代の井戸で、共通紀元14年まで使われていたその試料をクロスデーティングしたと私に話し、それを私に土産として持たせてくれたのだった。私は２０００年の古さの試料を傷めてしまうのがとても心配で、バックパックにそれを入れることができなかった。それで、私はそれを腕に抱えて運んだ。帰りの列車で私は、小さな男の子がその試料を見つめていることに気づいた。そこで私は自分が年輪年代学研究者で、この木は2000年の古さなのだ！と彼に説明した。男の子は私がまるで別の惑星から来たかのように私を見つめた。

法隆寺のヒノキの新事実

古代ヨーロッパの先住民については知らないことがたくさんある。人口はどれくらいだったのだろうか？　彼らはどんな言葉を話していたのだろうか？　どうやって、またなぜ彼らはストーンヘンジのような巨石遺跡をつくったのだろうか？　しかし年輪年代学のおかげで、彼らが6000年以上も前に杭上住居、土手道、井戸をつくるためにカシやマツを切り出したその正確な年、そして季節までも私たちは知っているのだ。年輪年代学が私たちの歴史の理解に貢献する情報量は、地上建築物の材木が保存されてさえいれば劇的に増加するのだ。中世以後、「乾燥した」建造物から得られた木材は年輪年代学研究者が楽しむたくさんのパズルのピースになった。年輪による年代測定は、もっとささやかな歴史的建造物はもちろん、城郭と大聖堂、大学と市役所の建物の研究に重要な貢献を果たした。ドイツバイキングの居住地からベネチア風の大邸宅、イギリスのソールズベリー大聖堂、イスタンブールのハギア・ソフィア大聖堂まで、年輪年代学はその建築物だけではなく、世界中の文明の成り立ちに加えて、文化にも新しい洞察をもたらしてきた。

ときには年輪年代学が人類の歴史についての考え方を実際に変えてしまうことがある。例えば、世界最古の木造建築物、日本の奈良県にある法隆寺は8世紀の初めに建立されたと一般には信じられていた。法隆寺はアジアの仏教徒の最も古くから続く神聖な交流の場で、歴史的文書によると最初に建立された建物は共通紀元６０７年に完成したが、その63年後には大火で焼失している。毎年数万人の観光客が訪れる法隆寺の美しい仏塔は７１１年頃に再建され、それ以後は内戦、地震、台風を奇跡的に生き抜いてきたと信じられていた。しかし２００１年、年輪年代学研究者、光谷拓実（みつたにたくみ）とその共同研究者は仏塔の心柱に使われていたヒノキ（*Chamaecyparis abtuse*）の木は、歴史研究者が結論していたよりも１世紀以上も早い５９４年に伐採されていたことを発見した。年輪年代学的な５９４年という年代と歴史学的な７１１年という年代の間の食い違いの説明は難しいが、現在の柱が最初に建立された法隆寺の柱を再利用したものだった、あるいはまたヒノキ材が後世のために貯蔵されていたのだと考えることも可能だ。こうした発見は、日本での仏教の台頭と拡散の時系列の見直しを宗教学者と歴史に迫るものだった。

北アメリカでは、南西部での活発な年輪年代学の研究と伝統的なバンクーバー島でのヌートカ民族の板張り家屋の研究に加えて、１０００以上のイギリス植民地時代の建物が、年輪を使ってその年代が決定されている。その中には、フィラデルフィアの独立記念館（１７５３年）など歴史的に重要な建造物だけではなく、小屋、教会、入植農民の家、柵囲い、交易所などのより土地固有な建築物も含まれている。このような建築物は実際、多くはもとの文書記録より1世代か2世代ほど新しい。例えば、テネシー州のマーブルスプリング史跡にある丸太小屋のひとつは最初のテネシー州知事、ジョン・セビアの最後の自宅だとかつては思われていた。しかし、テネシー大学のジェシカ・スレイトンと彼女の共同研究者がその丸太小屋の材木の樹芯を調べたところ、彼女たちはその丸太小屋がセビアの死後20年以上して建てられたことを発見した。口伝で語られた歴史はことがらを実際よりも古いものにしてしまう。この傾向は人間の性質のせいなのだ。私たちは私たちの遺産を歴史ある立派なものとして見たいのだ。もちろん、経済的な力も働く。より古い史跡は利益の上がる観光事業を地域社会に引き寄せることができる。

年輪年代学で美術工芸品製作年代の推定

歴史的建築物は年輪年代学のための木材試料の多くを提供するが、扉、家具、美術史的工芸品、そして中世の板表紙の書籍のような小さな木製品からも年代を決定できる。例えば、イギリス諸島で年輪年代学的に最古の扉の年代は11世紀とされている（1032年～1064年）。ほぼ1000年の古さの扉は、地下の食器棚を塞ぐ扉としてロンドンのウエストミンスター大聖堂で普段使いされている。それを調べるために、オックスフォード大学年輪年代学研究室のダン・マイルズとマーチン・ブリッジはその扉の蝶番を簡単に外して、扉の端を標本抜き取り器*で採集した。

*掘削ドリルの先端の刃を扉の板と正確に並べるために、年輪年代学研究者は扉の表面に固定された位置合わせ道具（治具）を使った。彼らは掘削ドリルの先端の刃の冷却と除塵に圧搾空気を用いた。

その他、板絵、木製彫像、家具、ストラディヴァリのメシアのような楽器など芸術史的に重要な作品から、外観上の損傷なく試料を抜き取り採集することはできない。そこで年輪幅の測定方法は、測定対象を直接測定するか、写真、スキャン画像、表面の印象で測定するかのいずれかになる。15世紀にフランドル地方の素朴派の画家が絵を描いたカシの板絵を枠から外して、メスかドレメル製の工具を使って年輪がきれいに見えるように板絵の端を細工するには、私よりももっとタフな神経とより安定した手先を持った年輪年代学研究者が必要だ。こうした作業にはレーザーか微細研磨装置が用いられ、この種の細工と試料採取は、当然だが保存修復士や学芸員と相談しながら行われる。15世紀から17世紀にカシの板絵を製作した昔の多くの巨匠たち（ヤン・エイク、メムリンク、ブリューゲル父子、レンブラント、ルーベンスなど）による作品の真贋は、年輪年代学を使って明らかにされてきた。もしカシの板絵の最も新しい年輪が作品に記入されている製作年よりもあとの年代だった場合、カシの木が伐採されたときには絵がすでに製作されていたことになり、問題の絵は、複製か贋作ではないかと疑われる。年輪年代学は美術品を最終的には鑑定できないかもしれないが、しかし、もし最終的に絵が描かれた板を切り出した木が画家の死後もなお成長を続けていたとすると、年輪年代学は納得のいく反論ができる。

フランドル派の画家、ロヒール・ファン・デル・ウェイデン（１４００年～１４６４年）による15世紀の三連祭壇画が好例だ。三連祭壇画には２つの複製がある。第一の複製品の右側のパネル板はニューヨークのメトロポリタン美術館に収蔵されているが、その左側と中央のパネルはスペイン、グラナダの王室礼拝堂に収蔵されている。第二の複製品は全体がドイツ、ベルリンの絵画館に所蔵されている。芸術史的な研究によると、ニューヨークとグラナダの三連祭壇画はファン・デル・ウェイデン自身が製作した原画であり、ベルリン版は後世の複製品だとずっとみなされてきた。ところが、両方の三連祭壇画の年輪年代測定の結果、ベルリン版の製作年代はファン・デル・ウェイデンの人生の早い時期にあたる１４２１年頃ということがわかり、これに対してニューヨークとグラナダの三連祭壇画の製作年代はファン・デル・ウェイデンの死後およそ20年が経過した後の１４８２年だということが明らかになった。最初からずっとベルリンの絵画館はファン・デル・ウェイデンの原画を展示していたのだが、メトロポリタン美術館のファンは腕のいい模倣製作者の作品を鑑賞していたことになるのだ。

ヨーロッパの建築ラッシュと感染症流行

いろいろな場所にある木製工芸品――ほんの数例を挙げるとイギリス諸島の扉、北海沿岸低地帯諸国の板絵、イタリアのバイオリン――の製作年代がすべて中央ヨーロッパのカシの年輪年代で決まるわけではない。むしろ、年輪年代学のデータベースは工芸品が発見される広汎な地理的範囲を密にカバーし、数世紀の古さの対象品の年代を決定するためには十分に時代を遡っておくことが必要とされる。幸運なことに、年輪年代学が成熟するにつれて、年輪年代学研究者は年輪年代学をますます発展させ、その結果多種多様の樹種を含む必要不可欠なデータベースを創設した。このデータベースは年輪年代学が数十年間にわたって利用されてきた北アメリカとヨーロッパでデータの密度が最も大きい。多種多様の樹種、地理的に密な年輪年代研究のデータベースによって、考古学的または歴史的木製品がいつ製造されたのかだけではなく、材木の由来も年輪年代学研究者が調査できるようになっている。木材産地推定法による作業は、年輪時系列は離れた地点からよりも隣接した地点からの年輪時系列のほうによりうまく合致するという統計学的な考えに基づいている。木材の産地を推定するために、年輪年代学研究者は試料の年輪時系列について、研究データベースの年輪時系列との間でクロスデーティングを行い、木材が由来したと考えられる統計学的に最もよく合致する年輪の産地を見つけるのだ。この方法は間違えようがないわけではなく、地域によってうまく機能する場合とそうではない場合があるが、例えば船舶考古学の分野では注目すべき成功を収めている。

沈没船には年輪研究に適した木材が含まれることが多いが、たいていの場合、行方不明になっている船は建造された場所から遠く離れた場所で沈没船として見つかるものだ。例えば年輪年代学研究者は、ドイツ北部のフィヨルドを発見した中世の船、カーシャウ号が１１４０年に伐採されたデンマークの樹木で建造されたことを明らかにしている。ニューヨーク市ロウアー・マンハッタンの世界貿易センタービルでの２０１０年の発掘調査で見つかった難破船の建造については、フィラデルフィア地域で１７７

3年に伐採されたカシの材木に遡って産地が追跡された。船は小さな造船所の建造物で、故意にあるいは偶然に沈没するまでの寿命は短いものにすぎなかったようだ。１７９０年、その沈没船は、ロウアー・マンハッタンの建設可能区域を拡張するため、埋め立てごみの一部になった。難破船の研究は、年輪年代学研究者がどのようにしてアメリカとヨーロッパの間での木材貿易の長い歴史を明らかにしたのかを示すよい事例になる。西ヨーロッパでは、中世に城郭、大聖堂、船舶、宮殿の建築のためにカシとブナの森林が広範囲にわたって伐採され、高樹齢、高品質のカシの木材が不足して、その結果高額の商品になってしまった。イギリスの共通紀元１０８６年の土地台帳*によると、当時はイギリスの国土のわずか15％が森林に覆われていたにすぎなかった。そのため西ヨーロッパの中世の建築ラッシュに応えようと、どこか他の場所、とくにバルト地域から大量のカシ材が輸入された。木材はバルト地域の河川に浮かべられてハンザ同盟の都市の港まで運ばれ、西ヨーロッパの交易センターで再売買される前に大型の海洋船舶に積み込まれた。仲買人がたくさん関わっていたとしても、一般にはバルト地域から輸入された材木の値段は西ヨーロッパで育った材木のおよそ半分だった。中世の板絵や他の西ヨーロッパの歴史的美術作品の年輪による木材産地推定からは、バルト地域の木材貿易が13世紀後半には早くも始まっていたことが明らかになっている。タンザニアでの共同冒険旅行の後、クリストフ・ハネカは年輪年代学で学位論文研究を始め、ベルギー北部のゴシック様式後期の祭壇画の装飾品の木彫を研究した。彼は初期（15世紀）の木彫装飾が、ハンザ同盟の大きな港湾都市のひとつであるグダニスク（ダンツィヒ）近くの森に由来する木材を彫刻したものだということを発見した。しかし時間が経つにつれて、バルト地域へのカシ材の需要はたいへん大きくなって、交通の便がよいグダニスク地域の森の開拓が過剰なものになってしまった。その結果、後期（16世紀）の木彫装飾はさらに内陸の森林の木材からつくられる

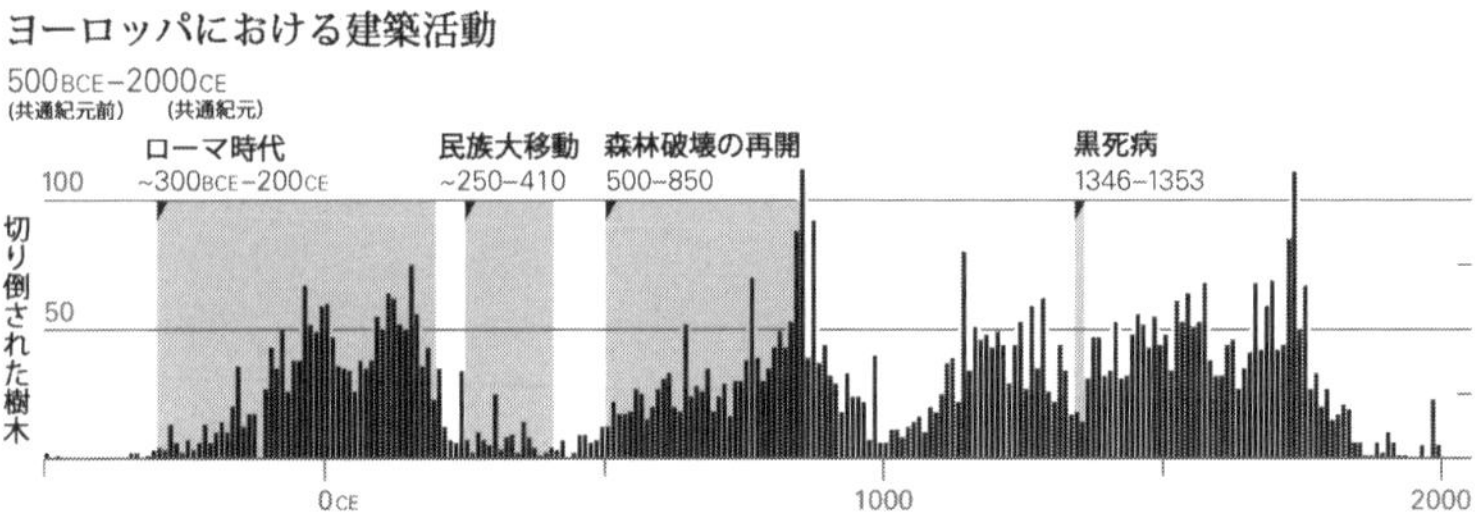

図7　建築目的で過去2500年間にヨーロッパで切り倒されたほぼ7300本の樹木の伐採年をまとめると、私たちは歴史的な変動を見て取ることができる。共通紀元1350年頃の建築活動の短期間の空白期は黒死病の蔓延が原因だったと思われる。

ようになったのだ。19世紀のドイツの森林学者、オーガスト・ベルンハルトはそれについてこう述べている。中世後半には、「木材の不足は私たちの扉すべてをノックしていた」†。

＊ウィリアム征服王の命令でまとめられたイングランド地方とウェールズ地方の土地の広さ、価格、所有者、負債についての文書記録。

†オーガスト・ベルンハルト著『ドイツにおける森林所有、森林管理と森林科学の歴史』、（ベルリン、１８７２年）、第1巻、２２０頁。

歴史的な木材貿易は、年輪年代学研究が明らかにした木材利用と建築活動の複雑な歴史のほんの一面でしかない。膨大な数にのぼる年輪試料のコレクションで、樹木の収穫（あるいは伐採）の時期をまとめ、1年ごとに伐採された樹木の数を並べてみると、樹木の伐採と建築活動の時代的な推移を見ることができる（図7）。私がウィリー・テーゲルと研究した中央ヨーロッパの２５００年間の気候復元で、私たちは半化石、考古資料、歴史的資料とフランス北東部とドイツ西部のカシの現生木から得た７２８４個の年輪時系列資料をまとめた。２５００年以上にわたる樹木の伐採年を並べてみると、私たちは建築活動の歴史的な時期を見分けることができた。まず、鉄器時代と建設の活発な時期にあたるローマ時代（およそ共通紀元前３００年～共通紀元２００年）での多数の樹木伐採と広域にわたる森林破壊を見出した。異民族の侵入がローマ帝国の分裂と長く続いた政治・社会の混乱の大きな原因になった民族移動時代または民族大移動*（およそ共通紀元２５０年～４１０年）の間は、樹木の伐採と建物建設は減少した。５００年～８５０年の頃の政治・社会の統合に同期して森林破壊が再び激化した。図７に示したように、１３５０年頃には短期間の建築活動の空白もあった。14世紀に起きたこの建築活動の一時的衰退はアイルランドとギリシャの考古学的な年輪試料コレクションにも反映されている。このような広範囲にわたり、同時発生的な建築活動の一時的衰退は、本当のところは二つの要因から説明できる。大陸規模の社会経済的崩壊（例えば民族大移動の間に起きたようなこと）または感染症の大流行である。私たちは他の情報源から腺ペスト（黒死病）の大流行が１３４６年から１３５３年にかけてヨーロッパを襲い、人口の45～60％が失われてしまったことを知っている。黒死病の人口統計学上の衝撃的影響は、ヨーロッパの建築活動の時系列変動の大きな落ち込みとして反映されている。もっと早い時期（共通紀元６６４年～６６８年）のイギリス諸島での感染症の大流行は、建築活動と木材伐採の中断としてアイルランドの年輪試料コレクションに見て取れる。感染症大流行はヨーロッパの人びとにとっては天変地異的だった一方で、ヨーロッパの森林にとっては森林破壊という無慈悲な猛攻撃からのひと休みになった。ヨーロッパの人口の50％以上が失われたことによって、エネルギーと木材の需要は減少し、放棄された土地を回復させ、森林破壊による損傷から蘇る、短期間ながら絶好の機会が森林に与えられたのだ。

＊文字通り、「人びとの移動」。

第6章　真実を葬ろうとする政治家たち

男性研究者たちの意地の張りあい

スイス連邦森林・雪氷・景観研究所――ドイツ語で森林（W：Wald）、雪氷（S：Schnee）、景観（L：Landschaft）の頭文字をとって、WSL――はチューリッヒ郊外、ビルメンスドルフの丘の頂上にある。年輪の研究はフリッツ・シュヴァイングルーバーが研究を開始した1971年に初めて、WSL研究所の任務のひとつになった。フリッツは植物学者であり、考古学者であり、世界で最も優れた木材解剖学者のひとりでもある。その初期の研究で彼は年輪に魅了され、彼の指導の下でWSL研究所の年輪年代学グループはヨーロッパで、アメリカ合衆国、ツーソンのアリゾナ大学LTRRと肩を並べるものに成長した。私がペンシルベニア州立大学での2年間の仕事を終え、2007年にWSL研究所で研究を始めたときにフリッツは退職したが、彼はなおも週に数回、年輪研究室を訪れており、その影響は随所に及んだ。フリッツの教え子で、後にアドニスの発見に関係したヤン・エスパーは、論文を精力的に出版できる年輪年代学研究者を彼のまわりに集めて、研究室の指導を引き継いだ。WSL研究所での最初の夏、新進気鋭のデビッド・フランクとウルフ・ブントゲン*の2人とともに、ヤンと私は年輪試料の採集にスペインのピレネー地方に旅行した。私たちが試料を採集した地点は高度が約2500メートルで、アイグエストルタス国立公園にあるガーバー湖を囲む山の斜面の上だった。なぜこの特定の地点で試料を採集するのかを訊ねたところ、答えは単純にフリッツがこの地点を奨めたというのだ。どうやら、ピレネー地方を旅行中、フリッツは数百メートル下の道路から双眼鏡でこの地点に目星をつけていたようだった。

＊デビッドは現在ツーソンのＬＴＲＲの所長。ウルフはケンブリッジ大学の地理学の教授である。

古樹を探し出す目を持っているというフリッツの評判には十分な根拠があった。モンタナマツ（*Pinus uncinata*）の現生木と生き残りの樹木でできたガーバー湖の年輪年代は１０００年以上も遡ることがわかっていた。ピレネーの野外調査ではＷＳＬ研究所の共同研究者たちの作業能率のよさがすぐにわかった。私たちは飛行機でチューリッヒからバルセロナに移動して、その同じ夜にビエラという小さな町まで3時間半ドライブした。翌朝8時、店に立ち寄って食料を確保し、それから徒歩で3時間、山を登って直接、湖をめざした。ウルフとデビッドは実力派で、実際に山を駆け上がった。ヤンと私は身に合った速さで後を追った。湖にたどり着いたときには正午になっていて、抜き取り採集を始める前に昼食にしようと考えた。しかし男性たちはすぐに昼食に取りかかったわけではなかった。古樹が目に入った最初の瞬間からデビッドは抜き取り採集を始め、ヤンがそれにならった。次の数時間、ウルフが私たちから離れて別の抜き取り試料採集に向かい、ラベル付けや採集試料をしまい込む一方で、デビッド、ヤン、私の3人は、次々と抜き取り採集を進めた。とうとう午後3時頃、昼食をとるまでは作業を再開しないと私はきっぱりと言った。しぶしぶながら、私の共同作業者3人は短い休憩をとることに同意し、その後、私たちは日が沈み始め、暗くなって大急ぎで山から下りなければならなくなるまでしつこく抜き取り試料採集を続けた。次の数日間は毎日、まったく同じことが続いた。私たちは、空腹に襲われ、私が採集はもういいと言うまで休みなく作業を続けた。週末の前の夜、3人の男性に休みなしで行う作業効率について訊ね、ついに本当のことがわかった。共同研究者3人は自分が空腹だと漏らす最初のひとりになりたくないので、昼食を毎日とるように私が求めたときはほっとしたことを揃って認めたのだ。どうやら野外調査への最初の女性参加者である私が食事のことを強く言い出さなかったので、男性特有の頑固さから、まったく食事を抜いて終日にわたって野外での激しい肉体労働を続ける結果となったようだった。それ以後は、食事にしようという提案はずっと自由になった。誰も夜が寒いとしぶしぶ認める最初のひとりになりたがらなかったし、彼らは山沿いの気温が氷点下近くまで下がったときでさえ窓を開け放しにして相部屋で眠ったのだった。あのとき私は女性だったことが幸いした。女性科学者として、数多くの問題を抱えていたが、自尊心を守るために死にそうなほどの空腹や寒さを訴えないということは少なくともその問題のひとつではなかったからだ。

年輪を使った気候復元がつきつけたこと

ＷＳＬ研究所の年輪年代学研究者チームの最大の目的は、年輪を使って過去数世紀の気候を復元することにあった。20世紀初期の気候の機器観測記録の開始——世界の気象台で日々観測される気象データの取得——よりも過去の気候を研究するには、古気候復元の代替指標を使う。氷床コア中の堆積物層、湖底堆積物、樹木、サンゴなどの生物学的、地質学的な記録媒体には古気候の代替指標が記録されており、古気候復元のための情報源として用いることができる。年輪記録は、その意味では価値がある情報を提供する。年輪を使う研究は、試料の採集と解析が比較的簡単で、低価格で済む。地表の広大な面積を覆う樹木と森林、その年輪データは、とくにほとんどの年輪年代学的データが得られている時期にあたる1000年前から2000年前に対して、最も一般的に使われる気候の代替指標だ。

その観点から、私たちのガーバー湖の野外調査は、ピレネー山地での千年紀にわたる気候の復元を発展させることを目標としていた。1000年以上の古さの年輪年代をすでに手中にしており、この目標に到達できる公算は最初大きいように思えた。しかし私たちが発見したように、ピレネー山地のモンタナマツは複合した成長抑制因子に敏感なのだ。この樹木は標高の高い場所で生育するため、夏の低温によって成長が抑制される。この樹木は季節によっては乾燥する地中海地域でも生育するが、夏の降水量が不足すれば成長が抑制される。結局、マツは寒いときと乾燥しているときの両方の条件下で幅の狭い年輪が形成されるのだ。モンタナマツの幅狭い年輪は寒い夏と乾燥した夏の双方を示すもので、年ごとの年輪幅からは気温と降水量を独立して確実に復元することができない。辛い仕事だったにもかかわらず、私たちの年輪データはピレネー山地の気候復元にはうまく活かせないように見えた。しかし年輪幅以外に年輪を使って他の特性を抽出できる。例えば、年輪の放射線分析を行うと、個々の年輪の材の密度を測定でき、それによって年輪幅よりもうまく夏の気温変化を捉えられることが多い。年輪の最大晩材密度は、とくに成長シーズンの終わりにその年輪中の細胞壁がどれくらい厚くなったのかを反映するものだ。つまり、最大晩材密度は年輪が形成された年の夏の気温について優れた記録を提供し、木材密度は過去の夏の気温の代替指標として用いることができる。年輪幅測定と同様に、年輪密度測定は確実に年代が決定でき、年ごとの指標点になるのだ。ピレネー山地の年輪年代調査で最大晩材密度を測定したとき、最大晩材密度が夏の気温だけに影響されていることを発見し、結局、これによって私たちは年輪年代を夏の気温復元に使うことが可能になったのだ。

年輪を過去の気候復元に用いることの背景にある考えはかなり単純なことだ。年輪の幅（または密度）は測定が可能で、確実に年代を決定できるし、毎年の気象台データと比較することもできる。私たちは２００６年の夏にピレネー山地で抜き取り試料を採集したので、抜き取り試料中で最新の年輪は２００５年のものだった。ピレネー山地で最古の試料の年代は共通紀元９２４年に遡り、そして採集試料中、少なくとも5試料の年代が１２６０年にまで遡る。５つの試料があればデータとして信頼性が大きいので、私たちは１２６０年を気候復元の最初の年とした。幸運なことに、機器を使った気温の観測がピレネー山地では早くから始まっており、近くのピク・デュ・ミディ観測所の気温データが１８８２年以降利用可能だ。私たちは自ら得た年ごとの最大晩材密度と、観測所が収集した１８８２年～２００５年の間の同じ年の夏の気温を比較できる。つまり、１２４年間の夏の気温データと比較可能な１２４年分の年輪データを持っていることになる。私たちの最大晩材密度測定が夏の気温を正しく記録するものであれば、夏の気温を単純化し、毎年の最大晩材密度（ＭＸＤ）と、その年の夏の気温（Tsummer）を一次方程式あるいはモデルとして関係付けることができる。

$$Tsummer(t)=a^{*}MXD(t)+b$$

この方程式は、ある年 t の夏の気温がその年に形成された年輪の最大晩材密度の関数として表されることを示している。密度の測定は1立方センチあたりのグラム数で行われるが、私たちは夏の気温を摂氏温度として復元したいのだ。そこでグラム／立方センチという単位を摂氏温度に変換する定数ａとｂが必要になる。ａとｂの値を計算するために１８８２年～２００５年の期間のＭＸＤとTsummerのデータを用いる。ＭＸＤとTsummerの相関性の強さを検証するために、１２４年間の重複特性のうち、暑い夏（大きなTsummerの値）のいくつが大きな密度（高いＭＸＤ値）に対応しているのか、またはその逆を計算する。相関性が強ければ、最大晩材密度の値がわかっている任意の年、そして１２６０年までずっと遡って、夏の気温を計算するために同じa値とb値を用いてこれと同じ関係式が使える。ある年の最大晩材密度にa値を乗じ、それにb値を加えて、その年の夏の気温の推定値を得られるはずだ。毎年の年輪記録に対してこの計算を行えば、機器観測記録が始まる前から１２６０年まで遡って夏の気温を復元できるのだ。

右に示したような最も簡単なモデル（または関係式）を使えば、近い場所で得られた機器観測記録から気温の時系列変化を年輪年代によって予測し、復元できる。このような簡単なモデルは複数地点の年輪年代と組み合わせることによって改良されることが多い。例えばピレネー山地では、約72キロ西のソブレスチボーの高木限界付近の最大晩材密度の測定結果と組み合わせると、ガーバー湖の最大晩材密度の測定結果は機器観測記録による夏の気温をいっそうよく反映するはずである。モデルは樹木の生育に最も強く影響を及ぼす気候因子を選ぶことによって最大限に利用できるものになる。例えばピレネー山地のモンタナマツの最大晩材密度は、6月と7月の気温よりも5月、8月、9月の気温に対してより敏感だ。言い換えれば、私たちの年輪データからは6月〜7月の気温よりも信頼性が高い5月〜9月の過去の気温の推定値が得られるのだ。したがってさまざまな気候変数（例えば、降水量に対する気温、１ヶ月間の機器観測データに対して別の機器観測データ、１ヶ所の気象台から得られる機器観測データに対してある地域のたくさんの気象台のデータの平均値など）は、関係式の左辺に用いることができ、そしてさまざまな年輪データ（例えば、年輪幅と木材の密度の両方またはどちらか一方、１種類の樹木または複数樹種からのデータ、データが1地点から得られたのか複数地点からのものか）は、右辺に用いることができる。年輪年代学研究者の仕事の大事な部分は、気候復元のために正しい年輪データと気候データを選択することと、どの組み合わせが最も信頼性が高く、頑強な結果を得られるのかを統計解析で決めることなのだ。

気候学に対する政治弾圧

1998年、気候学者マイケル・マン、古気候学者レイモンド・ブラッドレー、年輪年代学の大家、マルコム・ヒューズはこの簡単な考えを取り入れ、それを大きく前進させた。1990年代後半には、20世紀の気象の異常は間違えようがなく、マン、ブラッドレー、ヒューズの3人は、この気象異常が自然の気候変動サイクルの一部かどうかを明らかにするために、最近の温暖化現象を歴史的背景の中で捉えようとした。この目的のために、彼らは過去600年にわたる北半球の1年ごとの気温を復元した。彼らは年輪データを氷床コアのデータやその他の代替指標と組み合わせて、北半球で平均化された年ごとの気温の時系列変化として復元した。新しい統計学的手法を適用して、共通紀元1400年までの北半球全体での単一の気温復元を行って、それを科学誌、ネイチャーで公表した。彼らの復元結果は、20世紀の全球温暖化は過去600年間に前例がなかったものだと主張するものだった。1年後の追跡研究で、彼らは気温復元を拡張して、さらに共通紀元1000年まで遡った。彼らの論文の鍵となる重要な図は、ホッケースティックの形に似た北半球での気温の時間変化を描いたものだった（図8）。そのグラフは、20世紀全体での急激な温暖化傾向（ホッケースティックの「ブレード」にあたる）の前には、共通紀元1000年から1850年にかけてのゆっくりとした気温の低下傾向（ホッケースティックの「柄」）も示されている。1000年間に及ぶホッケースティックで最も暑かったのはこの記録の最終年でもある1998年だ。

ホッケースティック形グラフ
平均気温に対する北半球の気温の偏差の時系列変化（1961-1990）

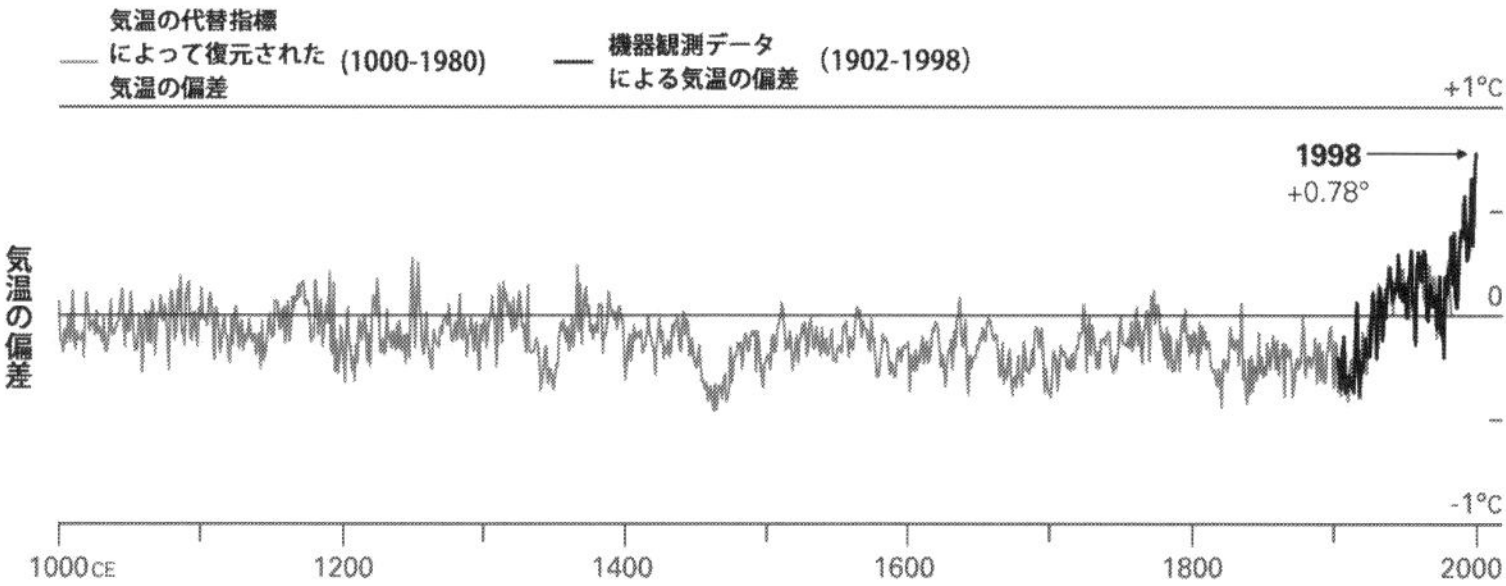

図8　年輪データ、氷床コアのデータ、その他の気温の代替指標を使って、科学者たちは北半球での過去1000年にわたる年ごとの気温変化を復元した。結果として描かれたホッケースティック形のグラフは、20世紀全体にわたって続く急激な温暖化が起きる前の共通紀元1000年～1850年の間のゆっくりとした気温低下も示している。

マン、ブラッドレー、ヒューズのホッケースティックの論文は20世紀の温暖化が１０００年間を見通した中でも例がなく、自然のサイクルの一部ではありそうもないことを示した最初の論文だった。この発見の関連性を考慮に入れて、国連気候変動に関する政府間パネル（ＩＰＣＣ）の２００１年の報告書ではホッケースティック形のグラフがたいへん目を引く主役となった。ＩＰＣＣは気候変動の包括的、科学的、かつ客観的な評価と気候変動の社会への影響の評価を委託された国連の学術団体だ。ＩＰＣＣは元アメリカ副大統領のアル・ゴアと共同で２００７年のノーベル平和賞を受賞した。ＩＰＣＣは独自の研究活動を行わないが、5年に1度、公表された科学論文に基づく膨大な報告書を作成する。２００１年のＩＰＣＣの報告書は８００頁の大著だった。気の確かな政策担当者なら２・５キロの紙束を書類かばんに入れて持ち歩くことはない（またはこんなに長い報告書を読む時間はない）ので、政策担当者のために少数のグラフとともに最も重要な発見を強調した、取り扱いに便利な約30頁の要約が公表された。ホッケースティック形のグラフはその要約の中でも際立ったものであり、その後には世界のメディアの注意を呼び起こし、その大きなポスターは2011年のIPCCの報告を紹介するテレビ発表の背景にも使われたのだった。

マン、ブラッドレー、ヒューズの1998年と次の1999年のホッケースティックの論文は審査過程を通過したものだった。たいへん立派な科学者3人はこの発見がメディアの大評判になると予想したが、次にやってくるメディアの狂乱を軽く考えていた。ホッケースティックの話は大手メディアに取り上げられ、ニューヨーク・タイムズのインタビューでマンは再び強調した。「過去数十年の気温上昇に関する警告はいかなる自然的な要因によるものではなく、人類による温室効果ガスの排出に深く結びついているようだ*」

*ウィリアム・K・スティーブンス、「新しい証拠から、これが600年間で最も温暖な世紀であることがわかる」、1998年4月28日付ニューヨーク・タイムズ紙。

次に起きたのはほぼ20年に及ぶ執拗な政治的な取り調べと脅迫だった。最初に政治的な個人攻撃を始めたのは、オクラホマ州選出の上院議員で、上院環境・公共事業委員会議長のジェイムズ・インホフと、テキサス州選出の下院議員で、下院エネルギーおよび商業対策委員会議長のジョー・バートンの2人だった。インホフは人為的な地球温暖化を「すべてのアメリカ人に対するこれまでで最大のでっち上げ」とよんでいることでよく知られている。温室効果ガスの排出規制に反対し、人為的な気候変動の背景にある考えをはねつける努力を続ける中で、2人の共和党政治家はホッケースティックのグラフ、IPCCの立役者、気候変動に関する政策粉砕へとさらに突き進んだ。

２００３年から２００６年にかけて、インホフとバートンはホッケースティック派の科学者と、気候変動懐疑派を召喚した公聴会を複数回、議会で開催した。論争の的になった手法と結果が二重に点検され、主張された結論の正当性が議論された。科学者間の討論は科学的な過程には決定的に重要な部分だが、政治の舞台とはそのような討論の場ではない。科学的事実は多数決で決められるものではない。下院科学委員会議長であり、彼自身保守的な共和党員であるシャーウッド・ボラートでさえバートンへの書簡でこう述べている。「あなたの調査についての私の一番の気がかりは、調査の目的が科学者たちから学ぶのではなく、むしろ彼らを威嚇することであり、そして科学的な再調査を議会での政治的再調査にすり替えようとしているらしいことだ」[*]。ホッケースティック・モデルの政治問題化は、２００５年９月、インホフ上院議員が人気のテレビ番組、ＥＲ緊急救命室の原作者であり、『ジュラシックパーク』を代表とするスリラー小説の作者でもあるマイケル・クライトンを環境政策策定での科学の役割に関する公聴会で、気候変動の正当性を上院の前で証言させるために召喚したときに最悪の事態に至った。インホフは、小説家クライトンを科学者とみなし、上院環境・公共事業委員会はそのスリラー小説、『恐怖の存在』を読む必要があるとしたのだ。その小説でクライトンは、気候変動が現実の環境ではなく、むしろ邪悪な環境テロリストの陰謀で起きるような世界を想定している。委員会での彼の2時間の証言の中で、クライトンは「気候科学の方法論は信頼に足りる結果を得るに十分に厳格なものかどうか」という大きな疑問を提起した[†]。ヒラリー・ロダム・クリントンが、「彼の考え方は正当な科学にまつわる問題に泥を塗った」という彼女の意見を述べたとき、クライトンは席に深く腰掛けていた。私が見たところ、このフィクション作家はアメリカ上院委員会での科学研究の正当性に関する花形証人としては、ディズニー風のテーマパークで荒れ狂う凶暴な肉食恐竜と同じように信じがたいものに思えるのだ。

＊ボラートからバートンへの書簡、２００５年６月14日。https://www.geo.umass.edu/climate/Boehlert.pdf

† 「環境政策策定の役割」、２００５年９月28日、アメリカ上院環境・公共事業委員会開催前の公聴会。https://www.govinfo.gov/content/pkg/CHRG-109shrg38918/html/CHRG-109shrg38918.htm

ホッケースティック説を葬り去ろうとすべく、次の企てが立てられ、インホフの最大の盟友であるバートンが３人の科学者からのすべての気候関連の研究業績の提出を強く要求した。長々とした要求リストには、彼らの長い研究者人生の中で獲得した助成金額、彼らが進めてきたあらゆる研究のための資金源、それまでに公表したあらゆる論文に関するすべてのデータと論文のコード番号に関して余すところない情報が含まれていた。

下院議員、ヘンリー・ワクスマンはこう述べている。「これらの書簡は地球温暖化の科学を理解しようとする真面目な企てとは思えない。これらの書簡を自分が承服できない結論に達した気候変動の専門家をいじめて、嫌がらせをする、陰険な取り組みだとみなす者もいるかもしれない」[＊]。共和党のボラートによると、インホフ、バートン、その追随者たち、そしてこの「心得違いをした違法な研究」への懲罰の最終目標は、温室効果ガスの排出を規制する法案が議会で決して通過しないようにすることを確実にすることにあった[†]。ナオミ・オレスケスとエリック・コンウェイが２０１０年に彼らの著書、『世界を騙しつづける科学者たち（原題 Merchants of Doubt）』で報告しているように、科学的な共通認識があるにもかかわらず疑念と混乱を拡大することによって論争を終わらせずに放置しておくというこの戦術は、過去においてはタバコ産業が喫煙とがんの関係を否定するのにうまく用いられたことがあったのだ。

＊ヘンリー・A・ワクスマンからバートン委員長への書簡、２００５年６月１日。https://www.geo.umass.edu/climate/Waxman.pdf
†ボラートからバートンへの書簡。

気候変動否定論者の戦術の冷酷さは、ハッカーがイーストアングリア大学の気候研究ユニットのサーバーに侵入し、何千人もの研究者の電子メール通信を盗んだ２００９年11月の事件できわめて露骨になった。研究者の中には無作法な者もいれば、生意気な者や気取り屋もいることが電子メールには書かれていた。研究者が書いていなかったのは、謎に包まれた世界的規模の陰謀グループが実行したすさまじい科学的な謀略のことだった。しかし、それはハッカーの背後にいる気候変動否定グループが望むところだった。不法ハッキングが、気候変動の軽減目標が制定されるはずだったコペンハーゲンでの国連気候サミットのほんの数週間前に発生したのは偶然ではない。メディアは、ハッキング行為そのものではなく、電子メールに使われていた言葉に注目して、ハッキング行為を「クライメイトゲート事件」とよんだ。気候研究ユニット——複数の専門的な科学者組織に支持されている——は告訴を拒否した。合衆国環境保護局など独立した8つ以上の団体が電子メールと疑惑を調査した結果、すべて同じ結論に達した。欺瞞あるいは科学的不正行為はなかった。しかしクライメイトゲート事件が、世界的に最も著名な気候科学者の何人かの顔に泥を塗ってしまった一方で、コペンハーゲンの国連気候サミットの重要な合意事項からメディアの注意を逸らすにはきわめて効果があった。マン、ブラッドレー、ヒューズは彼らの論文が最初に公表された後のほぼ20年間を、ホッケースティック論争とクライメイトゲート事件の対応に費やした。

過去20年間以上にわたって、これまでに例を見ない現在の気候変動の特質を明らかにする多くの科学論文によってホッケースティック曲線の原著論文の概念が確実なものになり、ますます進展した。時間が経つと、私たちは現実世界から最新情報を入手することもある。ホッケースティックの記録では最近の最も暑い年だった1998年は、いまや記録上ではほんの10番目に暑い年にすぎず、これよりもっと暑かった年が9度もあるのだ。言うまでもなく、温室効果ガス放出を制限する議決が通過することによって、多くを失うことに耐えねばならない人びとが引き起こした執拗な迫害は、私の同僚にとんでもない量の配慮、時間とエネルギーの浪費を強いた。彼らが研究、すなわちより多くの、より樹齢の大きい樹木の採集、より多くの試料のクロスデーティング、より多くの科学的成果の出版に注ぎ込めなくなった配慮、時間、エネルギー。そしてそこには政治的尋問と脅迫を執拗に行った重要な動機があるように思える。つまり、気候科学者に使命——自然の気候変動と人為的な気候変動を研究し、その発見を世界と共有するという使命——を全うさせまいとすることにあったのだ。

気温観測の歴史

多少は信頼できる最初の温度計は1641年、トスカーナ地方の大公であり、ガリレオ・ガリレイの弟子でもあったメディチ家のフェルディナント2世によって発明された。その成功に気をよくして、フェルディナントと彼の弟はイタリアと近隣諸国に11の気象台による観測網を設置した。気象台は1654年以降、毎日3回から4回は温度計を読む僧侶とイエズス会聖職者によって何年にもわたって運用された。しかし1667年、機器の読み取りではなく、聖書だけが自然を解釈することができるはずだということを根拠にしてカトリック教会は初期のこの観測網を閉鎖してしまった。わずか2つの気象台が1670年まで存続した。メディチ家の努力が本格的に始まったわずか5年後の1659年には幸いにもイギリス中部でも気温観測が始まった。そして気温観測はそれ以後時代の荒波にも耐えてずっと続けられた。その結果、イギリス中部での気温の機器観測記録は、世界の気温観測としては最長で、途切れることがない連続記録となった。アメリカでは、1743年にボストンで機器観測が初めて行われた。南半球では、1850年に遡る記録がひとつあるにすぎない。1832年に観測が始まったリオデジャネイロの記録だ。20世紀初期になって初めて、信頼がおける世界的な気温観測網が利用されるようになった。20世紀の観測網にはなお大きな地理的空白がある。例えば、クリストフと私がタンザニアの現地調査のときに手書きで書き写したキゴマの気温と降水量の記録は1927年に観測が始まったにすぎなかった。機器による気候観測記録は、私たちが気候を損ない始めたのとほぼ同じ頃に地球規模の気候観測を始めたという事実でさらに複雑になっている。全地球気象観測網が立ち上げられた20世紀初期には、産業革命――それとともに永久に増え続ける化石燃料の燃焼と温室効果ガスの大気中への放出――はすでに進行中だった。

二酸化炭素などの温室効果ガスは熱を取り込んで、宇宙空間に熱が散逸することを妨げる。温室効果ガスは、まるで二酸化炭素のミアズマ（訳註：ある種の病気を引き起こす悪い空気、瘴気）が地球を包み込んでいるように、地球を暖め、化石燃料の燃焼に伴ってますますその濃度を高めていく。18世紀後半、産業革命とともに始まり、ミアズマは自然現象としての温室効果の強化と、全球温暖化としても知られている地表気温の上昇を招いた。南極の氷床コア掘削試料中の代替指標データを用いると、大気中の二酸化炭素濃度の上昇をほぼ100万年の時間の長さの中で明らかにすることができた。南極氷床深部の掘削データと、より氷床深部の氷の中の気泡に含まれる二酸化炭素の濃度の測定で得られたデータは、現在の大気中の二酸化炭素濃度が、過去80万年間のどの時代よりもほぼ40％も高いことを明らかにしている。ほとんどの気象台は産業革命の開始後に設置されているので、機器を使って記録してきた気候とは人為的に強まった温室効果の下での気候なのだ。私たちは人為的影響を受けていないはるか昔、気候がもっと自然な状態だったときについては機器観測記録を持ち合わせていない。人類による大規模な影響がない、「自然な」気候がどのようなものだったのかを探る古気候の代替指標が必要なのだ。

古気候の代替指標データから、地球の気候とは、固有の変化を示す複雑なシステムであり、大気中の温室効果ガス濃度の人為的変化に加えて、地球の軌道、太陽放射エネルギー、火山活動の変化にも応答することがわかる。楕円形の公転軌道上での運動、地軸の傾きの変化によって太陽に対する地球の位置が相対的に変化すると、地球に届く太陽放射エネルギーの量が変化する。太陽が地球の最も重要な熱源であるので、このような軌道の変化は全球気温の変化をもたらす結果となる。軌道の変化には物理的周期性があって、それはゆっくりとしている。およそ10万年、４万年、２万年の周期で地球の気候に影響を及ぼす。長い時間を要するが、軌道の変化は安定しており、地球の気温にたいへん大きな影響を及ぼし、氷期出現の原因になっている。寒冷な氷期（あるいは氷河期）は、およそ10万年の時間スケールで温暖な期間（間氷期）と交互に現れ、この規則的な繰り返しは海洋堆積物と南極氷床コアの記録に見事に記録されている。私たちは現在、約１万１６５０年前に始まった完新世の間氷期にいる。地球上のどこにいようとも1万年から5万年間続く間氷期を経験しているが、軌道上の運動からは必然的に将来氷河期の気候に戻っていく運命にある。しかし、最近の加速された温室効果ガスの排出とそれが引き起こす地球温暖化は、１００万年スケールの氷期の歴史に抜本的見直しを迫るものかもしれない。

軌道の変化に加えて、太陽が放射するエネルギー量も時間とともに変化しうるし、地球の気温に影響を及ぼす。太陽から放射される太陽放射エネルギーの量は数十年から数世紀の長さの周期で変化する。——この周期は地球軌道の変動周期よりはずっと短い。太陽放射エネルギーによって、質量数は異なるが、化学的性質は変わらない元素である同位体が地球大気につくり出される。例えば、１００万年以上の半減期を持つベリリウム９の放射性同位体、ベリリウム10（^{10}Be）は太陽放射エネルギーの強い噴出（太陽フレア）で生じる。大気中のベリリウム10は、雪やグリーンランド、南極の氷床の氷に含まれた気泡に蓄積するので、年代が明らかになっている氷床コア試料中のベリリウム10の濃度は、過去の太陽活動とその周期性の代替指標として用いることができる。太陽放射の変動は太陽黒点によっても推定が可能だ——黒点とは太陽表面の温度が下がった領域のこと。目に見える黒点の数がより少なければ、それは磁気的に太陽がより不活発で、地球に届く放射エネルギーがより少なくなることを意味している。黒点は肉眼で見えるほど大きいこともあり、初期の近代科学者は１６１０年に始まった黒点観測に望遠鏡を用いていた。４００年間以上にわたる太陽黒点観測の結果、太陽黒点数の規則的な11年周期と関係する放射エネルギーを記録した代替指標がつくられた。ダグラスが最初に年輪を観察し始めたとき、追跡しようと試みたのはこの周期性だった。しかし、この周期性は地球の気候に対してはわずかな影響を及ぼすにすぎない。より大きな意味があるのは、例えば、ダグラスとは同時代の太陽天文学者、アニー・マウンダーとエドワード・マウンダー夫妻にちなんで名付けられた黒点の活動性が低下した状態がずっと長く続き、数十年にも及ぶ、マウンダー極小期の期間だ。１６４５年〜１７１５年の70年間、天文学者が太陽表面に観測した黒点数は、それ以前やそれ以後のどの時期と比べてもはるかに少ない。ついでにいえば、この70年間のマウンダー極小期はフランスの太陽王、ルイ14世の統治期間にぴったり一致する。

火山活動は自然の気候変動を引き起こす3番目に大きな駆動力である。巨大火山が噴火すると、とくに爆発的に噴火する場合、エアロゾルが大量に放出されて、火山灰に加えて二酸化硫黄（SO_2）のような微粒子が大気中に拡散される。数週間から数ヶ月の間にこの二酸化硫黄は硫酸（H_2SO_4）に変化し、いったん形成されると硫酸がエアロゾルとして成層圏（大気の上層部）全体に広く拡散し、そこで数年間滞留することがある。このような火山性エアロゾルの影響は、温室効果ガスのそれとは逆である。つまり地表を温暖化するのではなく、火山灰粒子が太陽放射エネルギーを遮り、噴火後の2年間ほど、地球の気温を低下させるのだ。エアロゾルが成層圏全体に最も簡単に拡散してしまう熱帯域での火山噴火は、高緯度地域での火山噴火よりも気候に対して地球規模で大きな影響を及ぼすのが普通であり、強い噴火は弱い噴火よりもより広域に影響をもたらすことだろう。火山噴火によって地球が低温化する影響は短期間のもの――せいぜい2、3年間しか続かない――だが、急激に発生する。フィリピンの赤道に近いピナツボ火山が1991年6月に噴火したときは、火山灰の雲が大気圏35キロの高さ、成層圏まで噴き上がった。ピナツボ火山の噴火の後の15ヶ月間、全球平均気温が約0・5℃低下したのだ。火山噴火による突然の気温低下は、世界中の温度に敏感な年輪の記録に表れ、この記録から過去の火山噴火の発生年と大きさが決められ、気候への影響の分析に使えることが明らかになった。

中世温暖期と小氷期

これら3つの駆動力――地球の軌道、太陽放射エネルギー、火山活動の変化――がどう組み合わさって過去の気候に影響を及ぼしたかは、過去1000年間の気候を例にして理解が深まっている。この期間の自然の気候変動に対する考え方はイギリスの気候学者、ヒューバート・ホーラス・ラムが作成した1965年の図で紹介された（**図９**）。ラムの図には、ヨーロッパの中世社会がルネッサンスと大航海時代へと移り変わっていくときに発生した気候の変化など、イギリス中部での1000年間の気温変化が示されている。現代の科学者が900年～1250年頃の中世気候異常とよんでいる期間では、気温は比較的高かった（ラムはこれを中世温暖期とよんだ）が、その後多くの火山が噴火し、また太陽が放射エネルギーを減少させた時期（例えばマウンダー極小期）でもあった1500年～1850年の小氷

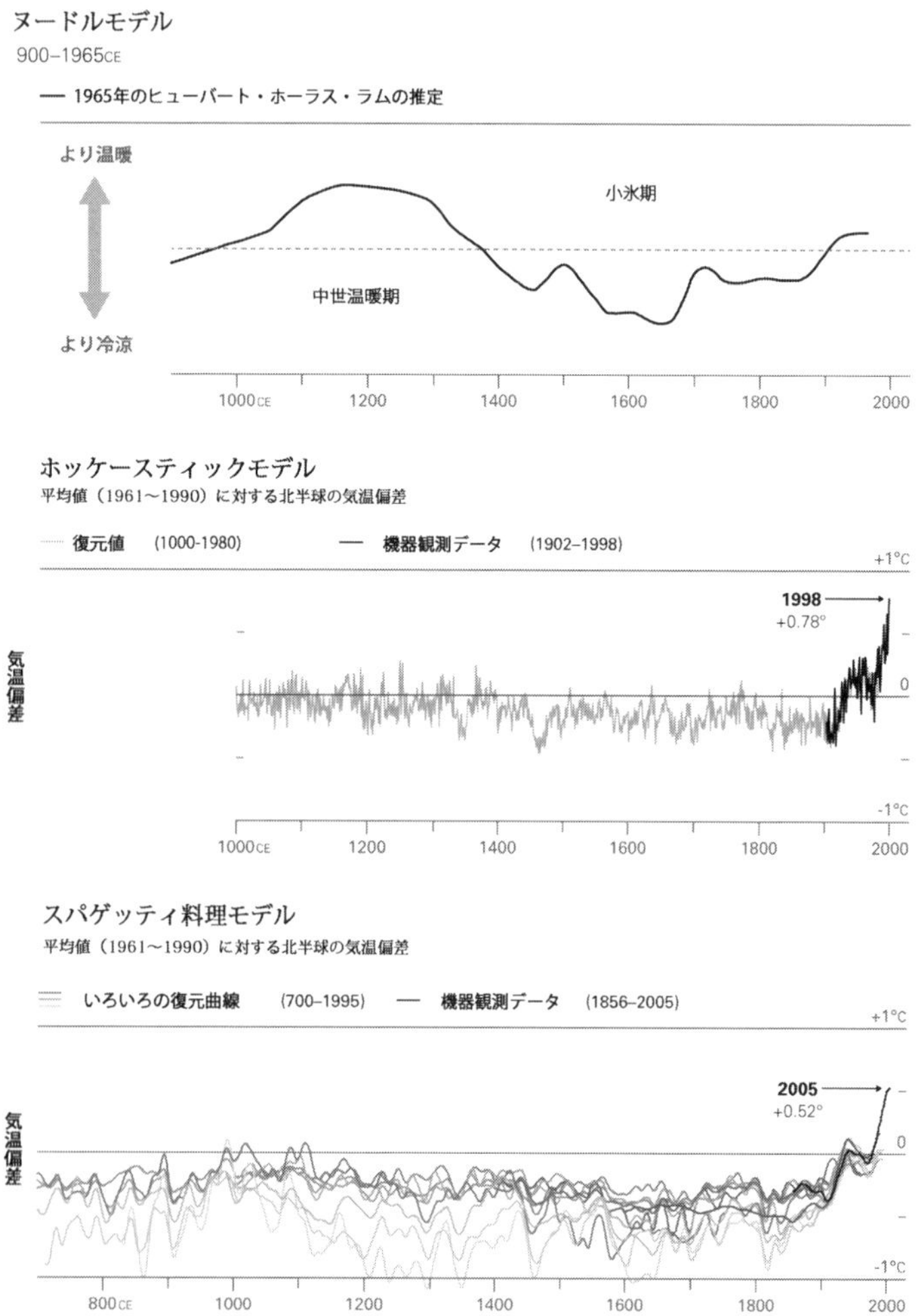

図９　過去1000年間の気候変化を示したヒューバート・ホーラス・ラムのスケッチ。中世の温暖な気温、冷涼な小氷期、20世紀に入ってからの気温の再上昇が描かれている（最上段の図）。1000年間の全球気温変化を科学的に可視化することが十分に考慮されている。デビッド・フランクは、これらの考え方の進展を「ヌードル」から「ホッケースティック」に、そして「スパゲッティ料理」への進化とよんだ。

期ではかなり寒冷化し、そして地球に入射するエネルギーと地球から放出されるエネルギーの比率が変化した。「本当の」氷期とは違って、小氷期は地球軌道の変化によるものではないので、寒さはそれほどではなく、絶え間ないものでもなく、また地表全体では不均一だった。工業化の進展が着実な気温上昇を招いた19世紀中頃にはラムが言うところの小氷期は終わった。

半世紀に及ぶ古気候研究は、１０００年間の気温変化に対するラムの草分け的な考えの受け止め方への微妙な変化をもたらした。私のピレネー山地調査の相棒、デビッド・フランクは、私たちの研究の進展状況を「ヌードルからホッケースティック、そしてスパゲッティ料理」への変化にたとえた。ラムのグラフはヌードルの漫画のように見えるが、それは、もっと多くのデータに基づき、はるかに大量の計算から提案されたホッケースティック・モデルが登場した１９９０年代後半までは、気温の変遷を示す信頼度が高い考えとして生き残っていた。ホッケースティック・モデルが巻き起こした政治的論争の後、さらにもっと多くの研究グループがそれまで以上のデータ、コンピューターの力、難問に対する多角的方法論を駆使して、時代を遡って全球気温の復元を開始した。その結果提案されたモデルは、ラムのモデルとのいくつかの共通性――11世紀の温暖な気候とそれまでに例のない20世紀の暖かさ――を含んでいるものの、気温変化に大きな変化幅がある可能性を示すもので、また他の世紀では決して小さくない不確かさも含んでいるので、個々のヌードル（気温の時系列変化を復元した曲線）が複雑に交錯した気温復元の「スパゲッティ料理」モデルといえる。

ＷＳＬ研究所で同僚だったとき、デビッドはこのスパゲッティ料理モデルの個々の要素（または復元された気温の時系列変化曲線）のそれぞれについて、全体で20万件以上となる組み合わせについて検討し、気温復元のスパゲッティ料理モデルで重要度に応じた順序付けを試みる研究に私を参加させたのだった。ひと目見てすぐに、この研究の進め方は気温変化曲線のもつれをさらに複雑にしてしまうように思えたが、私たちの狂気の沙汰ともいえる試みに対して、ひとつの方法があった。過去1000年の気温変化で最も可能性が高いものを推定できるパターンがスパゲッティ料理モデルから浮かび上がった。私たちは、気温復元モデルが終了する2000年では、中世気候異常の中で最も温暖だった時期[*]よりもさらに0・75℃ほども気温が高く、そして小氷期で最も寒かった時期[†]よりも0・9℃ほど高かった可能性が大きいことを見出した。気温復元モデルを組み合わせてみると、中世という時代は小氷期より温暖だったが、現在ほどには温暖でなかったことがわかる。気温復元の最終年の2000年以後ではどの年でも気温が高いことに注意する必要がある。結果として、直近の期間（2016年に終了する）では、組み合わせによる気温復元で最も温暖な時期[‡]よりも気温がさらに1・4℃高い。研究での気温差——0・75℃から1・4℃——は小さいものに見えるかもしれないが、それを最初に見たときには眩暈がしそうだった。中世気候異常から小氷期にかけての500年間に冷涼化した以上に過去17年間（2000年～2016年）に温暖化していることがわかって気を失いそうになったのだ。

*共通紀元1071年～1100年。
†共通紀元1601年～1630年。
‡この計算はGISTemp.（ゴダード宇宙科学研究所地表気温解析）の1987年～2016年と1971年～2000年の北半球年平均気温との偏差に基づいている。

さらには、近年の温暖化は疑いようもなく地球規模で進んでいる。——あなたが気温復元のスパゲッティ料理モデルのカーブのどれを見ようとも、どれにも温暖化傾向が見て取れる——その一方で、中世気候異常から小氷期への移り変わりは場所や時代によって異なっていた。例えば、小氷期は、アルプス中部（共通紀元１５００年頃）よりも、より高緯度の北極地域（共通紀元１２５０年頃）でずっと早く始まっている。そして小氷期では大部分の地域で気温が下がったが、中には気温の低さよりも湿度の高さが目立った地域もあった。例えば、アフリカ大陸の最北西端、モロッコのアトラス山地では、小氷期は１４５０年頃に始まっている。アトラス山地の小氷期は、湿度をどの程度利用できるのかによって年ごとの成長が抑制される樹齢５００年以上のアトラススギの森林の年輪には、湿潤な時期として記録されている。

私自身、アトラススギの森を訪れたことはないが、死ぬまでにはしておきたいことの中に入っている。モロッコのアトラススギは、クロスデーティングがうまくできるし、渇水をよく記録する明瞭な年輪を持ったアフリカで最も古い樹木のひとつだ。年輪年代学研究者の視点からは、これらはとても望ましい性質で、多くの研究者チームが訪れ、長年にわたってアトラススギを抜き取り採集してきた。しかし、これまでのところ、直径3メートルにもなるこのマストドン（註：第三紀に繁栄した巨象の1種）のような巨木の樹芯に到達するのに必要な64センチの標本抜き取り器を持ち込んだ者は誰もいない。ピレネー山地やギリシャで一緒に仕事を始めるずっと前の２００２年に、ヤン・エスパーとそのチームがアトラススギを採集したとき、彼らは１０２５層の年輪が数えられた樹木から抜き取り試料を取り出したが、彼らが使った61センチの標本抜き取り器では樹芯に到達せず、最古の年輪は抽出できず、検討されないまま残されている。ヤンによると、アトラススギの中には樹齢が１３００年〜１４００年に楽々と達するものもあって、もし取り出せなかった内側の年輪に到達できれば、千年紀の長さを持つアトラススギの年輪年代を中世より前の時代に遡って拡張できるはずだ。

アトラススギは春の渇水によって成長が抑制される。この樹木は湿潤な時期にできる幅広い年輪に満足し、乾燥期の幅狭い年輪に不満なのだ。その年輪年代は、モロッコの乾燥気候を1000年以上の長さにわたり復元するものとして役立つ。厳しく長く続いた中世の渇水がモロッコのアトラススギに記録されていたので、最も初期の年輪（約400層）は明らかに幅が狭い。1450年頃以後、次の渇水が始まった1980年頃までは樹木はずっと多量の水分を吸収できた。最近の乾燥は現在もなお続き、地域農業と観光に打撃を与え、アトラススギの森を脅かしつつある。この森林は、何世紀にもわたって過剰開発、過剰放牧、度重なる火災の被害を受けており、最近の30年以上続く渇水の前にはすでに悪い状態になっていた。渇水は、IUCN*の絶滅危惧種レッドリストに絶滅寸前の樹種として挙げられているアトラススギの多くにとどめの一撃になった。

*国際自然保護連合。

ヨーロッパの気候を支配するもの

WSL研究所で最初にヤンとの仕事を始めたピレネー山地での野外調査の頃、モロッコの渇水の復元結果を「渇水ホッケースティック・モデル」開発の基礎として使おうと彼は考えていた。過去1000年の北半球の渇水の変動が、象徴的なホッケースティック・モデルに似てはいるが、気温ではなく、半球規模の降雨傾向を描いたひとつのグラフとして表されないかどうかをヤンは検証したかった。降雨と渇水は気温よりも地域によって大きな差があり、また平均値を計算するのがより難しいので、そのような渇水ホッケースティック・モデルは当時も、そしていまも存在していない。

例えば、アトラス山地の気象台があるメクネスでの年間気温の年ごとの変化と、地中海沿岸で、960キロ北西のアルジェのそれとを比較してみると、両者がよく似ていることに気がつくことだろう。[*]メクネスで暑い年は一般的にはアルジェでも暑い。メクネスで寒い年はやはりアルジェでも寒いのが一般的だ。一方、メクネスでの年間降水量の年ごとの変化は、明らかにアルジェのそれとは関係していない。[†]メクネスで湿度が高い年は、アルジェでは乾燥しているか、平均的か、湿度が高いこともある――つまり、両者の年間降水量には相関性がない。ホッケースティック曲線の場合と同様に、長年にわたる気温の変化傾向の大局的な図を描くには、800キロまたはそれ以上に離れた地点どうしの気温データを平均すれば、それらは同じ変化傾向を示すので意味を持ちうるだろう。右のように、離れた地点間での降水または渇水のデータを平均することにはあまり意味がない。互いに関係しない、遠く離れた地点のデータを平均しても、たいした情報をもたらさない水平な直線が得られるだけだ。これを考慮して、ヤンは半球規模ではなく、ずっと狭い地理的範囲――ヨーロッパの渇水ホッケースティック曲線――から始めることを提案したが、私たちはそれさえも難しい作業だとわかっていた。この難題への挑戦に加え、私にとって間違いなく頭を抱えてしまう事情があった。（1）ヨーロッパの気候を研究した経験がなかったこと、（2）古気候を研究したこともなかったことだ。

＊2つの気温時系列に対するピアソンの相関係数は正の値で、相関関係は明確な有意性を持っている（1961年～2016年の場合、相関係数r=0.66、優位性p.＜.001）。

†2つの時系列降水量のピアソンの相関係数は低く、相関性は有意ではない（1961年～2016年の場合、相関係数r=

0.17、有意性$p.>.001$）。

WSL研究所着任前、私はサハラ砂漠以南のアフリカとカリフォルニアのシエラネバダ山地で年輪の研究をしていた。これらの研究はどちらもヨーロッパの気候や気候復元に関係したものではなかった。言うまでもなく、今回のテーマは難しくて私の能力が及ばない状況だったが、それを悟られたくはなかった。なにしろ、いまや私は、野外調査での空腹すら認めない研究チームの一員だったのだ。毎日、毎週の研究室での討論で、ヤン、デビッド、ウルフと共同研究者のカースティン・トレードは、彼らがまるでブンデスリーガのチームにいるかのように普段の冗談の中で中世気候異常と小氷期という専門用語を平気で使っていたのだ。私は、話に遅れをとらないようにこっそりとウィキペディアでその専門用語を検索したことを覚えている。本当にやりたかったことを私の机の上の大きな張り紙にこう書いていた。

中世気候異常＝共通紀元900年〜1250年＝温暖

小氷期＝1500年〜1850年＝寒冷

しかし、これは動かぬ事実だった。ウィキペディアに記述されているある研究分野の重要な考え方を身につけてもインポスター症候群（訳註：自分を過小評価してしまう心理傾向）を克服する助けにはならない。泣きっ面に蜂の目にあって、私はヨーロッパの気候に関しても、ヨーロッパの気候変化の主な原動力は何かなど、共同研究者にたいへん基本的なことのいくつかを訊ねなければならなかった。以前働いていたところでは、年ごとの気候変動は、単にエルニーニョの名前でも知られているエルニーニョ・南方振動（ENSO）システムに影響されていると教えられていた。私は、太平洋の大気‐海洋の相互作用がヨーロッパの気候に大きな影響を及ぼさないことぐらいはわかっていたが、ヨーロッパの気候が何によって支配されているのかがわからなかった。私の共同研究者たちが大声を上げなかったことは立派だと思う。「バカだな、そいつは北大西洋振動じゃないか！」

アイスランド低気圧とアゾレス高気圧の渦

北大西洋振動（ＮＡＯ）は北大西洋上空の２つの大きな気団、アゾレス高気圧とアイスランド低気圧の間での揺れ（または振動）のことだ（図10Ａ）。気象パターンに関連しているので、空気の圧力（または大気圧）は重要なものだ。低気圧地帯では普通、曇って、風が強くて、雨の天気になるが、それに対して高気圧地帯では風が弱く、晴れた天気になる。ポルトガル沖の晴れることの多いアゾレス諸島上空の気圧が、雨の多いアイスランド上空の気圧よりもほぼいつでも高いのは直感的にうなずける。しかしアゾレス高気圧とアイスランド低気圧の気圧の差が、年によっては他の気団どうしの気圧差よりも大きくなることがある。アイスランド低気圧の気圧が平年値よりも低く、アゾレス高気圧の気圧が平年値よりも高い、ＮＡＯが正のフェーズにあると、気圧の差がたいへん大きくなる。ＮＡＯが正のフェーズの年は、アゾレス高気圧とアイスランド低気圧の勢力の間のシーソー関係が一定を保っているが、その関係は両者の気圧差が小さいＮＡＯの負のフェーズになると変化してしまう。

アゾレス高気圧は、熱帯域から北大西洋そしてヨーロッパに向かって、風が時計方向に渦を巻いて吹き出す高気圧だ。アイスランド低気圧は、それとは逆向きの反時計回り、つまり北極から北大西洋、そしてヨーロッパに向けて風を送り込む。２つの気団は北大西洋の気候を変化させる動力の歯車のように機能しているのだ。ＮＡＯの正のフェーズでは両者は最大の速度で渦を巻いて、暖かい空気が北大西洋からヨーロッパに向かって吹く。アイスランド低気圧が強力だった場合は、イギリス諸島やスカンディ

北大西洋の風発生装置

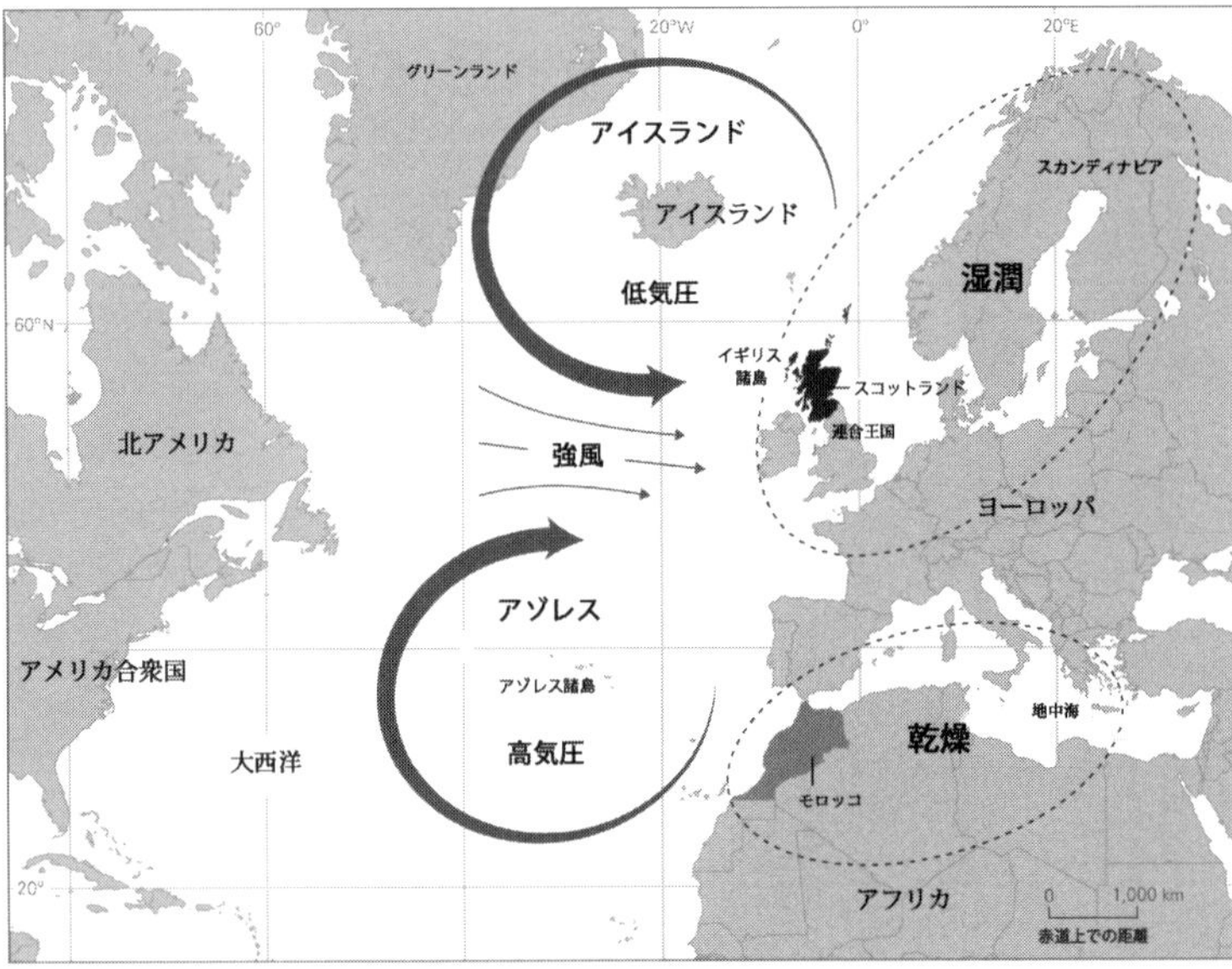

図10Ａ　ヨーロッパの気象の大部分は北大西洋上空にある２つの気圧団で決まる。アゾレス高気圧とアイスランド低気圧だ。これらは両方ともに、歯車のように風を生み出す巨大な装置として機能する。両者の間の気圧差が大きい場合、風が全速力で渦を巻いて、イギリス諸島やスカンディナビア半島に嵐、地中海西部に旱魃、ヨーロッパ中部に穏やかな天気をもたらす。気圧差が小さいと、これらの気団が緩やかに回転して、イギリス諸島は乾燥し、地中海西部は平年よりも多湿になる。

ナビア半島は嵐のような天候に見舞われる。アゾレス高気圧の勢力が強いと、地中海西部が少雨になり、強い風で中部ヨーロッパは暖かく穏やかな天気になる。アゾレス高気圧とアイスランド低気圧の勢力がともに平年よりも弱いＮＡＯの負のフェーズではこれと逆のことが起きる。ＮＡＯが負のフェーズの年にはイギリス諸島では、かなり乾燥しているものの平年の雨の多さが和らぎ、地中海西部では平年より雨が多く、乾燥が緩和される。北大西洋の送風機の歯車はゆっくりと渦を巻き、北大西洋の暖かい風がヨーロッパに届かないようにし、北西からの冷たい風が流れ込みやすくなる。

　ヨーロッパの気候システムの基本的な考え方について漠然と知っていたにすぎなかったが、それでも私は渇水ホッケースティック・モデルを開発する研究に乗り出した。ヤンによる１０００年分のモロッコの少雨記録を手にして、私はそれと比較するためにほぼ同じ期間の渇水記録を探した。[*]最初にぶつかった障害はそのような記録が不足していることだった。長い歴史の中での木材の激しい利用のために、ヨーロッパ大陸では古木がほとんど見られないのが一般的だ。年輪年代学的に年代がわかっているヨーロッパ最古の樹木、アドニスでも樹齢はわずか１０００年でしかない。そしてアドニスのように、大部分のヨーロッパの古木は、高山地帯のような人間がたどり着くのが難しい人里離れた場所で生育している。そのためその年輪は渇水ではなく、気温を記録しているのだ。そこで私は、年輪以外の代替指標も取り込んで研究を拡張し、それによってそれまで安住していた場所の外に私自身を踏み出させたのだ。過去わずか１０００年間分にすぎないヨーロッパの渇水記録の中で、モロッコのアトラススギの記録に合致したのはたったひとつしかなかった。それはスコットランドのタルテア洞窟の鍾乳石からの記録だ。ちょうど年輪のように、洞窟の鍾乳石は成長による年縞を形成する。ニューサウスウェールズ大学の地球科学者、アンディー・ベイカーとそのチームは、洞窟から小さな鍾乳石を採集した。それを採集した当時、鍾乳石はわずか3・8センチの高さでしかなかったが、なおも活発に成長し、年縞が追加されていった。研究者は研磨した鍾乳石に1087枚の年縞を数え、年輪の場合のように、年縞の幅が冬の気温と洞窟の上の降水量に関係があることに気づいた。温暖で、乾燥した冬に鍾乳石の成長は最も速く、最も幅が広い年縞を形成していたし、また涼しく、雨が多い夏には幅が狭い年縞が形成されていた。

*技術的なことをいうと、モロッコがヨーロッパ大陸の一部でないことは明らかだが、アフリカ大陸の北西端というその位置は地中海南西部地域の気候の変化を代表する。

タルテア洞窟の鍾乳石記録は1000年以上に及ぶスコットランドの冬の気候を記録したものだった。それをモロッコの渇水記録と比較したところ、スコットランドで平年よりも降水量が多かったとき、モロッコで雨が少なく、そしてその逆の場合でも、1000年間にわたる明確な逆相関関係に気がついた。例えば、中世のモロッコでの長期にわたる渇水（およそ1025年〜1450年）はスコットランドの平年よりも降水量が多い時期に対応し、逆にモロッコが渇水期を脱した1450年頃、こんどはスコットランドが乾燥してしまった（図10Ｂ）。

私が発見したスコットランド－モロッコのシーソー関係を最初にヤンに話したとき、彼は否定的だった。年輪年代学研究者は鍾乳石のような他の気候復元のための代替指標を信じない傾向がある。――年輪を使った作業が役に立たなくなってしまうから。私たちはクロスデーティングと年代決定を二重に点検ができるたくさんの試料を、ひとつの場所から採集する。私たちは年輪の成長が気候とどう関係するのかをうまく定式的に理解できる。私たちは1年ごとに1層の年輪とひとつのデータポイントを持って

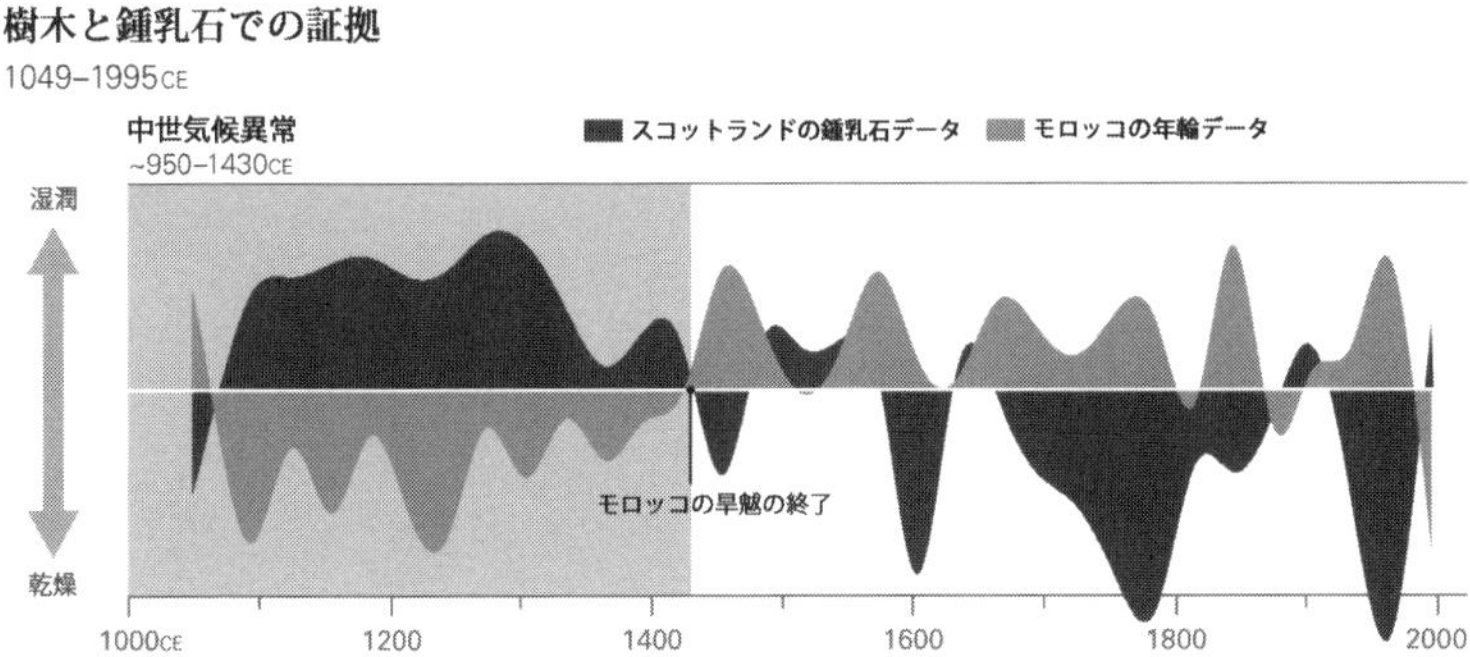

図10B　鍾乳石は冬の気候の代替指標になりうる。1000年分のスコットランドの鍾乳石データとモロッコの年輪データを比較すると、それらは逆の関係を示している。スコットランドが平年よりも湿潤だった場合はいつも、モロッコが旱魃になり、またはその逆も起こりうる。

いるので、年輪が機器観測による気候変動に対する優れた代替指標になるかどうかを直接に検証できる。気候に対する他の多くの代替指標にこのような利点すべてが備わっているわけではない。「ちっぽけな鍾乳石ひとつ、あなたが採集したのはこれがすべてか？　その年代測定だと数年は外れるだろうし、クロスデーティングできる試料が何もないのだから、それもはっきりしない。ふふん！　この鍾乳石で何がわかると言うのだ！」。正確にヤンがこう言ったわけではないが、私は彼の言いたいことはわかった。

しかしスコットランドの多雨期がモロッコの少雨期に対応していること、またその逆を表した1000年にわたる記録を私が示すと、ヤンは考えを変えた。それは彼と私が揃って、自分たちが何か重要なもの、まだ見つかっていない科学の何かを見つけたことに気づいた瞬間だった。私たちは1000年間のスコットランドとモロッコのシーソーゲームだけではなく、北大西洋振動の揺らぎを見ていたのだった。タルテア洞窟の鍾乳石の年縞はスコットランドでの降水ばかりか、アイスランド低気圧に対する代替指標でもあるのだ。同じように、アトラススギの年輪記録はモロッコの渇水だけではなく、アゾレス高気圧についての代替指標でもあったのだ。北大西洋振動という気象変動装置が持っている2つの歯車に対する代替指標を組み合わせることによって、私たちは北大西洋振動の活動を1000年間にわたって復元したのだ。私たちは地域的な渇水ホッケースティック曲線の製作に着手し、最も影響が大きい全球的な気候変動のひとつの歴史を明らかにした。私たちがモロッコのアトラススギで計測したわずか1000年分の年輪から、過去の少雨や多雨だけではなく、降水量の変化を支配するもっと大規模な大気の運動メカニズムと、複雑な地球規模の気候変動装置を明らかにすることができたのだ。私たちがすべきことは樹木が語ることに耳を傾け、それをたいへん注意深く聴くことだ。

私たちの復元結果は、中世の温暖期から小氷期への移り変わりなど、ヨーロッパの気候変動史で唯一の最も目につく特徴である北大西洋振動の役割を理解するために十分に時間を遡った最初のものになった。NAOは中世を通じてほとんど正のフェーズにあったが、1450年以後、より規則的な負のフェーズに切り替わってしまった。私たちが発見したのは、ヨーロッパの中世の温暖気候の原動力となったメカニズムだ。圧倒的に優勢だったNAOの正のフェーズによって北大西洋の風の渦が全速力で機能し続けて、ヨーロッパ中部に暖かい風が送り込まれ、その結果、温暖な冬が訪れて、ヨーロッパの農業、文化が栄え、人口も増えた。しかし、その風の渦が弱まり、1450年以後にはより不安定になって、寒冷な気候とこれに関連して小氷期という苦難の時代が始まった。

ネイチャー誌から原稿却下をくらう

中世気候異常の間のヨーロッパの温暖気候の原因となったメカニズムを発見することは私たちの研究

グループの大きな目標だったたし、私たちはその成果を世界でもトップクラスの科学雑誌であるネイチャーに投稿しようと決めていた。ネイチャーは1年間に受け付ける1万通もの投稿原稿の約8％しか掲載しない。原稿が興味深いとネイチャーの編集長が思えば、その原稿を第三者による査読に送る。そう思われなかった場合、著者は投稿から約2週間以内に原稿却下の電子メールを受け取ることになる。

ネイチャーに原稿を投稿した著者にとっては、この2週間は神経が苛立ってしまうものだ。北大西洋振動についての原稿は私が最高レベルの雑誌に投稿した最初の論文だった。私はその原稿に運命をかけていた。つまり、原稿が採用されるか不採用になるかは私の研究者生活が継続するか、中断するかを意味した。当時、私は博士号取得後の研究生だったので、ネイチャーに論文が掲載されたら、それは常勤教員職の獲得にはおおいに役立つことになるだろう。一方、原稿が却下されたら、私はそれほど画期的でもない論文のために過去20年を費やしてしまったことになってしまう。到着電子メールフォルダーをしつこく調べていた10日ほど後、とうとうネイチャーからの電子メールを受け取った。それは原稿却下のメールだった。

発信：パティーナ＠ネイチャー
宛先：トロエ＠ＷＳＬ
表題：ネイチャーへの原稿、２００８-０８-０８０１１
拝啓　トロエ様

私たちは以前、電子メールでお伝えしたように、「中世気候異常を支配した広範囲にわたる正のフェーズの北大西洋振動モデル」と題するあなたの原稿をたしかに受け付けました。投稿をいただき、ありがとうございます。
編集委員会による最初の評価は、その結論が幅広く関心を集め、多くの科学分野に関連するというものでした。原稿はよく書けており、図表は高品質で、中世気候異常の間の気候システムの理解が一歩前進したことを示すものです。
しかし残念ながら、私たちは9月22日号の速報として「ヨーロッパの中世気候異常は北大西洋振動によって駆動された」と題した論文を掲載する予定で、あなたの今回の研究が最も新しいものだとは考えられません。ここには、研究が問題とした疑問、結果とその意味するところにたくさんの類似点があるように思えます。
研究活動にいくらかの重複があることは必然的なことだと私たちは承知しています。これはとりわけ医学や生命科学の分野では普通に起こることです。このことによって結論が裏付けられ、反論を受け、科学の過程を進展させることができる一方で、ネイチャーの限られた誌面ではあなたの原稿をさらに検討することはできかねます。私たちはあなたの現在の研究を賞賛し、他誌であなたの成果が首尾よく公表されることを望むものです。
敬具
ネイチャー編集長
エンラルディ・パティーナ
却下されるのは覚悟していたが、その理由に驚いてしまった。他の研究グループが似通った原稿を投稿していたのだろうか？　私たちは出し抜かれたのだろうか？　電子メールをやっと読み終えて、この知らせを伝えにヤンの研究室に駆け込んだのだった。隣の研究室から私の叫び声を聞いたデビッドとウルフがすぐに続いて入ってきた。共同研究者たちが私の罵詈雑言に加わってくれることを期待しながら、私は想像まかせに、該当する可能性がありそうな人物への暴言をぶちまけた。しかし、彼らはくすくす笑いを始めたのだ。結論からいうと、私の共同研究者たちは国際レベルの科学者であると同時に世界一流の悪ふざけ者だったのだ。研究室から楽々と、ほんの2秒前にデビッドはこのためだけに考案した嘘のネイチャー風のメールアドレスから、*あの却下の電子メールを私に送信したのだ。共同研究者にこんな手の込んだいたずらを仕掛けられて、呆然とした私の不信感は、それが嘘のニュースで、私たちの原稿はまだ却下されていないとわかったときの安堵感にすぐ変わった。4日後、本当の却下メールが届いた。私たちの結果が、ネイチャーへの掲載を認めるのに十分な幅広い関心を集めるものだとは編集者は気がついていなかった。しかし、少なくとも私たちは他のライバルに出し抜かれたのではなかった。

＊彼は@Nature.comではなく、@Nature.orgを使ったのだ。

私たちは原稿の本文のいくつかを言い換えて、広範囲に及ぶ影響をわかりやすく説明し、もうひとつのトップレベルの科学雑誌、サイエンスに投稿することに決めた。論文には読者の心をつかむ表題を考え出す必要があるとヤンは確信していた。彼が心に浮かべた「変わりゆく風」は、スコーピオンズの有名な曲に対して的を射たもので、ちょっと小生意気だがわかってもらえるものになるだろうと主張した。誤解のないようにいえば、ヤンは、私の現在までの研究歴で最も重要な科学的発見を報告した私たちの論文に、次のような歌詞を含むドイツの80年代のロックバンドの曲にちなんで題名をつけたかったのだ。

魔法のような瞬間に連れていっておくれ
栄光の夜に
明日の子供らが夢見ているところ
変わりゆく風の中

いうまでもなく、私は断固拒否し、素敵で飾り気のない科学的な題名にすることで落ち着いた。「長く続く北大西洋振動の正のモードが中世気候異常を支配した」。サイエンス誌はおよそ1年後にこの論文を掲載した。誰もが題名の続きを読むわけではないかもしれないが、それでもこの論文はよく引用されたのだ。

第8章　中世北ヨーロッパの寒冷気候

過去1000年の文書に記録されたもの

年輪データや他の古気候代替指標が豊富にあるおかげで、気候の歴史がさらによく理解されるようになった過去1000年とは、人類の活動が最もよく記録されている期間でもある。現代に近づくにつれて、人口が増え、社会がますます複雑になってきた。人口増加と社会の複雑化によって、貿易、海軍力、農業の記録文書、気象と自然現象の厳密な観察、国勢調査などの文書記録はさらに保管・保存されていく。

そのような文書記録は、人間がつくった気候代替指標として役立つし、過去の気候についての私たちの研究にも役立つ。例えば、アイルランドへのキリスト教の伝来とともに5世紀に始まった、アイルランドの修道僧による年代記には大きな社会的イベントが忠実に記録された。1000年以上の記録（431年～1649年）は、戦争、政治的な策略、6世紀の「ユスティニアヌスのペスト」についての詳しい記述だけではなく、暴風雨、渇水その他の激甚気象についての報告も含んだ、「ゲーム・オブ・スローンズ　冬来る」（訳註：ジョージ・R・R・マーティン作のテレビドラマ化されたファンタジー小説シリーズ『氷と炎の歌』のエピソード）だ。ダブリンにあるトリニティ・カレッジの地理学者、フランシス・ラドローはアイルランド年代記の4万件以上の項目から気象についての情報を抽出し、とくに寒冷で厳しかった冬に関する本文中での記述を過去の火山活動に関連付けることができた。人の手による情報の古気候研究への利用は文書記録に限ったことではない。私たちの先祖は創造的な方法で歴史的な気候イベントを記録した。例えば、２０１８年夏の渇水では、チェコ共和国のエルベ川で「飢餓の岩」が干上がって露出した。その岩は、15世紀から19世紀に及ぶ極端な水位低下と同時にその結末の記録が川の巨礫に彫り込まれたものだった。「飢餓の岩」にはこう書かれている。「Wenn Du mich siehst, dann weine」、もし私を見たら、泣いてください。

氷河がもたらした悲劇

過去の気候変動の情報を間違いなく、しかも直接私たちに伝える文書記録は、気候変動そのものを伝える役割よりも、その社会的影響を伝える役割のほうが重要視されている。代替指標から得られる過去の気候と、歴史文書に見られる人間の歴史を結びつけると、人びとと社会がどのようにして過去の気候変化に対処してきたのかを検証することができ、これからも変わりつつある気候に立ち向かおうとするときに、歴史から学ぶことができるかもしれない。もちろん、人間の歴史と気候を関連付けて考えるには、気候そして歴史のイベントの正確な年代が必要になる。数値年代、年レベルの精度、文書記録にある人間の歴史との時間的な重なりを考えると、年輪は気候の代替指標としては、気候史と人間社会の歴史の関連性を私たちに語りかけるにはおそらく最適のものだろう。

よい事例は、フレンチアルプス最大の氷河、メール・ド・グラース（氷の海）氷河で、それが過去に移動したことが、20世紀の氷河の後退で露出した半化石試料の年輪に記録されている。18世紀の初めにメール・ド・グラース渓谷につくられたシャモニーの町の文書記録には、この地域社会が出した多数の犠牲者について書かれている。先端部または末端部で氷が成長する以上に融解、蒸発、削剝によって先端部または末端部から氷が消失すると、氷河は後退することになる。氷河が後退すると、その末端部の位置が以前よりもさらに渓谷の上流に向かって移動し、また氷河が移動するとその動きによって渓谷に押し出される氷堆石とよばれる土砂や岩石も露出するようになる。氷堆石の露出とともに、半化石化した広大な森林の残存物も露出する可能性がある。最近になって露出した氷堆石の上に、氷河の後退以前に生育したが、その後、氷河が前進したときに押し倒され、20世紀になって氷河が後退したときにだけ再び姿を現す樹木の遺骸が見つかることがある。このような半化石樹木の木部は氷河の下で無酸素状態にあったために保存状態がよく、多くの場合年輪年代を決定できる。氷河の半化石樹木の最も外側の年輪は氷河の前進で樹木が押し倒された年を示している。樹木は氷河の中では生育できないので、樹木の生育期間から、その地域がどのくらいの期間、無氷河だったのかがわかる。

年輪を使って地形の変化を研究する――メール・ド・グラース氷河の年輪地形学の研究のために、シャンベリーにあるサヴォア・モンブラン大学の博士課程の学生、メレーヌ・ル・ロイは氷堆石層の上でそのような半化石化した年輪試料を採集した。メレーヌは渓谷の反対側から望遠鏡を使って樹木の位置を確かめて、氷河の側方延長にある氷堆石層の断面を調べるのに数回の夏を費やした。そして彼は氷堆石層の頂部から懸垂下降するか、あるいはその基部からよじ登るかして、彼が見つけたスイスマツ（*Pinus cembra*）の植物遺骸を採集した。メレーヌがクロスデーティングしたメール・ド・グラース氷河の年輪試料は、その前の数世紀にわたって成熟した森林を押しつぶした16世紀後半と19世紀前半での氷河の前進を明らかにした。樹木は気温が上がって氷河が再後退した中世に、メール・ド・グラース氷河の氷堆石層の上で生育し始めた。しかし寒冷化した小氷期に樹木は前進してきた氷河に押し倒される。

半化石の樹木遺物は、氷河が再び後退した後の20世紀と21世紀に発見されたのだ。

小氷期のメール・ド・グラース氷河の前進は渓谷の地域社会、とくにシャモニーの町に大きな影響を及ぼした。シャモニーはフランス最古のスキーリゾートのひとつで、1924年、最初の冬季オリンピックの開催地だった。しかし観光の町として、また人気のあるスキーの町になる前、シャモニー地区は暮らしやすい場所ではなかった。メール・ド・グラース氷河の位置が後退して、比較的温暖だった中世の間でさえ、シャモニーでの生活は比較的安全ではあったが厳しいものであった。フランスの歴史学者、エマニュエル・ル・ロワ・ラデュリは、16世紀の資料に次のようなシャモニーに関する記述を発見した。「シャモニーは山の中にあって、たいへん寒くて居住するには適していないので、いて然るべき弁護士も法律家もいない……貧しい人びとが多く、かれらはみな、粗野で無学だ……シャモニーとヴァロルシンヌの上記の場所はとても貧しいので、時間の経過を見たり知ったりするための時計がない……移り住もうとする人はなく、そして天地創造以来ずっと氷と霜があるのが当たり前の風景だ」*。法律家も弁護士もおらず、時計もない場所は、私には捨てたものではないように思えるのだが、シャモニーの地域住民は貧困を嘆き、そして貧困を氷河が近くにあることと厳しい気候のせいにした。しかもそれは冬がやって来る前のことだった。音を立てて。

＊エマニュエル・ル・ロワ・ラデュリ著『宴の時代、女性の時代――紀元1000年からの気候の歴史』(ニューヨーク、ダブルデイ社刊、1971年)。

小氷期の中頃にあたる1600年からメール・ド・グラース氷河は急激に前進し、その途中にある集落３つを消し去ってしまった。メール・ド・グラース氷河の前進は、雪崩と壊滅的な洪水を伴い、他の村々とシャモニー渓谷の農地に深刻な被害をもたらした。１６１６年――氷河の前進が始まってちょうど15年目――に集落を訪問したサヴォア県の経理理事は、そのときの状況をこう述べている。「まだ６軒ほどの家屋がある。そのどれにも誰も住んでいなくて、哀れな女性と子ども数人が住む２軒の家屋が災害を免れていたが、それらの家屋は他人の所有物だった。集落の上流に近いところに、残った家屋と土地を破壊することだけは間違いない巨大な計り知れない体積の、ものすごく大きな、恐ろしい氷河がある」*

＊『シャモニー集落史』、ＣＣ1、81号（１６１６年）１４７頁。

小氷期のヨーロッパの勝者と敗者

ヨーロッパの歴史は、極寒の小氷期の苦難に取って代わった穏やかな中世の気候の下での話にあふれている。これらの話では、間違いなく穏やかだった３５０年間の中世の気候は、十字軍による聖地奪回を可能にした。建築技師、石工、大工による、イギリスだけでも26にのぼる素晴らしいゴシック様式の大聖堂の建設、スコットランドの商人は貴族にふさわしい城を建設することができた。温暖な夏のおかげで、イギリス南部の50ヶ所以上の修道院のぶどう畑が豊作になり、*またはるばる西に向かって、遠くグリーンランドやニューファウンドランドまで遠征を企てたノルウェー人の海上覇権にはとくに有利に働いた。しかし、15世紀半ばになって気候が変わると、これらの地域にあったバイキングの居住地は荒れ果ててしまったし、夏がずっと寒くなって、生育期間が短くなったイギリス南部のワイン用ぶどうの栽培は中止されてしまった。バルト海が凍結し、北欧の水産業を壊滅させる一方で、アルプスとスカンディナビアでは氷河の前進で町や農場が押しつぶされた。

＊現在イギリスで経営され、さらにずっと広い（北部の）地域に拡がる400ヶ所以上のぶどう畑に比べて。

このような話から、初期の気候社会学の研究者たちは、気候史と人類史を決定論的な捉え方をして結びつけてしまった。彼らは過去の文明の衰退と流動の原因となった気候変動にしか考えが及ばなかった。全体として見ると、確かに寒冷な小氷期の気候はヨーロッパと北大西洋の至るところで困難な状況をつくり出した。山地に暮らす人びとや船乗りのような人びとのリスクが大きくなったし、食料不足が広まり、飢餓、感染症の蔓延、社会不安と暴力の時代を招く結果となった。しかし研究が進展した結果、いまでは気候史と人類史を結びつけている複雑な相互関係が理解されるようになった。

結論からいうと、小氷期の長い冬は、素晴らしいものも生み出している。ピーテル・ブリューゲル・エルダー（1525年〜1569年）の絵画に見られる不朽の冬景色やメアリー・シェリーの『フランケンシュタイン』など。メアリー・シェリーは1816年、夏のレマン湖での休暇の間にその名作を執筆した。その夏、天気はとても悪く、そのためメアリーと彼女の夫は室内にひきこもってしまっていた。互いを楽しませるために、彼らは恐い話を語りあった。その中には醜悪な怪物をつくり出した若い科学者の話もあったのだ。初期の気象観測と年輪年代データから、古典的怪物誕生の「いまだ夏は来ず」とニックネームがつけられた年が、その前年のインドネシアのタンボラ火山の噴火による冷夏の年だったことがわかっている。メシアやストラディヴァリの同時期のバイオリンの名高い音色でさえも、小氷期の寒冷な気候下でのゆっくりとした樹木の成長がもたらしたものといわれている。ストラディヴァリのバイオリン（１６５６年～１７３７年）は年輪がたいへん規則的で幅狭く、材の密度が均質なトウヒとカエデの木でつくられていた。言い伝えによると、並外れて寒冷だった小氷期の夏の結果生まれたこうした幅狭い年輪が、バイオリンに用いられた材木の優れた材質の一因だったとされている。

私たちは、ヨーロッパの小氷期の厳しい状況下では、地域的な気候の差に加えて、勝者と敗者が社会の回復力と適応力によっても決まることを学んだ。例えばオランダ共和国は、17世紀の気候不安定期の真っ最中に黄金期を迎えている。ヨーロッパの他地域が小氷期に霜、暴風、豪雨に痛めつけられたのと同じように、北海沿岸低地帯も被害に遭ったが、オランダ共和国は小氷期の気候から利益を得るための計画的な戦略を考え出した。オランダの水産業は、低温になったバルト海海域から北海に移動してきたタラの大群で活気づいた。オランダの農民は、新しい農業技術を開発し、例えば主要産品としてジャガイモを含む多様な作物を生産した。オランダの商人はヨーロッパ中で壊滅的になった農作物の収穫に乗じて、貯蔵されていた穀物の価格をつり上げ、ヨーロッパの穀物供給を支配した。その間にオランダ共和国は、小氷期の寒さによる最悪の影響を緩和するために交通網と福祉制度に投資したのだ。

しかし、気候史と人類史のいずれも、またその２つの関係も単純ではない。気候変動下での勝者と敗者は固定的ではない。最初考えられていたよりもずっと複雑だったとわかったグリーンランドのノルウェー人集落の歴史がそのよい事例を提供している。集落の苦境からの回復力と苦境に対する脆弱性は時間とともに変わっていく。気温上昇に伴って北極海の海氷群が中世を通してさらに北へと後退し、結果として北大西洋が広くなって、ノルウェー人がもっと西まで進出するようになった。人口過剰と、スカンディナビア半島のフィヨルド地形での農業の選択肢が限られていることから、９世紀に彼らはフェロー諸島にたどり着いて定住した。ノルウェー人は、フェロー諸島からアイスランドに移動し、874年に到着するとすぐに森林を完全に伐採し、耕作用地に転換した。10世紀後半、アイスランドから赤毛のエイリークことエイリーク・ソルヴァルズソン率いる探検隊がグリーンランドに向かって航海し、そこで彼らは豊富な魚や海の哺乳動物の他に、夏の間、緑の放牧地として使える島を発見した。魅惑的な名前があれば、人びとはもっとこの場所に行きたくなるだろうと考え、エイリークは報告書でその土地をグリーンランドとよんだ。彼のマーケティング戦略は効果を生んだ。彼がアイスランドに戻ると、すぐにノルウェー人たちは永住が可能な居留地2ヶ所をグリーンランドの南東部と西海岸につくった。そこから彼らはさらに西をめざしてニューファウンドランドまで進出し、共通紀元1000年頃にランス・オ・メドーに永住可能な居留地をつくった。2世紀以上にわたって、新大陸の居留地は存続し、繁栄した。グリーンランドの人びとは、木材を探して北アメリカに向かって西に航海し、10分の1税を払いながらもセイウチの牙の交易のために、アイルランドとノルウェーに向かって東に航海した。

しかし小氷期の冬が北大西洋地域に先駆けて訪れ、1250年には北極海の流氷*が以前よりもずっと南に流れ着いて、ノルウェー人の船乗りはその居留地と母国の間の航海を変更するか、中止せざるをえなくなった。気候が悪化してしまったので、新大陸の居留地はいっそう孤立し、グリーンランド沿岸では農作がほとんどできなくなってしまった。氷河が前進し、植物の生育期は短くなって、母国からの食料品供給は次第に減少した。最初、グリーンランドのノルウェー人は農作業を工夫しつつ、農業への依存度を減らすと同時に、生活手段を多角化させながら、悪化していく状況にうまく適応していた。南東部の集落では、移住民たちは牧草の収穫を増やす灌漑システムを開発した。西部の集落の移住民たちは交易用のセイウチの牙をさらに手に入れ、食用にするアザラシとトナカイをさらに多く捕らえる目的で猟場を拡げた。しかし、競争相手のトゥーレ（イヌイット）の人びとがグリーンランドに移住してきたため、またセイウチの牙がヨーロッパの流行ではなくなってしまったために、14世紀には交易と狩猟への彼らの当初の投資計画は頓挫してしまった。この状況に重なって、10年間（１３４５年〜１３５５年）の例外的な厳しさの冬が訪れ、これはグリーンランド西部の定住者集落にとっては致命的打撃になった。最盛期には、西部の集落では少なくとも95の農場があり、１０００人ほどの住民がいたと推測される。しかしノルウェーの牧師、イヴァール・バルザルソンが１３５０年代後半に集落を訪れたとき、彼が見たものは無人の農園だけだった。14世紀中頃の西部での集落放棄に続いて、１世紀後には南東部で集落が放棄された。

＊ほぼ一続きになっている浮氷の塊。

しかしその一方、中世にはグリーンランドでノルウェー人とともに暮らしていた狩猟民族であるイヌイット人は小氷期の間、衰亡するのではなくむしろ繁栄した。イヌイット人はカヤックに乗って移動し、海氷の端から矢を放ち、氷原を巧みに利用して狩猟を行って、１年を通して狩猟ができるようになったのだ。彼らは小氷期の間、拡大していく海氷を利用してその「狩猟場」を拡大した。17世紀には、イヌイット人はオークニー諸島よりはるか南西、スコットランド北部まで現れることもあった。さらに南のイギリス諸島では、小氷期の状況を利用してお金を稼ぐ方法を見つけたロンドン市民もいた。17世紀から19世紀初期まで、冬のフロストフェアが定期的にテームズ川の上で開催されていた。テームズ川は当時ずっと広くて浅く、流れも緩やかだったため、冬の最も寒い時期にはかなりの期間、硬く凍結してしまい、氷上で競馬や馬車レースが開催された。1814年の注目に値する例では、象1頭が氷上を渡って行くこともできたのだ。ベルギー人ならみんな知っているように、小氷期のワイン産業衰退時にイギリス人たちが、美味しいビールを醸造する方法を学ばなかったのはちょっと残念なことだ。

年輪以外の代替指標

年輪は私たちに面白いことを教えてくれるが、気候の代替指標としては欠点がある。厳密にいうと、樹木は南極や北極の広い海や湖では生育できないのだ。明確な年輪がないために熱帯域の樹木が古気候研究に用いられることはほとんどなかった。幸い、これらの地域すべてには過去の気候の研究に用いることができる他の生物学的、地質学的記録がある。北極と南極の氷からは、何十万枚もの氷や雪の層をコア試料として掘削できる。海や湖の堆積物にも地表を掘り下げて調べるよりもさらに古く遡って過去へと私たちを導いてくれる堆積層がある。堆積層は、年輪が示すような年ごとの確実な記録を提供しない。1層の堆積層は5年、10年、100年、また1000年を表すことができる。その一方で堆積層は、年輪が示せるよりもずっと長い期間にわたる過去の気候と生態系の情報を私たちに伝えてくれることがたびたびあるのだ。例えば南極のアラン・ヒルズから採集された最古のコア試料は、年輪年代学がはるかに及ばない時間領域である2700万年よりも古い氷を含んでいる。

しかし、鍾乳石などの他の代替指標にも年ごとに形成される縞状構造がある。サンゴ、二枚貝、魚の耳の骨――耳石とよばれる――は年ごとの年縞を確実に形成する。これらの「海の年輪」から海流、海水温、エルニーニョ・南方振動（ENSO）のような海洋と大気の相互作用を読み取ることができる。

年輪年代学からクロスデーティングなど多くの技法を導入した比較的新しい科学分野である硬組織年代学では、海生生物を数世紀にわたる海洋の代替記録にしている。ウェールズのバンガー大学の硬組織年代学研究者は、アイスランド沿岸で養殖されている食用二枚貝、アイスランドガイ（*Arctica islandica*）の貝殻を使って１３５７年の長さに及ぶ硬組織年代を確立した。残念なことに、硬組織年代学研究者は年輪年代学研究者の歩みに少し追随しすぎてしまったかもしれない。アイルランド北西海岸沖からドレッジされたアイスランドガイの中には、世界最古の非群体形成動物で、ハフラン*と名付けられた５０７歳の年齢の個体が含まれていた。しかし、ハフランが高齢であるとは知らず、バンガー大学の研究者は年縞の解析のために貝殻を開いて貝を殺してしまった。最長寿の樹木、プロメテウスのように、ハフランは科学のために殺されたのだ。しかし、希少なブリストルコーンパインとは違い、北大西洋ではアイスランドガイの数は数百万にものぼる。ハフランが最長寿の個体だった可能性は低いが、年齢５００歳以上の二枚貝をもうひとつ探し出すのは干し草の山からマツの葉を探すようなものであって、硬組織年代学研究者は干し草の山でそれを長期間探し続けることになるだろう。

＊「海の謎」を意味するアイスランドの言葉。

５００年ぶりの少雪の衝撃

アリゾナ大学ＬＴＲＲでの共同研究者、ブライアン・ブラックは年輪年代学研究者として研究者生活をスタートさせたが、やがて硬組織年代学の研究にも着手し、カリフォルニア沿岸の気候の研究でなんとかしてその2つを結びつけようとした。ブライアンは、カリフォルニア沿岸で捕らえたスプリットノーズロックフィッシュ（*Sebastes diploproa*）の耳石のクロスデーティングを行って、海洋生物生産のほぼ60年にわたる時系列変化を明らかにし、さらに彼はロックフィッシュの耳石年代、カリフォルニアの海鳥の抱卵時期、巣立ち成功率の3つの時系列を比較してみた。魚が大きく成長した年は海鳥が大繁殖した年に対応し、それらがカリフォルニア海流という共通の原因で同期していることに彼は気づいた。この海流は海の生態系を支える、低温で栄養分に富む深層水を表層に湧昇させながら、カリフォルニアの沿岸を南に向かって流れる。高気圧の尾根がカリフォルニア沖に居座る冬、カリフォルニア海流とその湧昇流は強くなる。このような高気圧の尾根から時計回りに吹き出す風（アゾレス高気圧から時計回りに吹き出す風と同様）が南に向かって流れるカリフォルニア海流を強め、湧昇に対しても好条件をもたらす。海洋の生物生産にはよい影響を及ぼすにもかかわらず、このような高気圧システムは、同時に北太平洋の冬の暴風雨を遮ってカリフォルニアに雨や雪が降らないようにもする（図11A）。これは2012年～2016年のカリフォルニア旱魃での事例だ。そのときは、停滞した高気圧の尾根が冬の暴風雨のカリフォルニアへの到達をとてもうまく遮ったので、その高気圧には「途方もなく長寿命の高気圧」[†]とニックネームがつけられた。

＊ウミスズメ類とウミガラス。
†ダニエル・スウェイン、「途方もなく長寿命の高気圧は2014年にも続く。カリフォルニア干魃は強化される」、2014年1月11日付カリフォルニアウェザーブログ、http://weatherwest.com/archives/1085。

途方もなく長寿命の高気圧の尾根

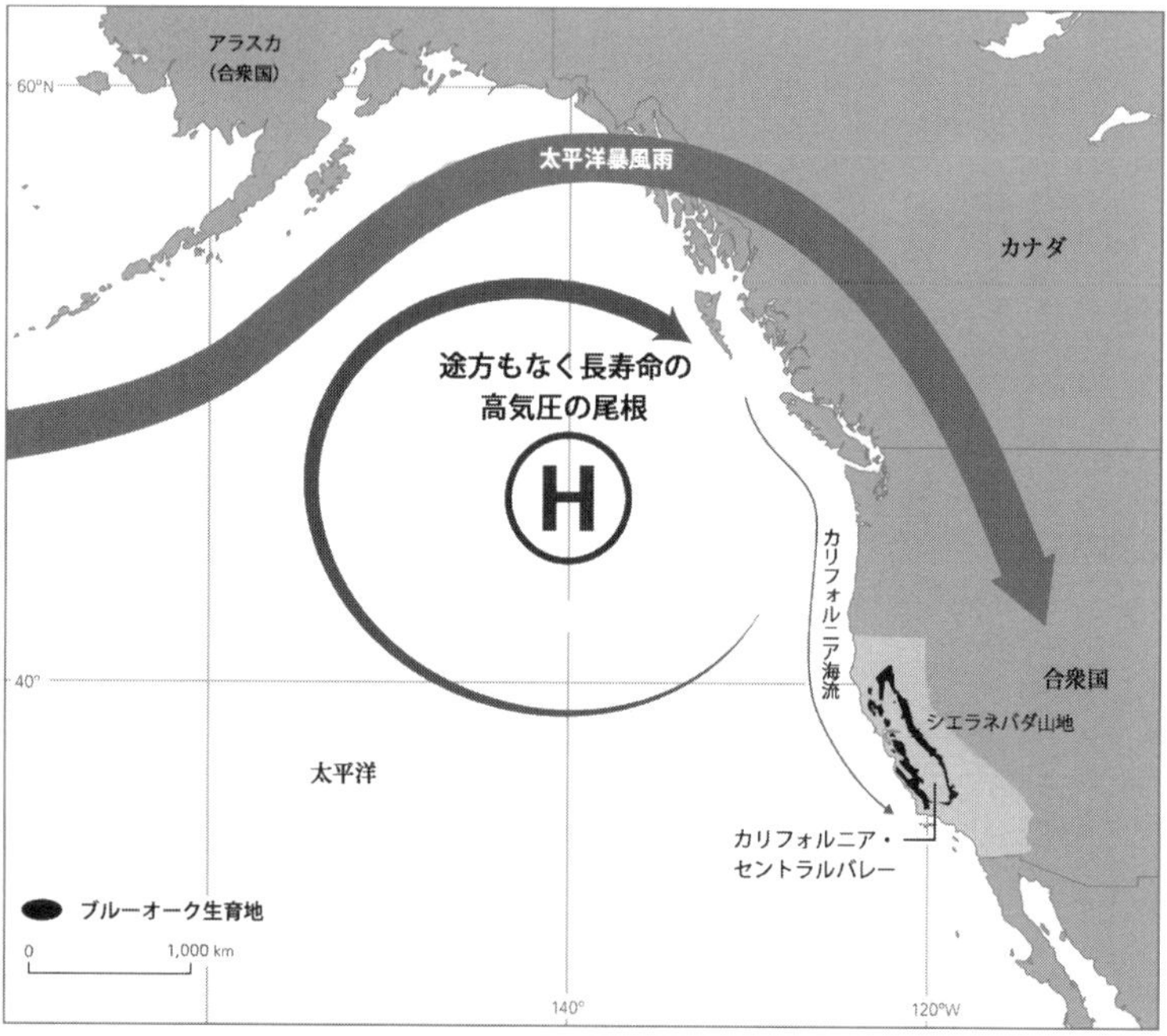

図11A　北太平洋の暴風帯によるカリフォルニアのセントラルバレーのブルーオーク生育地への降雨を妨げ、また暴風帯を東進させてシエラネバダ山地に少雪状態をもたらす「途方もなく長寿命の高気圧の尾根」。そこから時計回りに吹き出す風によって南に向かうカリフォルニア海流が強化される。これは湧昇流の発生には好都合で、海洋生態系を維持するが、シエラネバダ山地の東のセントラルバレーの旱魃をもたらすことがある。

２０１２年～２０１６年のカリフォルニア旱魃は、セントラルバレーとシエラネバダ山地の山麓で生育しているブルーオーク（*Quercus douglasii*）の年輪に見事に記録されている。自生のブルーオークは地球上ならどこにでもある、湿度に最も敏感な樹木だ。過去７００年間、カリフォルニアでは乾燥した冬がなく、ブルーオークの年輪年代にも幅の狭い年輪はなかった。そのためブルーオークの年輪は、サンフランシスコ湾の水質とともに、カリフォルニアの主な河川流量を復元するなどカリフォルニアの水文気候史の研究にも用いられてきた。旱魃によるブルーオークの成長の低下は、「途方もなく長寿命の高気圧」そしてカリフォルニア海流にも関連している。ブライアンはロックフィッシュと海鳥の生産性とブルーオークの年輪年代を比較して、逆の相関性に気づいたのだった。「途方もなく長寿命の高気圧」が、冬の嵐と湿気をセントラルバレーのブルーオークに届かないように遮った年は、カリフォルニア海流は強く、その湧昇流によって海鳥とロックフィッシュの増殖が維持された。カリフォルニアの人びととそのブルーオークが、「途方もなく長寿命の高気圧」によってもたらされた２０１２年～２０１６年の旱魃の被害を受けた一方で、ロックフィッシュと海鳥の数は増えた。そのブライアンの研究の寓意とは何だろう？　おそらくロックフィッシュの耳石とブルーオークの年輪には常識的な想像以上にずっと深い関連性がある、もしくはカリフォルニア海岸に住んでいても、すべてを理解することはできないということかもしれないのだ。

私のチームでは、同じブルーオークの年輪データを使ってカリフォルニアの水文気候学の別の側面を研究した。それはシエラネバダ山地の積雪状況だ。カリフォルニア旱魃の4年目、２０１５年4月１日にジェリー・ブラウン州知事は旱魃の影響を緩和すべく、州全体に対する最初の取水制限を宣言した。彼はカラカラに乾燥したシエラネバダ、タホ湖にあって１９４１年以来積雪量を観測しているフィリップス積雪観測所から取水制限を発した。積雪量は、どれくらいの水が雪に蓄えられているのかを示す積雪相当水量（ＳＷＥ）として表されることが多い。それは雪が一度に融けた際に生じる水の量に相当する。ＳＷＥは、４月１日に測定されるのが一般的だ。シーズン中の降雪が終わり、雪解けが始まる前の、大雑把には４月１日のＳＷＥは冬の全期間を代表すると考えられている。１９４１年から２０１４年までのフィリップス積雪観測所での４月１日のＳＷＥ平均値は約68センチだった。ブラウン知事が宣言を発出した２０１５年の４月１日、地上に雪はなかった。積雪ゼロセンチ。

　最初のＳＷＥ観測が１９３０年にまで遡るフィリップス積雪観測所での無積雪状態は、シエラネバダ山地全体の基準尺度になった。２０１５年の４月１日、ＳＷＥ値が発表されると、積雪量は２０１５年が過去80年以上の間で最小だったことがわかった。スマーヤ・ベルメケリーとフルーリン・バブスト――ＬＴＲＲで私の研究グループにいた博士研究員――がこれらの数字を聞いて、旱魃に敏感なブルーオークの年輪データを使ってもっと長期間、さらに長期間の、おそらくもっと意味がある気象配置の中で２０１５年のＳＷＥ値を考えてみようと思いついた。この重要な関連性に気づいたのは彼ら２人が最初だった。先に述べた途方もなく長寿命の高気圧が北太平洋の嵐からもたらされるブルーオークへの降雨を阻み、そして暴風雨域をさらに東へと移動させて、シエラネバダ山地での降雪を阻むのだ。言い換えると、ブルーオークが生育する中で、年輪が渇水を記録するほどセントラルバレーが乾燥していた年には、シエラネバダ山地もやはり乾燥していたはずだ。この関連性に基づくと、私たちはブルーオークを使って、過去ほんの数年間ではなく、何世紀にもわたってシエラネバダ山地の年間降雪量を復元することができることになる。

　２０１５年４月１日のＳＷＥが公表されるとすぐに、スマーヤとフルーリンは仕事に取りかかった。

シエラネバダ山地の積雪量の機器観測記録と１５００以上のブルーオークの年輪時系列を編集してまとめた。彼らはこの2つのデータ群の質を点検し、補正統計値を計算し、復元モデルをつくり上げ、そのあと不確定区間（訳註：母集団の真の値が含まれないことが確信できる数値範囲）、復帰間隔（訳註：災害などの発生頻度、発生確率）、確率を計算した。正確で信頼できる気候復元を年輪データから導く過程では統計と定量解析に重きを置くのだ。統計解析というパズルのあらゆるピースを記号化し、すべての結果を二重に点検して、スマーヤとフルーリンはコンピューターに張り付いて4月ひと月を過ごした。パソコン画面の輝きの中で過ごしたこの長い時間、私は彼らの仕事の進行を邪魔しないかと心配して、彼らが共同で使っている研究室のドアをノックするのをためらった。それと同時に、私にも自分たちが何か大きな発見をしようとしているのではないかという気持ちがあって、結果を見たくてたまらなかった。

５月の初め、データの編集作業、記号化、そして気候復元への最良の取り組みの議論を終えて、私たちは５００年（共通紀元１５００年~２０１５年）以上のシエラネバダ山地のＳＷＥを復元した。私たちの復元結果から、２０１５年のシエラネバダ山地の積雪量は80年ぶりの少なさどころではなく、５００年ぶりの少なさだったことがわかった。過去５００年、シエラネバダ山地の積雪量が２０１５年のように少ないということは決してなかった（図11Ｂ）。この結果は私たちの気持ちを複雑なものにした。私たちの努力が報われたことを実感した。私たちは科学界だけではなく、カリフォルニアの人びとと政策立案者にとっても重要な結果を発見した。そして同時に、５００年ぶりの記録的な積雪の少なさが、カリフォルニアの水資源の30％を担う天然の水貯留システムにもたらすことは、間違いなく喜ばしいものではないことが私たち全員にはよくわかった。前例のない２０１５年の少雪現象の本質はやがて訪れ

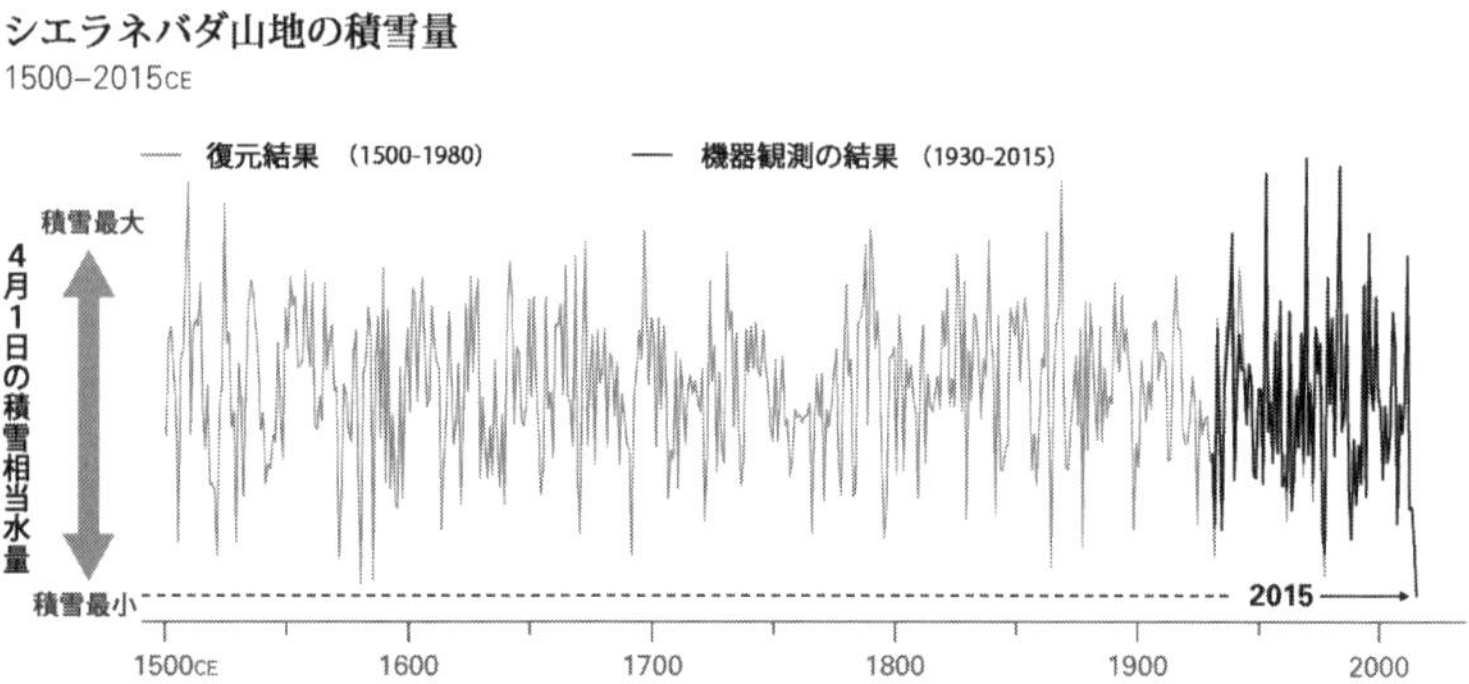

図11B　ブルーオークの年輪データをまとめて、私たちは1500年に遡ってシエラネバダ山地の積雪量を復元できた。積雪量の復元結果は共通紀元2015年の積雪が500年ぶりの少なさだったことを示している。

ることの前触れでもある。加速しながら続く人新世の気候変動とともに、おそらくこのような降雪不足は将来もっと頻繁に発生するだろう。

私たちの結論の幅広い関連性と緊急性のため、私たちは短い論文を書くことを決めた。５００年ぶりの少雪現象には５００語が適当のように思えた。* データ解析のときと同じくらいの速さで執筆を進めることをめざした。５月下旬、私たちは原稿をネイチャー・クライメイトチェンジ（訳註：ネイチャー気候変動）に投稿し、論文は９月中旬に出版された。４月１日のＳＷＥ値発表からちょうど５ヶ月後のことだった。カリフォルニア旱魃はなおも最盛期にあって、私たちの時宜を得たメッセージはメディアの注目を集めた。ニューヨーク・タイムズ、ロサンゼルス・タイムズ、ワシントン・ポスト、ＣＮＮ——どのメディアも５００年ぶりの少雪現象を伝えていた。これはたいへんなことになった。皆が皆、５００年ぶりの少雪現象について突然話し出した。

＊科学論文は一般に１５００語から５０００語の範囲の長さだ。

私たちの論文は、ツーソンで全米各地から多数の共同研究者を招待し、私たちが運営した2日間のワークショップの初日に出版された。いまから思うと、私たちはネイチャークライメイトチェンジに出版を1週間遅らせるよう依頼すべきだったが、そのときは自分たちの論文に対するメディアの関心の大きさについて、まったく予想もしていなかった。月曜日の朝、45分も経たない間にインタビューの申し出を25も受けたのだ。カリフォルニアのどのラジオ局も少雪現象について、スマーヤか私のメディア向けの発言を期待していた。ワークショップは混乱し、主催者としてはまずいことになったが、少雪現象の問題はマスコミで大きく取り上げられ、５００年ぶりの少雪現象のニュースは一瀉千里に拡がった。

シエラネバダ山地の積雪量を図で示せたことは、ある意味では、私がこの7年間研究してきた渇水ホッケースティックともいえる。それはメディアの狂乱に端を発する、これまでになかった現在の気候の特徴をはっきり示したわかりやすいグラフだ。気候科学の否定論者数人が私たちとその結論を激しく攻撃してきたが、その攻撃は物事を俯瞰的に見るとたいしたことではなく――ホッケースティック・モデルが初めて登場したときの反応とはまるで違っていた。あれから15年が過ぎて衰えを知らない気候変動に対する否定発言がおそらく難しくなったか、カリフォルニアの降雪量には感心がなかったか、スマーヤと私が取るに足らない女性で、論争する価値もないと思ったのかもしれない。ともかく、私たちは全体としては彼らの攻撃から逃れることができて幸運だったと思う。

海難事故とハリケーンと樹木の成長抑制

２０１５年のシエラネバダでの少雪についての私たちの研究は、激甚気候イベントの研究に年輪がどう使えるのかを示す好例だ。旱魃、熱波、洪水、竜巻、ハリケーンなどの気象と気候の激甚イベント*は気候システムの中でたいへん破滅的なものだ。これらのめったに起こらないが、長期にわたる平均的な気候から逸脱した激甚現象は、人命、生活、生態系、経済を脅かし、それらに対して惨憺たる結果を残す。定義の上ではまれにしか起きないので、激甚現象を研究するのは難しい。例えば、大西洋でカテゴリー5に達するハリケーン――風速が毎時250キロ以上のハリケーン――を研究したいと思ったとすると、1851年にハリケーンの記録がつくられて以来ほぼ170年の期間から、たった33個のハリケーンを対象にすることになる。その33個の中で、カテゴリー5の勢力のままでアメリカに上陸したのはわずか3個にすぎない（1935年のレイバーデイ・ハリケーン、1969年のハリケーン・カミーユ、1992年のハリケーン・アンドリュー）。[†] これらのハリケーンは上陸回数が少なく、このようなハリケーンがどの程度の頻度で発生するのか、また将来発生する見込みがどの程度なのかは確実には推定できない。

＊この2つ（気象と気候）の区別ははっきりしないが、基本的にはそれぞれの時間スケールに関係している。気象の激甚イベントは1日から2、3週間の時間スケールの中で発生し、気候の激甚イベントは少なくとも1ヶ月続く。
†ハリケーン・ミッチェルは2018年10月、カテゴリー5の境界値をわずかに下回る毎時248キロの風速でフロリダに上陸した。

推定の信頼度を改善するために、私たちは古気候代替指標を使って検討すべき多くの激甚イベントを捉えられる、もっと長い時系列をつくり出してみることにした。年輪は、年レベルの解像力を備えているので激甚現象を捉えるにはとくに適している。年輪記録は渇水と気温の激甚現象の復元に最もよく使われるが、洪水、嵐などの他の激甚現象の復元にも使うことができる。暴風やハリケーンで木の葉が落とされ、枝が折られると、樹冠の損傷が年輪に記録される。樹木が大量の葉を一度に失うと、光合成能力がなくなり、そのため幅広い年輪を成長させるエネルギーがなくなってしまう。完全な形の樹冠と完全な光合成能力を欠くと、水の利用効率や気温よりもむしろ炭素が樹木の最も重要な成長抑制因子になる。嵐にさらされた樹木は、成長が抑制されることと幅狭い年輪が連続することで、その嵐を記録する。成長の抑制は嵐が樹木を襲い、葉がもぎ取られた年に始まり、樹木が完全にその樹冠を再び成長させるときまで成長の抑制が続く。もちろん、樹木が光合成能力を失う他の理由や（例えば、葉を枯らしてしまう昆虫、火災、他の樹木との競争）、また成長が抑制される状況も生じる（例えば旱魃）。そのため、年輪を使って過去の嵐を研究しようとする古暴風雨学とよばれる研究分野の場合、適切な場所と樹木を選ぶことが決定的に重要だ。嵐の復元に適しているのは、嵐にはさらされるが、害虫の大発生や山火事のような他の抑制因子の影響を受けないような場所に生育している樹木だ。

カリブ海の北西部、フロリダ半島の南端沖の島列、フロリダキーズは、古暴風雨学を研究するにはちょうどいい条件が揃っている。ビッグパインキー島に生育するスラッシュパイン（*Pinus elliottii*）は、渇水や冷夏の影響を受けることがなく、また島には葉を枯らすような害虫はいないし、他に重要な擾乱もない。カリブ海の島という場所柄、ビッグパインキー島はたびたびハリケーンに襲われている。1851年以後、島から半径160キロ以内の海域を通過したハリケーン（カテゴリー1〜5）の数は45個にも達する。フロリダ州の大半と同じく、ビッグパインキー島の地形はほぼ平坦だ。島の最高標高の地点でも海抜わずか1・8メートルでしかない。それでも、この1・8メートルという高さは、島の中央部の標高が低い場所で生育している樹木に対して十分な優位性になる。侵入してくる海水が素早く引いていき、樹木を枯れさせるほどには長く留まらないので、標高がより高い場所で生育する樹木はハリケーンに伴った高波が押し寄せる中でも生き抜くことができる。さらにビッグパインキー島のスラッシュパインは度重なるハリケーンの襲来に成長形態を適応させた。つまり、スラッシュパインは風への耐久性を獲得してハリケーンの間に枯死することがほとんどないのだ。スラッシュパインは簡単には風で根こそぎ倒されたり、折れたりしない。しかし、スラッシュパインの多くは葉と大きな枝を失い、年輪にはそれらに関連した成長の抑制が記録されている。

アイダホ大学の年輪年代学研究者、グラント・ハーレイはビッグパインキー島で採集したスラッシュパインの年輪パターンを観察して、別の樹木で同じ年に生じた度重なる成長抑制の証拠を見つけた。グラントが年ごとの成長が抑制された樹木の数を数えると、ビッグパインキー島のほとんど、あるいはすべての樹木で特定の年に成長が抑制された証拠があるのを見つけたのだ。これらの年をすでにわかっているハリケーンの接近時期と比べると、同時期に生じた成長抑制の理由が浮かび上がってきた。グラントの年輪記録は1851年以後、ビッグパインキー島に接近した44個のハリケーンのうち40個を捉えたのだ。成長の抑制とハリケーン接近の関係から、グラントは300年以上になるスラッシュパインの年輪年代を使って1707年にまで遡ってビッグパインキー島へのハリケーンの接近の歴史を復元することができたのだった。

ツーソンのホテルで開催された学会のおり、会場の中庭でお酒を飲みながらグラントはビッグパインキー島のハリケーン接近の復元について私に話してくれた。それは2013年5月、世界各地の年輪年代学研究者およそ250人が集まった「母船」、第2回アメリカ年輪年代学会の最終日の夜だった。巡り合わせで、その夜、3番目に演壇に上がったのはアムステルダム大学にいるスペイン人の難破船年輪年代学研究者、マルタ・ドミンゲス・デラマスだった。学会では、マルタはスペインの大航海時代の難破船の材木についての彼女の研究成果を発表した。カリブ海での沈没船ダイビングについてのマルタの話と、フロリダキーズで嵐に襲われた樹木についてのグラントの話の間には共通の問題があることに私たちは気づいた。19世紀に蒸気船が導入される以前、ハリケーンはヨーロッパからアメリカへの大西洋横断航路での海難事故の主な原因だった。ハリケーンはビッグパインキー島の樹木に成長抑制の証拠を残した理由でもあった。

ホテルの中庭でお酒を飲んだ後、私たちはビッグパインキー島の年輪をカリブ海の海難事故の記録に結びつけて、過去のハリケーンを復元し、300年以上を遡って時系列を拡張しようという考えを思いついた。私たちは、もしハリケーンがカリブ海での過去の海難事故の原因だったとすると、おそらく年間の海難事故件数がハリケーン発生の代替指標として使えるはずだという仮説を立ててみた。この仮説を検証するのに必要なものは、カリブ海での過去の海難事故発生の年月日、位置、原因をまとめたデータベースだった。マルタは私たちが必要としたデータベースをちょうど知っていた。それは、南北アメリカで起きた約4000件の海難事故についてその発生年と発生場所をリスト化して、それを網羅的に収録したロバート・マークスによる『アメリカの海難事故』と題された出版物だ。この本はもともと沈没船ダイバーと宝探しを目的にしたものだったが、年輪年代学研究者にとっても価値ある情報源だとわかった。

マルタと私がマークスの出版物で海難事故の記録を集計し始めると、マルタはスペインの難破船にターゲットを絞って作業するよう私に勧めてくれた。最初、私は彼女が愛国的なだけかと思ったが、彼女の主張は理にかなったものだった。スペイン人は、ヨーロッパから南北アメリカへの大西洋横断航海を果たした最初の人びとだった。そして16世紀から18世紀にかけては、銀の船団として知られる宝物輸送船団システムがスペインの経済力のきわめて重要な原動力になり、スペイン政府が実質的な投資をしたことを象徴するものだった。年ごとの難破の件数、位置、原因に加えて、南北アメリカに送り込まれた艦船の隻数などの彼らの航海の詳細は、インディアス総合古文書（西インド諸島総合古文書）*にたいへん丁寧に記録されていた。マークスの出版物に掲載されたスペイン船の海難事故の記録はこの古文書に基づいたもので、記録は膨大で、15世紀後半に遡ってよく記述されていた。それはまさしく私たちが必要としていたものだった。

*南・北アメリカとフィリピン（16世紀〜19世紀）でのスペイン帝国の歴史を記述する4万3000冊の蔵書とおよそ8000万頁の記録で、記録文書はスペイン、セビリアの専用の建物に収蔵されている。

マークスの出版物に書かれている海難事故の項目の中で、私たちは戦争、海賊、船火事、操船ミスによる船の沈没を除外した。私たちはカリブ海でハリケーンのシーズン（6月〜11月）に発生した海難事故だけを取り出した。2週間の集計作業を行った後、現在はドミニカ共和国にあるラ・イサベラ港でカラベル船6隻が沈没した、1495年から1825年までに発生した合計657件の海難事故の中から、年間に何隻の船が沈没したかを示す時系列変化を私たちは手にした。むろん、私たちはマークスの出版物、そして私たちのデータベースも完全ではないことはわかっている。カリブ海の海底には、これまでには記録されておらず、またインディアス総合古文書にも記録されていない沈没船があるはずだ。徹底的な詳しい吟味を行ったあとでさえ、データベース中の海難事故には、ハリケーンによらないものがおそらく含まれていそうだということもわかっている。したがって、このような欠点があったが次にやるべきことは、私たちの海難事故の記録がカリブ海でのハリケーン発生状況の有効な代替指標であることを証明してみせることだった。

これを成し遂げる最も単純明快な方法は、グラントがビッグパインキー島の年輪年代を使って成長－成長抑制の経年変化を検討したように、海難事故が起きた年と、すでにわかっているハリケーンの発生年を直接比較することだった。しかし、海難事故の記録は１８２５年までで終わっていたし、機器観測によるハリケーンの記録は１８５１年から始まるものしかなかったので、この方法は不可能だった――２つの経年変化データは重ならないのだ。そこにビッグパインキー島の年輪年代データが登場したのだ。グラントの３００年にわたるハリケーンの復元（１７０７年~２０１０年）が、ハリケーンの機器観測記録（１８５１年~２０１０年）と海難事故の記録（１４９５年~１８２５年）の橋渡しをしたのだ。グラントの初期の頃の解析から、多くの樹木の成長が抑制された年が、ハリケーン襲来の年にあたることを私たちは知っていた。私たちのメインディッシュがやって来た。年輪記録と海難事故の記録を比較すると、成長が抑制された木が多い年は海難事故が多い年でもあったことに気がついたのだ。海難事故が多い年が、それとはまったく独立した、年輪の成長が抑制された年とじつにぴったりと合うのに気づいたのは私たちにさえ思いがけないことだった。

たくさんの船がカリブ海で沈没しているのと同じ年に、なぜビッグパインキー島の樹木の成長が抑制されたのかを説明できる唯一のメカニズムはハリケーンだ。この結論は、私たちの最初の仮説が正しかったことを裏付けた。２つの記録を結びつけることで、私たちは、海難事故の記録が始まった１４９５年まで遡ってカリブ海でのハリケーンの発生状況を復元できた。私たちは５００年に及ぶカリブ海でのハリケーン発生状況を復元したが、次に何をすればよいのかがわからなかった。１７０年間のハリケーンの機器観測記録からは十分にわからなかったハリケーン発生状況の時系列変化のメカニズムについて、500年のハリケーンの復元から私たちは何を学んだのだろうか?

海賊の黄金時代とマウンダー極小期の一致

その年の夏の後半、フラッグスタッフのコーヒーショップにいたときその答えを考えついた。私はアリゾナ北部で野外調査をしているところで、根拠地にしていた(決して素晴らしいわけではない)モーテル6から日帰りで樹木の抜き取り試料を採集していた。運悪く私は風邪をひいたので、数日間は床に就くことに決めた。しかし決心は長くは続かなかった。安モーテルの部屋は昼間、とくに病気のときにいるには悲惨なところなので、思いもよらなかった研究の中断を利用して、カリブ海の海難事故の研究を別の角度から見直そうとラップトップコンピューターを抱えていちばん近くのコーヒーショップまで重い足を引きずって行った。

私はアメリカーノを注文し、窓際のカウンターに空席を見つけ、ラップトップコンピューターを開いて、フルサイズのハリケーンの復元図を引き出した。名前が呼ばれて、カウンターでコーヒーを受け取って窓のそばの席に戻ったとき、コーヒーをするのではなく、視野の端で捉えたハリケーンの図の何かに注意を引かれてしまった。距離があってぼんやりとしか見えなかったが、私たちのハリケーンの復元図からひとつの傾向が浮かび上がったのだ。17世紀後半の約70年間での海難事故件数の減少だ(図12)。詳しく調べると、この減少が1645年から1715年にかけて起きていたこと、そしてそれ以前、そしてまた以後の世紀と比べると、ハリケーンの発生件数が、それにしたがって海難事故件数もはるかに減少していたことを示していることに気づいた。最初にハリケーン発生件数の明確な減少に気が

海難事故件数、ハリケーン発生数、太陽黒点の数

1500–2000CE

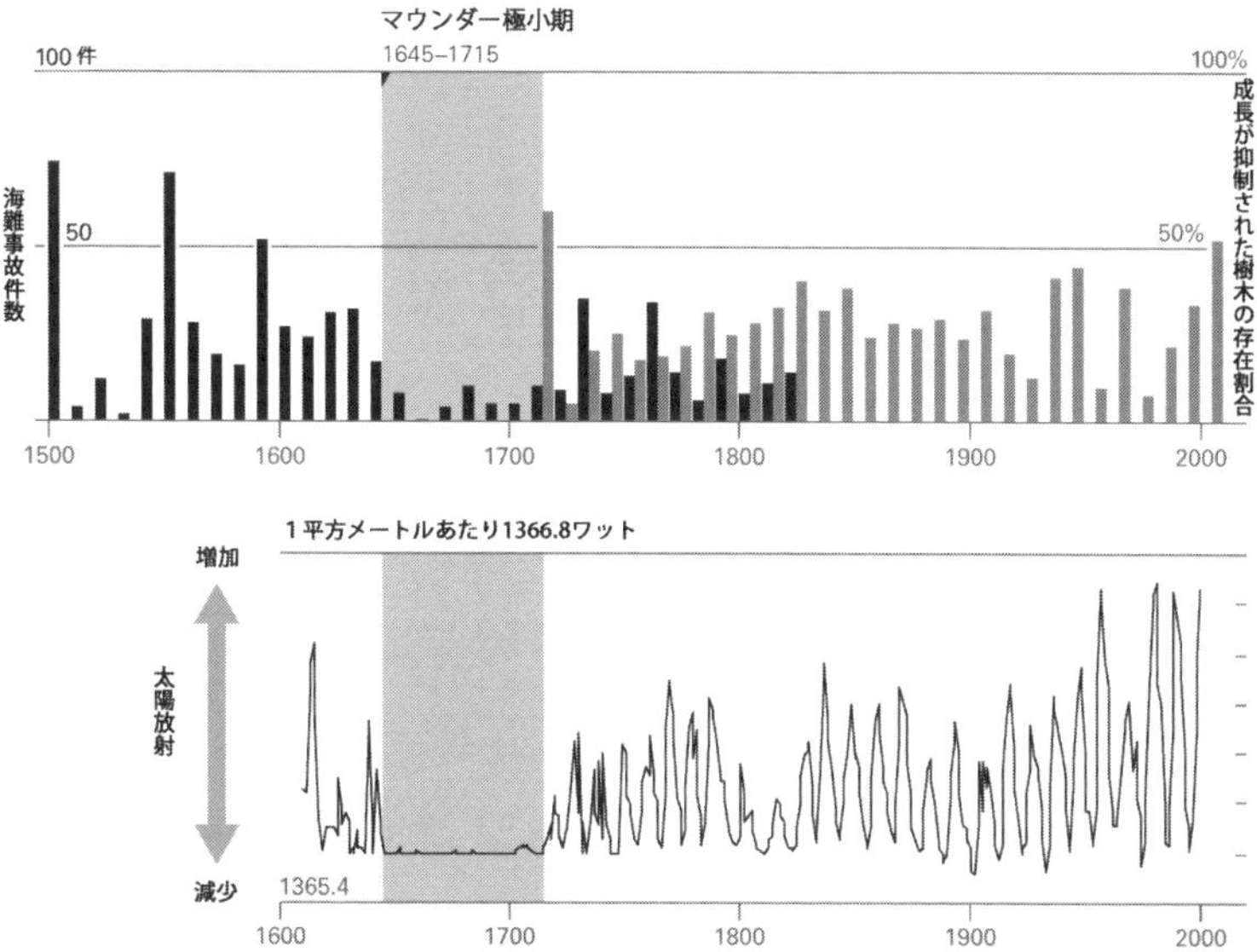

図12　共通紀元1645年から1715年までの期間では、ハリケーン発生数と海難事故件数がともに減少したことがはっきりとわかる。この減少期間は、太陽黒点の数が記録的に少なかったマウンダー極小期と一致する。

ついたとき、この特定の時期に他に何か目立ったことがあったのか思い出そうと熱っぽい頭で考え抜いた。ハリケーン発生件数の減少の時期が、太陽黒点数が記録的に少なかった17世紀後半のマウンダー極小期とぴったり重なっていることに気がついた。コーヒーショップの空席に向かって、思わず、わかった！と叫びそうになった。この発見で気分は間違いなく明るくなり、風邪はすぐに治ってしまったが、コーヒーショップの他の客で、私の新発見に強く感動した者は誰もいなかったようだった。他の客たちは、コーヒーショップのスピーカーから流れてくるエモーショナル・ハードコア・ロックの音を消すためにヘッドフォンをつけて、自分のコンピューターの画面を見続けているだけだった。共同研究者とこの興奮を分かち合うには彼らが野外調査から戻ってくる夕方まで待たなければならなかった。

私たちが発見したハリケーン発生数の減少はマウンダー極小期と小氷期が関係した全球的なパズルの新しいピースだった。マウンダー極小期が気候に重要な影響を及ぼした地域を示した地図にカリブ海海域を載せると、太陽放射エネルギーの低さと海水温度の低下で説明できるハリケーン発生件数の減少の、長期間に及ぶ関連性に気がついたのだ。海水温度が上がると、熱エネルギーと運動エネルギーが大きくなってハリケーン発生の可能性は高まる。ハリケーンが発生し、成長するには海水温が少なくとも約28℃であることが必要だ。カリブ海でのハリケーンの発生シーズンが6月から11月なのはこれが主な理由だ。マウンダー極小期の間、地表に到達する太陽放射エネルギーの量は通常よりも小さく、大西洋とカリブ海の海水温度は低下した。その結果、マウンダー極小期の間はハリケーンの発生は海難事故発生とともに鎮静化した。この関係性は、過去の気候についての認識を深めただけでなく、カリブ海のハリケーンが将来どうなるのかを予測する重要な気候モデルの改良にも役立つのだ。

全球気候モデル（大気大循環モデル、GCMともよばれる）は、気候システムの運動力学を研究する目的で物理学、流体力学、化学の法則を使って、複雑な気候システムをシミュレーションするコンピューターープログラムのことだ。広く用いられている30以上の気候モデルでは、気候変動の将来予測で熱帯低気圧（カリブ海のハリケーンなど）は、発生頻度は少なくなるものの、強大化することが一般的には予想されている。別の気候モデルでは、地球全体に対してはこの結論がたいへんよく当てはまるが、個別の海域を見ると、モデルと、この先どうなるのかという予測の、より大きな不確実性の間に不一致がたくさんある。北大西洋での最大の不一致は、地球が太陽から受け取るエネルギーの量と、地球が放出するエネルギーに加えて地球から反射されて宇宙空間に戻っていくエネルギーの量の差にあたる地球放射熱収支の変化にハリケーンがどう応答するのかについて理解がほとんど進んでいないところに原因がある。21世紀では、人為的に強化された温室効果は、このような地球放射熱収支の変化が主な原因だが、過去の熱収支の変化は太陽放射エネルギーの自然の変化に関係してきた。最近の歴史では、このような太陽放射エネルギーの変化の最も急激なものはマウンダー極小期だ。私たちが見出したマウンダー極小期の間のハリケーン発生件数の75％の減少は、現在では将来の気候変動のモデル化研究の基準点として用いられている。再予測*すると、マウンダー極小期の間にハリケーン発生数が減少したことを示すモデルは、減少を示さないモデルよりもより信頼性が高くなりそうだ。

*気候モデルは現在から将来に向かって計算が実行され、将来温室効果ガスの大気中での濃度上昇に地球の気候がどう対応するのかを予報するものだ。しかし、気候モデルを過去のある時点からスタートさせ——例えば共通紀元1000年——現在まで実行して過去の気候を再予測することもできる。

私たちの発見は、マウンダー極小期の潜在的影響と、それによって低温化した気候が人類史に及ぼした影響をいっそうよく理解することにも利用できる。マウンダー極小期でのハリケーン発生件数の減少が、スペインの大西洋横断貿易、ひいてはヨーロッパの経済と政治におけるパワーバランスに影響を及ぼし、さらにはヨーロッパの歴史にも影響した可能性がある。グラントが南ミシシッピ大学のセミナーで私たちの研究を紹介すると、彼の談話は、地理学と海賊行為の歴史を専門にしている研究者の注意を引いた。もしあなたが年輪年代学研究者がかっこいい仕事に見え始めたなら、とくに年輪年代学が沈没船の潜水調査にも関係すると思っているなら、世の中には生活のために海賊を研究する人びともいることを知っていてほしいと思う。

いまにして思うと、ハリケーンが少なかったマウンダー極小期は、歴史家が海賊の黄金時代とよぶ時期に一致する。1650年〜1720年のこの時期は、ヨーロッパに帰る途中のスペインの商船を襲った、カリブ海を拠点にする英仏の無法者集団と海賊の全盛期だった。「黒髭」の異名を持っていたエドワード・ティーチ、「ブラック・サム」とよばれたベラミー、アン・ボニー(メアリー・リードやジョン・〝カリコ・ジャック〟・ラカムの仲間だった)といった悪名高い海賊たちは黄金、宝石、砂糖を積んでスペインに帰る途中の商船を襲撃した。マウンダー極小期の間は、ハリケーンや海難事故の発生件数が減少したために、海賊にかけられた報奨金が増大し、海賊の略奪や不法占拠の動機を高めてしまった。そしてスペインにとっては、暴風雨の発生件数が減少して海難事故の件数が減った一方で、海が穏やかになったことで海賊の財産を増やして利益をもたらすことにもつながった。もちろん、ヨーロッパ大陸での国際関係と、アメリカに実質的な政府が存在しなかったことなどの地政学的要因が17世紀の海賊行為の多発に重大な意味を持っていたが、おそらく文字通り「帆柱にしがみついて震えること」がなくなったおかげで黒髭とアン・ボニーなどが隆盛を誇ったのだろう。

第10章　突発的激甚イベントと年輪

地震と年輪

年輪年代学は過去の気候と、ハリケーンなどの激甚気象だけではなく、他の自然災害の研究にも利用できる。例えば、地震は樹木に損傷を与え、成長に影響を及ぼす。プレート境界で歪みが蓄積され、それが解放されて、地震が起こるので、プレート境界で発生する地表での断裂、変位、高度の変化、揺れのために、過去の地震の発生年代を決め、研究するのに用いられる年輪に異常が生じる。地震は、地震波の強さに基づいて地震のエネルギーの大きさを階級区分するリヒタースケールで測定されるのが最も一般的だが、一方では衝撃の程度に基づいて階級区分することもできる。地震の強さを1から8の階級で地震を判定する改正メルカリ震度階[*]は、部分的には地震による樹木の揺れの程度にも基づいている。もし樹木が「軽く」揺さぶられたらその地震はレベル5に区分され、「強く」揺さぶられればレベル8に区分される。このような揺れとそれに関連する被害は、影響を受けた樹木の正常な生育を妨げ、その年輪に永久的な傷跡を残すのだ。

＊これは1902年に提案された最初のメルカリ震度階が修正され、改良されたものだ。

しかし、ときには地震による樹木の損傷がとても大きく、樹木が生き延びられないこともある。これは震央付近に樹木が生えているとしばしば起きることだが、沿岸地帯で発生した地震が、土地の沈降と海水の激しい流入を招くときにも起きるのだ。海岸近くの十分低い土地が地震でさらに数メートルも沈降すると、そこに土砂を含んだ海水が侵入して、水没してしまうことがある。塩水が流入すると、その流入経路にあった樹木は枯れ、地震後の数十年間、低湿地、灌木の雑木林、樹木などがあったかつての景観は、砂やシルトで埋まってしまう。シルト層は酸素に乏しいことが多いので、枯死した樹木（立ち枯れした木）の遺骸が保存され、地震被害を永久的な記録として残す無酸素状態がつくり出される。地震の犠牲になった場合、ほとんどの樹木は地面の下の切り株だけが保存される。しかし、樹種によっては木部が腐敗にたいへん強いこともあり、木が枯れた後、時間が経ってもその地上部も保存される。例えば、ベイスギ（*Thuja plicata*）は地震発生後、何世紀も直立したままでいられる。ニューヨーカー誌の一文で、キャスリン・シュルツはこうした木のことを亡霊の樹木とよんでいる。「葉もなく、枝もなく、丸裸になって銀灰色になった幹だけを残して、まるでこうした木はその中に墓標を背負っているようだ」*

ブライアン・アトウォーターとデイビッド・ヤマグチが合衆国地質調査所に勤務していた頃、北アメリカの太平洋沿岸部にあるワシントン州南部の化石林4ヶ所で化石樹木試料を採集し、彼らが採集した西部のベイスギの立ち枯れ木とのクロスデーティングを行った。採集した化石樹木すべての外側年輪の年齢が1699年と測定された。† アトウォーターとヤマグチは、突然の枯死のそのときまで樹木は健全に生育しており、化石樹木には枯死前の成長が鈍化する兆候が見られないことに気づいた。つまり、これらの樹木が徐々に衰えていったのでないことは明らかだった。この樹木は1回の、しかも突然の出来事で枯れてしまったのだ。研究者たちは、１６９９年ないし１７００年の冬に巨大地震が起き、引き続いて陸地の沈降と海水の激しい流入が起きて、不運な枯死に至ったという仮説を立てた。地震被害からは生き残ったが、１７００年からのほぼ10年間は成長が阻害されていたという仮説が、近くの標高が高い場所の樹木によって確かめられた。正確な暦年と、共通紀元１７００年の地震のマグニチュードについてのさらなる証拠は思わぬ情報源からもたらされた。

＊２０１５年7月13日の「本当に大きな地震」を参照。https://www.newyorker.com/magazine/2015/07/20/the-really-big-one

†もし私たちが樹木枯死の年を測定するなら、樹木の最終年輪が保存されていることが必要だが、風化で侵食された亡霊の樹木の幹はこれに当てはまらない。そこで、アトウォーターとヤマグチは湿地に水没しており、なお樹皮が残っている亡霊の樹木の根を掘り出した。樹皮の下の最終年輪は根に残っていた。アトウォーターとヤマグチは、すでにわかっている樹幹の年代と根のクロスデーティングを行って、最終年輪の年代を決めたのだった。

カスケード山地とコロンビア川の常緑樹林が広大な太平洋に出合う、北アメリカ太平洋沿岸地域の北西部の生物地理から、博物学者、環境保護活動家、作家は長らくひらめきを得てきた。しかし、18世紀以前のカスカディア生物区について述べた文書記録はない。１７７０年代のジェームズ・クック、それに続く１８００年代初期のルイス・クラーク探検隊のようなヨーロッパからの初期の探検家が太平洋沿岸地域北西部に到達した。太平洋沿岸地域北西部のチヌーク族とサハプティン族には、沿岸の洪水と沈水の話を含む口頭伝承がある。しかし文書記録がないので、時間が経つにつれてその話の多くは失われていった。これは、１７００年の地震が太平洋沿岸地域北西部最古の文書記録より1世紀ほど先立って起きたものであることを意味している。

しかし、8000キロも離れた太平洋の向こうでは、日本人が少なくとも6世紀以後から文書記録をつくり続けてきた。たまたま1700年の地震は、強力な武士階級がもはや必要なく、江戸の武士の多くが事務官僚として雇われていた、全体としては平和な江戸時代(1603年~1867年)の中頃に発生した。日本ではこの時代、読み書きが普及しており、商人と農民が文学と官僚制度に貢献した。1700年1月27日と28日、日本の延長960キロ以上にわたる太平洋沿岸に津波が襲来して、数百隻の船の沈没、洪水、田畑の沈水が記録されている。1700年の津波は日本の歴史の中で最もよく記録に残っている出来事のひとつだが、津波の原因になった日本の地震の記録はひとつもなかった。300年間近く、1700年に発生した津波の原因は未解決のままだった。歴史地震学者はこの津波を〈親〈地震〉がない津波という意味で〉「元禄みなしご津波」とよんだ。

1997年、アトウォーターとヤマグチは日本の歴史地震学者との共同研究で、日本のみなしご津波をカスケード親地震に再会させたのだ。共同研究チームは、化石樹木の年輪に記録されている、1月27日に日本の北東海岸まで達するのにおそらく10時間かかった津波の第一波を1700年のカスケード地震がつくり出したことをコンピューターでシミュレーションした。つまり親地震が、1700年1月26日の夜に発生したことに間違いはなく、8000キロも隔たった広い地域を津波で浸水させた巨大地震だったことは疑いない——リヒタースケールで少なくともマグニチュード9——。このようなマグニチュードに近い地震はそれ以来、太平洋沿岸地域北西部では起こっていないので、これらの発見は私たちにとっては、この地域での壊滅的な巨大地震の危険性に対する心の底からの警告なのだ。過去3500年以上に及ぶ地形学的データから、太平洋沿岸地域北西部では平均すると500年ごとに巨大地震が発生していたことがわかっている。しかし、地震の発生間隔には数世紀から1000年の範囲がある。この地域で再び壊滅的地震が必ず発生することはわかっているが、私たちはそれが1年後に発生するのかいまから1000年先のことなのかはいまでも予測できない。私たちができるのは、マグニチュード9の地震と、場合によっては関連して発生するかもしれない津波に対して都市、建物、地域社会、人びとが正しく対策して備えることだ。化石林の年輪年代学と1700年に起きた地震の発見のおかげで、津波警報や地震ハザードマップなどの防災のための向上努力が場所によっては次の地震・津波の被害を軽減する助けになるだろう。

チェルノブイリ原発事故とツングースカ隕石爆発による年輪異常

地震のような激甚イベントの結果、樹木の成長が何年にもわたって阻害され、幅の狭い年輪が何年も続いて形成されることがある。しかし激甚イベントの中には、樹木の成長にとってそれがたいへん急激で破壊的なため、その年の樹芯部分の木材解剖学的組織に影響が及ぶ場合がある。新しい年輪で新たに木材細胞壁が活発に形成される樹木成長のシーズンにそのような激甚イベントが発生した場合、解剖学的な異常がとくに著しい。激甚イベントによる木材解剖学的な異常は、一連の年輪の中で目立つ、ある特定の年のひどく歪んだ永続的な記録をつくる。

1986年4月26日、ウクライナで発生したチェルノブイリ原発の爆発事故による放射性物質の流出と降下で半径2・4キロ内の樹木はすべて枯死し、枯れたマツが赤土色になったことから名付けられた赤い森ができた。赤い森はブルドーザーで撤去され、除染作業の間に厚い砂で埋められてしまったが、その場所は放射性物質による汚染が深刻なままになっている。原発からずっと離れた場所の樹木もひどい被曝被害を受けた。しかしそれらの樹木はその場所に残っており、樹木の成長への放射能の影響を野外で調べるまたとない機会を提供している。サウスカロライナ大学のティモシー・ムソーとその共同研究チームは、事故から23年になる2009年まで待って軍管理下のチェルノブイリ立入禁止区域の中心部30キロに立ち入って、木材試料を採集した。事故後23年が過ぎてさえ、汚染が最も激しい地区では、試料採集するのに放射能防護服を着用せねばならなかった。彼らは100以上のヨーロッパアカマツの断面試料を採集し、採集した樹木すべての木部に高濃度の放射性核種——放射性原子——を見出した。区域内で生育している樹木は根から高線量の放射性核種を吸収し、成長過程でそれを木部に取り込んだ。ムソーと彼の共同研究者チームは、発電施設により近い場所で生育していた樹木ほどより放射性核種の濃度が高いことに気づいた。これらの汚染された樹木の撤去は現実的にはたいへん危険で、また費用がかかるものだが、もしヨーロッパアカマツが森林火災、旱魃、害虫被害で枯死すると、放射性核種が空気中に流れ出し、ユーラシア大陸を横切って広範囲にわたって拡散することになる。いまのところ森林火災が発生する危険性は、チェルノブイリ地区を上から見渡す錆びた見張り塔から夏の間ずっと森林を監視しているウクライナの消防隊によって低減されている。

放射性核種に加えて、ムソーと彼の共同研究チームは、放射性物質の降下が1986年以降の年輪の成長で顕著な年輪異常を招いていたことにも気づいた。1987年~1989年の年輪成長が最もひどく阻害されていたが、その影響は20年間残った。彼らは1986年の年輪にも木材解剖学的な異常があることを発見した。正常なマツでは細胞がまっすぐで分岐せず、年輪の境界に垂直な列をつくって並ぶ（図13Ⓐ）。チェルノブイリ地区のマツの1986年の年輪には細胞の列が収斂するものがあり、その一方、別の列では複数の列に分岐する場合もあった。さらに他の細胞の列が最初に分岐したあと、再び収

放射線被曝による年輪異常

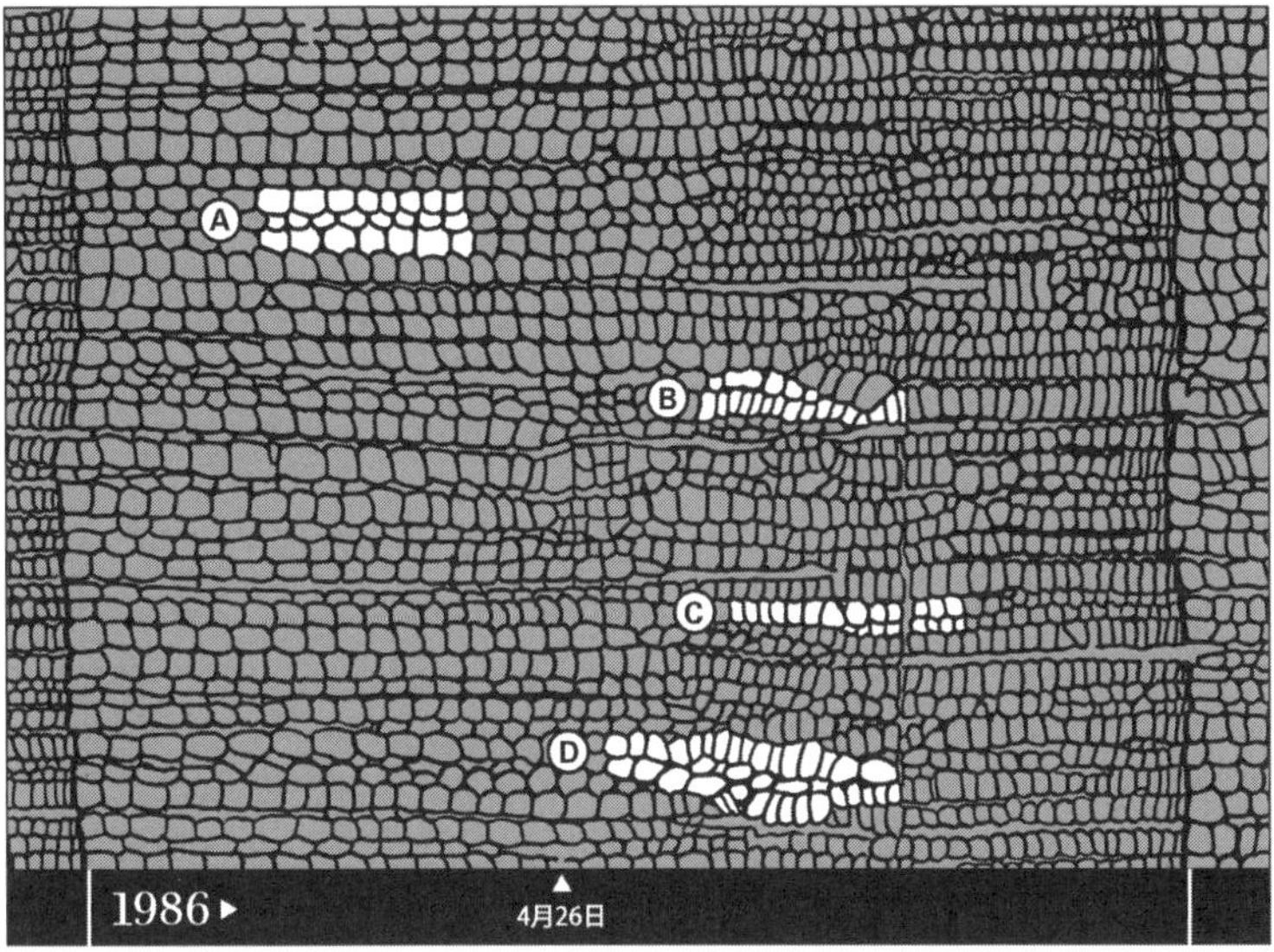

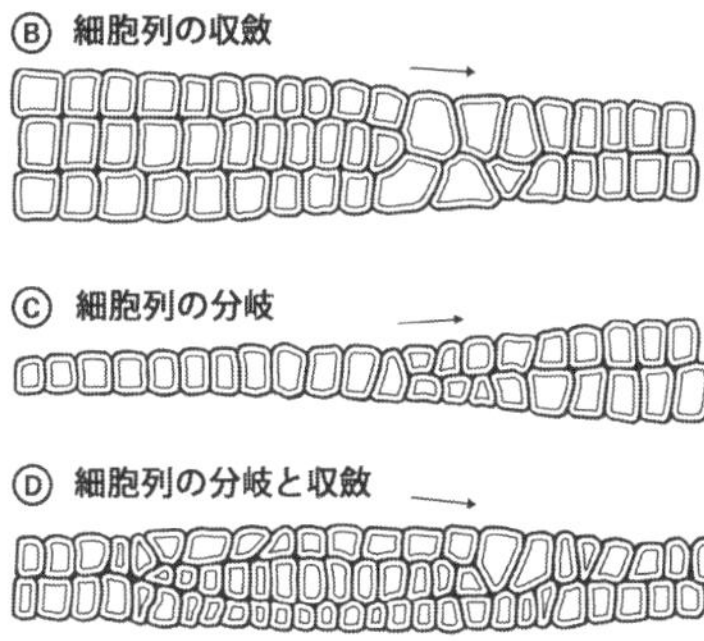

図13　1986年４月下旬のチェルノブイリ原発事故による放射性物質の流出によって、生き残っているマツの木に重大な放射線被曝が生じた。正常なマツの木の場合、細胞は年輪境界に垂直な、分岐しないまっすぐな列をつくって並ぶ（A）。1986年のチェルノブイリ地区のマツでは、細胞が並ぶ列が収斂するものもあるが（B）、その一方では複数の列に分岐している（C）。さらに他の細胞の列では最初に分岐し、その後再び収斂する（D）。

斂するものもあった。このような異常はすべて、新しい木材細胞が形成される場である形成層が受けた放射線損傷を示している。発電施設と事故現場により近い場所で生えていた樹木ほど、より頻繁にこれらの異常が現れた。

年輪年代学研究者はシベリア東部、ツングースカ付近に生える樹木にチェルノブイリ原発事故現場近くの樹木と同じような成長阻害と木材解剖学的な異常を発見した。1908年6月30日午前7時頃、隕石が成層圏に突入し、ツングースカ上空4・8〜9・6キロで爆発した。その隕石は、地表には衝突せず、衝突孔を残さなかったが、大気圏突入によって、もしリヒタースケールが当時使われていたら、マグニチュード5が測定されたと思われる衝撃波を伴って上空で爆発した。現場近くに住んでおり、空を横切って飛ぶ火球を目撃し、砲撃のような轟音が聞こえ、突入時に地面が揺れるのを感じたロシア人入植者だけではなく、ツングースカの人びとからもこの出来事の目撃証言が聞かれる。1908年6月2日付のシビーリ紙によると、「北カレリンスキ村で、地平線からかなり上空の北西の空に、なにか異常に明るく輝く青白い天体が10分間ほど飛ぶのを農民が見た……飛行体が地面に近づくと、それはぼやけて、やがて巨大な黒煙のうねりになり、まるで大きな石が落ちてきたか、大砲が発射されたかのような大きな轟音が聞こえた。同時に雲が不定形の炎を噴き上げ始めた。すべての村人はパニックに陥って道に飛び出し、これは世界の終末だと思って女性は泣いていた」。

幸運なことに、ツングースカは人里からはるか離れたところにあった。もっとよく見える近い場所には実は誰も住んでいなかったし、わかっている限りでは死傷者はいなかった。ツングースカ爆発事件の調査に乗り出した最初の遠征隊は、隕石爆発からほぼ20年後の1927年、現地に到着した。調査隊は隕石孔を発見できなかったが、すべての樹木がまだ立っているものの、焼け焦げて、枝を落とし、枯死している直径8キロの爆心地[*]を発見した。この爆心地の外側の樹木は部分的に焼かれ、なぎ倒されていた。その後の空中写真から、衝突のマグニチュードが明らかになった。爆発によってシベリアの針葉樹林地帯、約2070平方キロに及ぶ巨大な蝶[†]の形をした地表の8000万本の樹木が根こそぎ倒された。

＊爆発の直下の地点。
†蝶の形は「羽の長さ」が約79キロ、「体長」が約55キロだった。

ツングースカ地区で隕石爆発を生き延びた樹木はほとんどないが、1908年の隕石衝突を記録した樹木が生き残っていた。1990年、クラスノヤルスクにあるスカーチェフ森林研究所のロシアの年輪年代学研究者、エブゲニー・バガノフは、ツングースカ爆発の爆心地から4・8キロ～6・4キロの範囲で爆発を生き抜いた樹木12本の試料を抜き取り採集した。エブゲニーは爆風が及ぼす影響のさまざまな物理的側面に興味があった。――炎熱、葉の喪失、揺さぶり――樹木の木部の成長に与える影響だ。彼は、チェルノブイリ事故のすぐあとにティモシー・ムソーが発見したものに似た影響をツングースカの樹木に発見した。1908年の年輪それ自身の木材解剖学的な激しい異常だけではなく、爆発の後の4～5年間での阻害された生育状況も見つけた。しかし、木材解剖学的な年輪異常は、チェルノブイリでの放射線被曝によるものとは違っていた。1908年の場合、ツングースカ地区のカラマツ、トウヒ、マツは通常よりも直径が小さく、細胞壁が肥厚化していない晩材細胞を持った年輪、いわゆる明るい色の年輪を形成していた。1908年、樹木が形成した晩材細胞は他の年に比べてずっと少なく、わずかしかないその年の晩材細胞と、細胞膜が薄くて明るい色をした年輪が組み合わさって、1908年の年輪の外観は異常に白っぽいものになっている。このような明るい色の年輪は樹木から葉をちぎり取る爆風によるものらしい。成長シーズン途中で葉を喪失することによって、成長層への成長ホルモンの供給が止められてしまう。ホルモンが原動力となっている成長層の活力がないと、樹木は新しい木部を形成する、あるいは落葉前に形成が始まった木部細胞を正常なものにつくり上げるエネルギーを失ってしまう。

火山噴火と太陽のスーパーフレアがつくった霜年輪

激甚イベントは、永久的な痕跡を年輪の木材解剖学的組織に残す原子力発電所のメルトダウンや隕石の爆発のように劇的である必要はない。洪水や降霜のような激甚気象イベントも年輪異常をもたらしうる。春か夏の洪水で氾濫に巻き込まれる可能性がある河川の堤防に生えている樹木には、洪水年輪が生じる。激しい洪水では、氾濫が長く続き、樹木の根や幹は無酸素状態に置かれる。こうした無酸素状態は、水辺の樹木の成長ホルモンのアンバランスと、氾濫中に形成される年輪の木部組織の異常を引き起こす。例えばナラ類の場合、洪水年輪における早材の導管——広葉樹の木部に見られる水の輸送に特化した細胞——は通常の年輪よりもはるかに小さい。例えば、ミズーリ州の南端の沖積低湿地の森林のナラの洪水年輪を解析した、アラバマ大学のマット・セレルとエマ・ビアレッキは、共通紀元１７７０年に遡ってミシシッピ川の洪水を復元し、機器観測によるミシシッピ川の洪水記録に17回の春の洪水記録をつけ加えた。彼らの研究は、１９２７年の大洪水後の運河開削のような20世紀の工学的な自然改変によって、現在のミシシッピ川水系での洪水被害がこれまでにないレベルにまで高くなったことを明らかにした。河川を手なずけ、蛇行する余地を制限しようと計画された工学的な取り組みは、その洪水をいっそうひどいものにしてしまうだけだった。河川制御政策に対する同じような警告はミシシッピ川の運河の建設開始よりずっと前の1850年代に遡る。これについての年輪からの証拠は明白だが、いまのところそれは政策変更には結びついていない。

木部細胞を形成し、細胞壁を厚くしつつある樹木の成長シーズンに気温が氷点下に下がって、霜が降るときにも年輪異常が発生する。霜の脱水効果によって成長層はひどく傷つけられ、その結果いびつな形の木部細胞をつくり出す。霜年輪では、降霜の前と後にできた整然と並んだ細胞の列の間に、変形した木部細胞が帯状部をつくって並んでいるのがわかる（図14）。この変形した細胞の帯状部は遅霜によって早材にできるか、または秋の早霜によって晩材にも形成される。

年輪年代学研究者は、早い冬の訪れや長く居座る冬に、降霜が関係しない場合があることも発見した。霜年輪と過去の火山噴火の思いもしなかった結びつきが1980年代初期、LTRRのバル・ラマルキーとケイティー・ヒルシュベックによって初めて見つけ出された。彼らは、樹齢4000年のブリストルコーンパインの年輪記録中に、カリフォルニアとコロラドで生育する樹木の年輪記録に一致する霜年輪を発見した。1200キロ以上離れて生育しているブリストルコーンパインが、例えば共通紀元1817年、1912年、1965年などに、同じ年の夏の中頃に霜年輪を形成していたのだ。これらの年の多くは有名な火山噴火のあとに続く年だったので、霜年輪ができた年の一覧を見てラマルキーとヒルシュベックにはピンとくるものがあった。例えば1817年の霜年輪は1815年にインドネシアで起きたタンボラ火山の噴火のあとに続くものだったし、1912年の霜年輪は1912年のアラスカのカトマイ火山の噴火のあとに対応し、1965年の霜年輪は1963年のバリ島のアグン火山の噴火のあとに形成されていたのだ。火山噴火の2、3年後に広い範囲で発生した低温化は、季節外れだが、同時

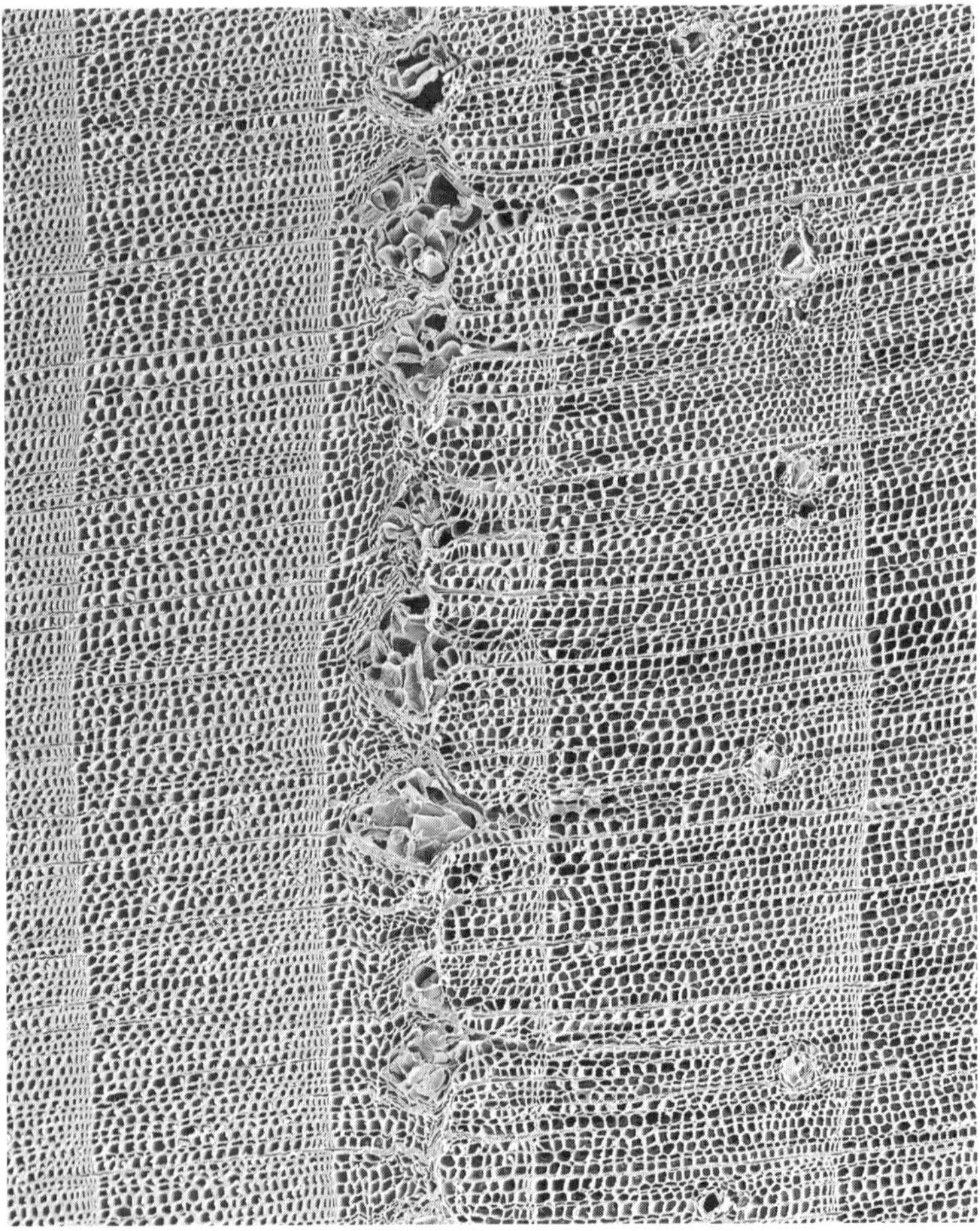

図14　モンゴルのシベリアマツ（*Pinus sibirica*）に見られる一連の年輪は共通紀元534年〜539年の範囲に及び、536年の年輪に霜年輪を含んでいる。また537年の幅狭い年輪は通常、低温な気象を意味する。低温の夏は古代末期の小氷期を開始させた536年の火山噴火で起きたのだ。写真はディー・ブレガーによる。

にできた霜年輪の形成によって説明できる。

私たちはラマルキーとヒルシュベックの画期的な研究から、30年の間に、年輪と火山噴火の関係についてたくさんのことを学んだ。現在では、噴火後の低温化が霜年輪の形成だけではなく、気温に敏感な樹木のほとんどで極端に間隔が狭い年輪としても記録されることがわかっている。多くの火山噴火でできる成層圏のエアロゾルの日傘によって2年かそれ以上の期間、地表の広い範囲で気温が下がることがある。中でも熱帯地域での噴火は、気温に敏感な全世界の年輪に大規模な低温化の特徴を残すことがありえる。ホッケースティック・モデルやスパゲッティ料理モデルのような半球規模または全球規模で気温を復元する場合、私たちはさまざまな地域の気温に敏感な年輪の多くを平均化する。温暖化や低温化の年は、復元に関わった年輪年代の大多数に共通して見られるので、それらが広範囲で起きた年はそのような復元の中では目立つ。ホッケースティックグラフでは温暖な１９９０年（「刃（ブレード）」の部分）が目立っているが、それはほとんどすべての年輪年代が前例のない温暖化をこの10年間に記録していたからだ。気温復元の逆の面として、メアリー・シェリーが『フランケンシュタイン』を執筆し、「いまだ夏は来ず」といわれた年の冬は、１８１５年のタンボラ火山の噴火のあとの話であり、多くの年輪シリーズには例外的に狭い幅の年輪が見られるので、年輪に基づいた気温復元図の多くでは寒い年として目立つのだ。

したがって年輪に基づいた気温復元図は、気候変動に対する火山噴火の影響の研究や影響の定量化に利用することができる。しかし、過去に起きた火山噴火を確実に気温低下の原因だとみなすには、正確で、かつ独立して年代測定された火山噴火記録も私たちには必要だ。そのような火山噴火に関わる代替指標はグリーンランドと南極の氷床コア試料から得られる。巨大火山噴火で放出される硫黄エアロゾルは、これらの雪氷地帯の雪や氷の層に硫酸塩（SO_4^{2-}）堆積物として取り込まれ、火山起源の硫酸塩の突出急上昇ピーク（以下、スパイク）はそれらを含んで堆積している氷床コア試料中の層と比較して年代が決定される。

しかしもし、両方の記録の年代決定が正確で、信頼性の高いものであれば、私たちは、氷床コア試料中に記録された火山噴火と年輪に記録された低温化をぴったりと合わせることができるはずである。年輪記録はクロスデーティングで正確さが保証されているが、氷床コア記録は年代の誤差が生じやすい。ネバダ州リノにある砂漠研究所の古気候学研究者、マイケル・シグル、ジョー・マコーネルとその共同研究チームは、南極とグリーンランドの5つの氷床コア試料中の硫酸塩のスパイクと、年輪に基づいた北半球の気温復元*によって低温とみなされた年とを比較して、氷床コア記録と年輪記録が共通紀元1250年にまで遡って完全に強くリンクしていたことを発見した。氷床コア試料に記録されたどの巨大火山噴火の1年か2年の後にまで、年輪記録では厳しい低温化が続いていた。1257年のインドネシアのサマラス火山の噴火は、その後の間隔が狭い年輪と1258年の低温化が一致した最初の火山噴火だ。1250年以前の氷床コア試料に記録された火山噴火の後には、1、2年後だけではなく7年後に起きた低温化も年輪に記録されている（図15）。年輪データはクロスデーティングされているので、年輪記録が7年も誤って年代決定されることは実際上起こりえない。1250年以前の火山噴火とその後に起きた低温化の7年の開きは、氷床コア記録研究の最初期における年代決定の誤りだと考えられる。

*彼らは中央ヨーロッパ、スカンディナビア、シベリア、合衆国西部での5つの気温復元結果を用いた。

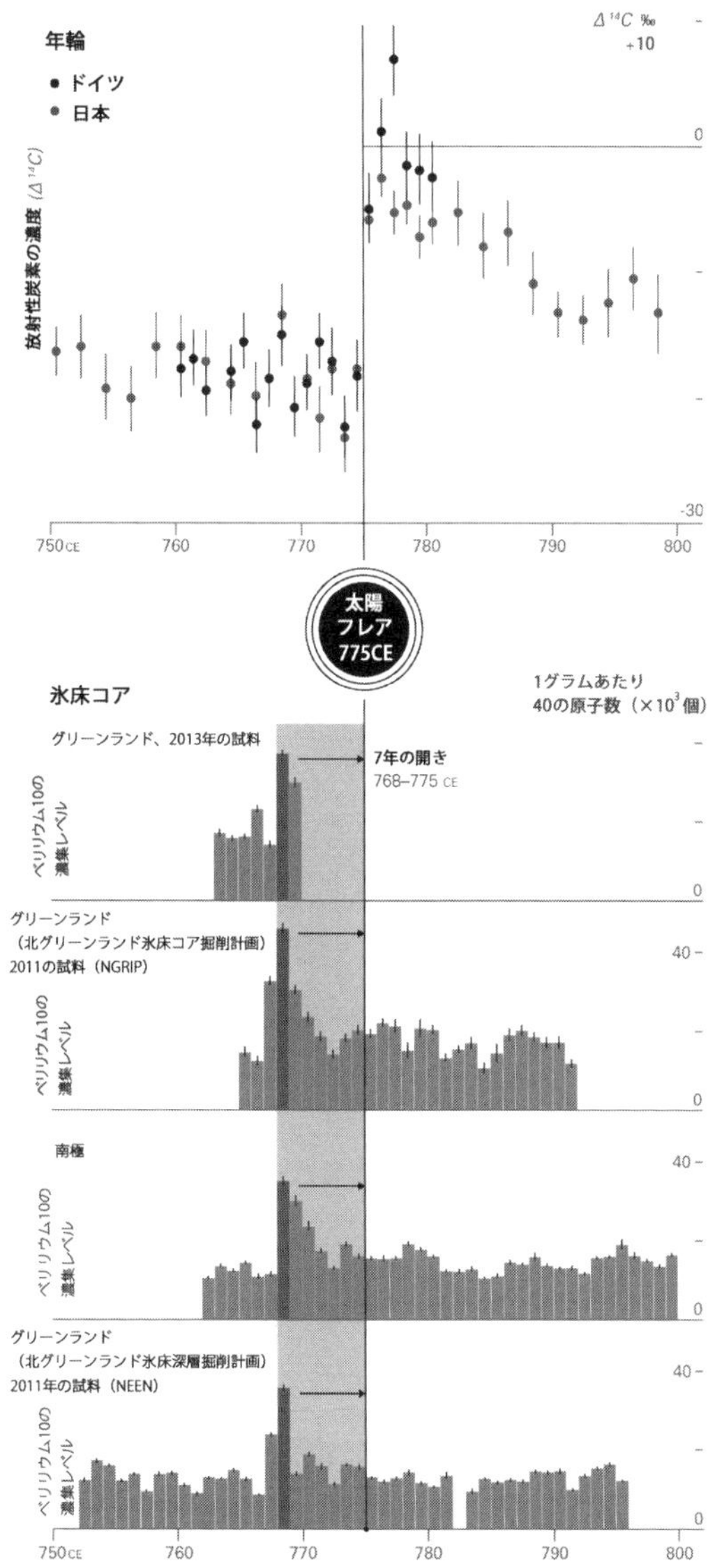

樹木と氷に記録された
太陽のスーパーフレア
750–800CE

図15　774年～775年の太陽フレアは放射性炭素同位体量のピークとして世界各地の775年の年輪に記録された。氷床コア試料では、ベリリウム10の突出ピークとして記録された。しかし氷床コア試料中のこのピークは768年の氷層に記録されていたが、1250年より前の氷床掘削記録での7年の食い違いを示している。

７７５年の年輪に記録されたスーパーフレア

１２５０年以前の７年の開きの謎は、三宅芙紗と名古屋大学太陽地球環境研究所の共同研究者が２０１２年に、放射性炭素同位体（炭素14または^{14}C）のスパイクを共通紀元７７５年の年輪に発見したことによって解決された。この研究よりも前では、放射性炭素の濃度によって測定対象の暦年を得る国際的な放射性炭素較正曲線の補正に用いる放射性炭素は、10枚かそれ以上の連続年輪をひとまとめにして測定していたにすぎなかった。複数年での^{14}Cの値を平均するのはこの目的には適っているが、個々の年輪が示す^{14}C記録のスパイクを隠してしまうのだ。

年ごとの^{14}C値の突然の急上昇とその理由を明らかにするために、三宅と彼女の共同研究チームは10年分の年輪をひとまとめにするのではなく、２本のスギ（*Cyptomeria japonica*）の個々の年輪で^{14}Cを測定した。彼女らは２本のスギの両方で７７５年の年輪に長期間の^{14}C平均値より約20倍も高い^{14}Cのスパイクを見つけた。この放射性炭素のスパイクは南北両半球に及び、ドイツ、ロシア、北アメリカ、ニュージーランドの樹木でも見つかった。太陽から地球に向かって膨大な量の放射線を放出するきわめて強力な太陽フレア*だけが、大気中の^{14}Cを劇的かつ突発的に上昇させる原因になりえただろう。^{14}Cの７７５年のスパイクをつくる原因になったスーパーフレアは、これまで直接観測されてきたものに比べて40倍から50倍も大きかったに違いない。スーパーフレア発生中、^{14}Cのような宇宙線起源同位体を異常に大量に生み出す強い太陽放射の爆発的な閃光が太陽には生じる。これらの宇宙線起源同位体が光合成を通じて樹木に吸収され、^{14}Cのスパイクとして年輪に保存される。世界中の樹木に記録されている７７５年の^{14}Cのスパイクはおそらく前年の７７４年に起きたスーパーフレアの結果である可能性が大きい。似ているがずっと小規模な太陽フレアの結果、２番目に大きい^{14}Cのスパイクが９９４年の年輪に記録されている。

太陽は地球大気に宇宙線起源同位体を生成させるエネルギーを地球に向かって定常的に放射している。しかし、７７５年や９９４年の年輪に見られるような^{14}Cのスパイクを記録するような強力な太陽フレアはめったに発生せず、７７４年のスーパーフレアは過去１万１０００年間で最強だったと推定される。７７４年のスーパーフレア発生イベントは、『アングロサクソン年代記』* 第8世紀の章では次のように記述されている。「西暦（ＡＤ）７７４年……この年、日没後に赤い十字架がまた空に現れた。火星人とケント州の男たちがオックスフォードで戦った。見事な大蛇が南サクソンの地に現れた」。この詳細な年代記の編者が、赤い十字架形のオーロラや不思議な大蛇に魔法をかけられていたようだったとはいえ、このような巨大太陽嵐がごくまれにしか起きなかったのは幸運なことだった。太陽嵐は地球のオゾン層を減少させ、磁場を壊す作用があり、科学技術と電子通信システムを深刻な混乱に陥れるからだ。

放射性炭素に加えて、大気が太陽放射にさらされるとベリリウム10（^{10}Be）が大気中で見つかる。ふつうは氷床コアに取り込まれることがない^{14}Cとは違って、† 大気中のベリリウム10はグリーンランドや南極の雪、氷の層に濃集する。氷床コア試料中の硫酸塩のスパイクが、火山噴火の代替指標として利用できるのと同じように、ベリリウム10のスパイクは太陽活動の代替指標として利用できる。７７４年～７７５年、９９４年に発生したようなスーパーフレアによってつくられた氷床コア試料中のベリリウム10のスパイクは、雪氷層の年代と年輪中の関連した^{14}Cスパイクの年代を直接リンクさせるのに使える。

*太陽陽子現象、ＳＰＥともよばれる。

*共通紀元前60年から共通紀元１１１６年までのアングロサクソン人の歴史を年代順に記録する古いイギリスの年代記のコレ

クション。年代記9冊が現存し、そのうちの7冊がロンドンの大英図書館に収蔵されている。
†なぜなら、樹木とは違って氷床は光合成を行わないから。

マイケル・シグルとその共同研究チームはグリーンランドと南極の氷床コア試料のベリリウム10の濃度を測定し、768年のスパイクに加えて、987年にもうひとつのスパイクを発見した。これらのスパイクは2つとも、年輪に見られた775年と994年の^{14}Cのスパイクのちょうど7年前にあたり、この氷床コア記録の最初のグラフでの7年の開きを示していた(**図15参照**)。この7年の開きによって氷床コア記録に見られた初期の火山噴火の年と年輪に見られた低温の年の間の7年の開きが説明できる。予想どおり、マイケルとその共同研究チームが氷床コア年代の1257年以前のグラフを現在のほうに向かって7年だけ移動させてみると、氷床コアデータと年輪データが突然、完全に合致してしまうのだ。共通紀元前500年〜共通紀元1000年の間の年輪データに現れた最も低温だった16の年のうちの15の年が氷床コア記録に見られた巨大噴火による硫酸塩のスパイクの1年から2年後に続くものだった。これは、ジョー・マコーネルがロサンゼルス・タイムズのインタビューで研究の大躍進と語っている。曰く、「この研究以前では、年輪と氷床コアの記録は互いにかけ離れたものだった。新しい年代決定で両者はぴったりと並んでいることがわかった。私たちは年輪を見ただけで、〝この火山噴火に伴った低温期がある〟と言うことができる」*

*エレン・ブラウン、「氷床コアが火山噴火、気候への影響を記録する」、2015年7月10日付ロサンゼルス・タイムズ紙。
https://www.latimes.com/science/sciencenow/la-sci-sn-volcanoes-climate-history-20150710-story.html

ロサンゼルス・タイムズのような主要メディアが、ジョーにインタビューすることに関心を持ったのはなぜだろうか。それは、年輪と氷床コアの記録が気候と文明社会の関係性を追求する上で重要な発見だったからだ。過去2500年にわたって確実に年代が決定された火山噴火を使えば、気候と人類史に及ぼした火山噴火の影響を検討することができる。火山噴火は地表を低温化させるばかりではなく、地域的な水文気候にも影響を与える。例えば、ナイル川の氾濫は火山活動と関連付けられてきた。ファラオの時代に遡る膨大な歴史記録には、隣接する平野に洪水を起こす毎年の夏のナイル川の堤防決壊が記述されている。秋の初めに水が引いたとき、氾濫した水が、乾燥環境に住むエジプト人を支える農業を可能にした栄養分豊かな黒土を残していった。エジプト社会ではナイロメーターを使って彼らの命を支える川の水位上昇と下降が計測されていた。カイロ中心部のローダ島のナイロメーターとは、水深を示すところに印がつけられて川に沈められた鉛直な筒だ。ローダ島でのナイロメーターによる水位の計測は、共通紀元622年のアラブ人の侵攻後に初めて行われ、アスワンダムの最初の建設で廃止される1902年まで続いた。*

＊ダムによって毎年起こるナイル川の氾濫は初め減少し、その後には根絶された。

したがってカイロのナイロメーターからは、最も長く、しかもほぼ連続した水文気候の時系列データが得られる。マイケル・シグルなどとの共同研究で、イエール大学の歴史研究者、ジョー・マニングがナイロメーターの記録と、現在では正確に年代が決定されている氷床コアに基づいた火山噴火の記録とを比べたところ、巨大な爆発的火山噴火が発生した年では、それ以外の年よりもナイル川の夏の水位が平均でほぼ23センチも低かったことを発見した。ナイル川には農業に貢献するという重要な役割があるので、そのような低い水位はたびたび飢饉を発生させた。

そのあと研究者たちは、エジプトのプトレマイオス王朝の時代にまで遡ってこの火山活動とナイル川の氾濫の関係をさらに拡げていった。プトレマイオス王朝（共通紀元前３０５年〜30年）は、共通紀元前３２３年のアレキサンダー大王の死後、ギリシャの王族一家によって建国されたが、ヘレニズム時代の支配者は土着のエジプト人の反乱をたびたび撃退しなければならなかった。古文書と石碑に記録されているエジプト人の反乱が始まった年と、氷床コアに基づく火山噴火の年を比較したところ、火山噴火があった年またはその直後の年に平均を上回る回数の反乱が起きていたことにマニングは気づいた。この結果は、火山が誘発したナイル川の水位不足がこの農業国家での反乱のきっかけになった可能性があることを意味するものだ。例えば、共通紀元前２０７年に始まった20年に及ぶテーベ地区の反乱は、２０９年のアイスランドでの火山噴火*の２年後に続いて起きたものだった。

*同じ火山噴火によって中国には飢饉が発生した。共通紀元前1世紀の中国の記録には、共通紀元前２０７年11月、「収穫はできず、人びとは困窮し、穀物が欠乏したため兵隊でさえ、豆とタロイモを食べていた」と述べられている。K・D・パン、「噴火の遺産。古代の火山活動の痕跡を低温気候と飢餓の年代に照合する」。『ザ・サイエンシズ』、31巻、1号、（１９９１年）、30−35頁

反乱によって国内の不安定さが増したことが、プトレマイオス王朝の支配者が近隣諸国と武力衝突するのを限定的なものにした可能性がある。プトレマイオス王朝の軍隊は、国内の反乱を鎮圧するためにエジプトに呼び戻され、また王朝の歳費は、軍事行動からナイル川氾濫の復旧に取り組む救援活動に配

分し直された。マニングとその共同研究チームはさらに武力衝突終結の年の多くが他に比べて火山噴火の年に対応していることも発見した。また、共通紀元前196年にエジプトのメンフィスで発出され、3つの言語でロゼッタストーンに記録されているような聖職者の託宣も、他の年に比べて火山噴火が起きた年にはより頻繁になされているのだ。このような託宣の目的のひとつは国家の権威と、影響力を持った聖職者階級を結びつけることによって、社会的に不安定な時代に必要とされた国家の権威をさらに強化することにあったようだ。

これらの結果はすべて、火山噴火に誘発されたナイル川の水位不足による不安定な流量が反乱のきっかけになり、対外戦争に歯止めをかけ、そしてもしかするとプトレマイオス王朝の終焉につながった可能性もあったことを示している。王朝の終末は、ローマ帝国に敗れたことに続いて、共通紀元前30年、最後の支配者クレオパトラが自殺したことに原因があると考えるのが通説だ。しかし、プトレマイオス王朝の崩壊は、ナイル川の度重なる流量不安定と、飢饉、感染症拡大、社会的腐敗、移住などの社会の激動を招いた2度の大きな火山噴火（共通紀元前46年と44年）が発生した10年後に続いて起きているのだ。しかし、火山噴火のような社会に終末をもたらしうる自然現象は、人口統計、社会経済、政治などの背景の微妙な変化と併せて考えることで最もうまく結論できる。人間と、社会の崩壊にもつながる自然現象の相互作用は複雑に絡み合っているものだ。これは、ローマ帝国で長期間続く内紛が始まった、プトレマイオス王朝崩壊後の数世紀に如実に描き出された。社会生態学的な相互作用の複雑さは、次章のローマ帝国の滅亡のプロセスを導いた。

第11章 ローマ帝国の分裂と崩壊をもたらした寒波と感染症

すべての道はローマに通ず

私は学校でラテン語を選択した。ラテン語との果てしない6年間。そこから2つのことを学んだ。それはジュリアス・シーザーがガリア人の中ではベルギー人が最も勇敢だ（*Horum omnium fortissimi sunt Belgae.*）と思っていたことと、彼が共通紀元前49年にルビコン川を渡ったとき彼は勝負に出たことだ（*Alea jacta est.* 賽は投げられた）。ラテン語の教師は私が決して熱心な生徒ではなかったと断言することができるし、私は将来の職業にローマ帝国に関することを取り入れるつもりはまったくなかった。しかし、年輪年代学研究者としての私の職歴は、私が想像できるシーザーからはかけ離れているようだが、すべての道はローマに通じることを知っておくべきだった。

ローマ時代に遡る考古学的木材から気候情報を取り出そうと研究を行っていたときに、スイスにあるWSL研究所から永遠の都、ローマへの私の旅が始まった。ナラとマツの現生木に加えて、半化石化した木材、歴史的建築物の材木、ローマ時代の井戸から採集した8500点以上の年輪試料を使って、私たちの研究チームは過去2400年（共通紀元前405年～共通紀元2008年）[*]に及ぶヨーロッパの降水量と気温の変化を復元した。考古試料の樹木の伐採年を並べると、共通紀元前300年～共通紀元200年に多くの樹木が伐採されたことを示す建設事業の活発な時期があることに気づいた。一般に温和なヨーロッパの気候を背景として、この時期はローマ帝国の農耕経済が発達し、人口が増えて、帝国が最高の多様性に達したローマ時代の気候最温暖期に対応する。

＊私たちは水の利用が最も重要な樹木の成長抑制要因になっている、ドイツとフランス北東部の北海沿岸低地で採集したカシの試料を用いて、中央ヨーロッパの降水量を復元する。夏の気温を復元するには、水の利用可能性よりも気温に対してずっと敏感なオーストリアアルプスで得たマツの試料を使った。

しかし、ローマ時代の気候最温暖期では、湿度が高く、暖かであったが、共通紀元250年頃、安定していた気候に終わりが訪れ、そのあとには不安定な気候が長期間続いた。乾燥と湿潤が交互に起きていた共通紀元550年頃には、最もひどい冷夏も同時に訪れたのだ（図16）。例外的に気候が不安定だったこの300年は重要なローマ帝国の移行衰退期にあたる。制御不能なほどに帝国が巨大になって、ローマ帝国は共通紀元285年には西側半分と東側半分に分裂し、それによってその強さと団結力が分かたれてしまった。ローマ人は西ローマ帝国を統治し、東ローマ帝国の首都はコンスタンチノープルに置かれた。ゲルマン人の王、オドアケルはそのほぼ200年後に侵入して、西ローマ帝国の最後の皇帝ロムルス・アウグストゥスを追放し、西ローマ帝国は分裂して急速に衰えた。

300年の歴史の中で、ローマ帝国は、地域性豊かな文化を受け入れる社会政治的に多様性に富む国家から、首都の陥落後に解体した複数の国家の連合体へと変質した。記述好きのローマ人たちのおかげでローマ帝国衰弱の時間的な流れは、かなり正確に記述されている。しかし帝国の分裂の一端を担った状況については長い間、歴史家や考古学者の間で議論されてきた。拡大する汚職や内部抗争のような内

ヨーロッパにおける気候変動
500BCE–2008CE

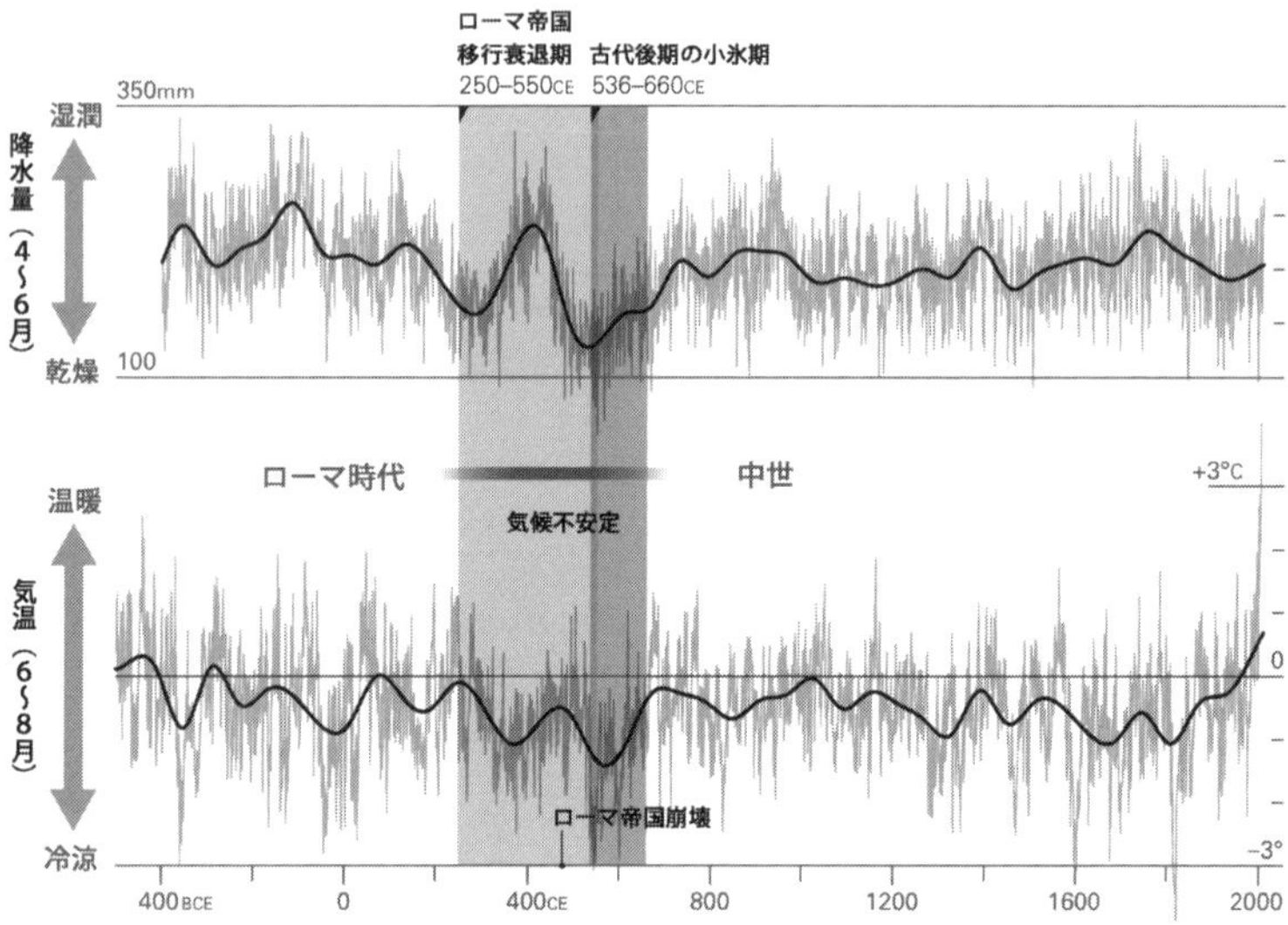

図16　共通紀元250年頃、ローマ帝国では夏がいつも冷涼で、乾燥と多湿を繰り返す気候が始まった。ローマ帝国の移行期でのこの不安定な気候は300年間続き、この間にヨーロッパ世界を変質させた２つの出来事が重なって起きた。それは西ローマ帝国の分裂と民族大移動、すなわち人類の移住の時代で、この時期にゲルマン系民族とフン族がローマ帝国領内に侵入し、帝国崩壊の原因となった。

政での失敗と、異邦人の侵入や感染症拡大のような外的要因の相対的な役割に関しては見解の一致を見ていない。しかし私たちの気候復元の結果から、ローマ帝国の移行期はヨーロッパでの気候がひどく不安定だった時期に一致していたことがわかり、それによってローマ帝国の分裂にも気候が原因となった可能性が指摘されている。

気候史と人類史の関連性を研究する場合、心にとめておくべき最も重要な原則のひとつは、相関関係が必ずしも因果関係を意味するものではないという点だ。ローマ帝国の衰退について、気候の不安定さが果たした役割を論証するには、不安定な気候が、政治的な原因や社会的な脆弱さと相互作用してローマ帝国が衰退したという、社会政治体制を内部崩壊させた現実的な歴史過程を明らかにする必要がある。

考えられる歴史過程3つのうちの1番目は最も直感的にわかるものだ。ローマ帝国の移行衰退期での水文気象の10年規模の変動と冷涼な気温が、農業生産に弊害をもたらしたことだ。ローマ帝国は三大陸（ヨーロッパ、北アフリカ、南西アジア）にまたがって拡大し、さまざまな気候システムを含んでいたことで日常的に起きる突発的な気象変化に対する強靭性があったのだ。この地理的な多様性は、ときたま起こる地域的な天候不順による影響を緩和することにはなったが、ローマ帝国の移行衰退期の大規模な気候の乱れを軽減することはできなかった。夏の低温傾向が拡がり、ヨーロッパの作物の成長シーズンが短くなって収穫が減った一方で、旱魃によって北アフリカの穀倉地帯が縮小してしまったのだ。古文書の記録によれば、ローマ時代の気候最安定期の間、ナイル川は平均して5年に1度の割合で豊作をもたらす洪水を起こしていたが、ローマ帝国の移行期では、収穫に好都合な洪水は10年に1度以下の割合でしか発生しなかった。農業社会が社会的または技術的刷新に取り組むのは難しく、このような10年規模の気候変動は、農業社会にとっては破滅的なものだった。これは北アフリカの農業社会にも当てはまることだった。救荒作物を蓄え、保存し、利用すれば、年ごとに起きる頻繁な気候変化による悪影響は緩和できる。しかし備蓄できるのはわずかなものに限られている。いったん渇水期間が5年、10年を超えて続くと、食料生産状態と社会全体が悲惨なことになる。

経済の原動力である農業への気候変化の影響と、悪化したローマ帝国の社会機構については十分に吟味されていない。100万の市民が住む巨大都市、ローマは、割合として少数の耕作者集団に頼っており、そこから都市生活者と軍人からなる大都会に食料が供給されていた。その滅亡に向かう時期には、ローマ帝国の行政部門は3万5000人以上の人員を抱え、軍隊は50万人にのぼった。帝国には1000以上の都市があり、そのすべてが食料の供給と維持を周囲の農作地に頼っていた。農業生産がふるわなかった凶作の年、食糧不足と飢餓で最も被害を被ったのは田舎の村落共同体だった。この事態は農民に深刻な影響を及ぼし、生産性がいっそう低下する結果を招いた。事態をさらに悪くしたのは、ローマ帝国の後半、帝国が頭でっかちになっただけでなく、放縦で勝手気ままでもあったことだ。*ローマ帝国の支配者階級はワインとオリーブの実を楽しんだ。最も生産力が大きくて、優秀な農地は、そうした利益になる作物のために確保されたが、小麦や大麦のような主食作物は、より辺境の農地に追いやられてしまった。辺境の農地での農業はもちろん生産性が低いだけでなく、危険性も含んでいた。辺境の農地は気候変化にいっそう影響を受けやすいのだ。ローマ帝国の移行衰退期の不安定な気候で、渇水に敏感な辺境の農地での主食作物の生産に影響が集中して現れ、ローマ帝国の農業経済の環境許容能力が低下し、辺境の農地が急速に荒廃してしまった。

*同時代の社会共同体の類似性がどれでも完全に一致する（しないわけではない）。

気候の不安定さとローマ帝国の分裂について、考えられる2番目の関係性は、共通紀元250年〜410年頃の民族大移動といわれる民族移動の時代の間でのことだ。サクソン族、フランク族、西ゴート族などのゲルマン民族の諸部族がローマ帝国に向かって移動し、侵入した。共通紀元410年、彼らはローマ市街に侵攻した。これらの異民族は中央アジアから次々と西に向かって移動してきたフン族から逃れてきたもので、ローマ帝国内を西に向かって移動した。ある仮説によると、遊牧民のフン族の西方への移動は、もともとの放牧地での牧畜経済を破壊した旱魃が原因となって突き動かされたものだとも推測されている。

この説の真偽を検討しようと、LTRRの私の同僚、ポール・シェパードとその共同研究者が、渇水に敏感なチベット高原の祁連（キレン）ビャクシン（*Sabina przewalskii*）から2500年以上の長さの年輪年代をつくり上げた。このずば抜けて長い年輪年代をつくるために、彼らは歴史的建造物の木材に加え、樹齢800年のビャクシンの現生木も採集した。彼らはさらに年輪年代を拡張した。地下墳墓の槨室に置かれていた7世紀から9世紀に遡る木棺を採集してさらに年輪年代を遡らせたのだ。チベット高原の年輪年代から、中央アジアで4世紀に発生した厳しい旱魃のために、遊牧民のフン族がもっと広い牧草地を探し求めて西と南に移動した可能性があることを彼らは明らかにしている。その移動によって、フン族が異民族の本拠地に侵入し、その続きは言うまでもないことだ。

マラリアの蔓延

2011年1月初旬、私は転居の時期にさしかかっており、スイスからアリゾナ州ツーソンに移動した。引っ越しのすぐ前、ローマ帝国の移行衰退期における気候の不安定さについての私たちの研究成果がサイエンス誌に受理された。引っ越しで大忙しだったので論文の出版過程を詳しくたどって確認しなかったが、アリゾナ大学当局と広報室はそうではなかった。ツーソンでの最初の週、携帯電話や銀行口座などの必需品を揃えるのに町を車でドライブしたとき、広報室からの矢継ぎ早の電話があり、面倒なことになった。しかし、彼らのプロ根性と粘り強さのおかげで、新聞発表をちょうど1月12日の論文の掲載日になんとか合わせることができた。

そして、ガブリエル・ギフォーズが銃撃された。

土曜日の晴れた朝、私がアリゾナに引っ越した5日後、つまり私たちの論文が出版される4日前、アリゾナ州選出の合衆国下院議員がツーソン北西の食料品店で地元有権者と会っていたとき、ひとりの男が走り寄って彼女の頭部を銃撃した。男は群衆のほうを振り向いて19人以上の人びとに銃を乱射した。ギフォーズは命をとりとめたが、6人は助からなかった。公衆の面前での合衆国下院議員の暗殺未遂は私が加わったばかりの地域社会の銃規制法をめぐる大きな論点となった。私はもはやスイスにいたのではなかった。翌週、銃乱射事件はすべての州、全国版ニュース紙のヘッドラインニュースになり、いちばん面白い科学の話でさえも、もっと衝撃的つまり火急を要するニュースのためには脇に置かれることがあることを学んだ。

ツーソンで仕事を始めたすぐ後、アリゾナ大学の有名な古典学者で、考古学者でもあるデビッド・ソーレンが私を探し出した。広く知られた論文ではなかったが、彼は私たちの論文をすでに読んでいた。彼は私にローマ帝国の滅亡と気候の不安定さを関連付ける3番目の可能性ある見方を指摘してくれた。それは感染症だった。ソーレン博士はマラリア、妖術、幼児墓地そしてローマ帝国の衰弱と題して彼が書いたパンフレットを私に手渡した。私たちの研究による発見と考えられる関連性について、彼と活発に議論した。耳に心地よいスコーピオンズの音色に対しては前に述べたような反発があったけれど、あれ以後の著作物に対して私は同じように人の心を引く題名を考えようと努力するようになった。

１９８０年代後半から、ソーレン博士は、共通紀元３世紀に壊されたイタリア、ウンブリア州ルニャーノ近くの別荘の発掘調査隊を率いていた。別荘は５世紀中頃に幼児墓地に転用された。ＤＮＡ解析によると、墓地に葬られていた子どもたち47人全員が３歳以下で、マラリアの犠牲者だったことが明らかになっている。発掘作業によって、魔術が実際に行われていたことをはっきり示す証拠が見つかっている。複数の頭がある子犬、カラスの爪、ヒキガエルの骨。これら不気味なものは、ローマ帝国が、当時キリスト教徒がほとんどだったにもかかわらず、５世紀にルガノ市にいたローマ人が魔術を使って邪悪なマラリアの悪霊を退散させようとしたことを暗示するものだ。魔術については、おそらくマラリアに感染していた10歳の子どもの遺体がこの場所から発見されるに及んでさらに証拠が見つかった。いまでは「吸血鬼の埋葬」といわれる埋葬の儀式の一部として、子どもが蘇り、生きている人びとにマラリアを感染させるのを防ぐために、死んだ子どもの口に石が詰め込まれていたのだ。

マラリアは、イタリア語の慣用句で「悪い空気」を意味する「マラ　アリア」から名前がつけられ、沼地や湿地から湧き上がる刺激臭がある空気に原因があるのだというローマ人の信念に遡る。ローマ時代、死に至る病が地中海地域に蔓延していた。最も流行した時期は夏の後半から秋の初めの収穫期で、農民が病に倒れることで、農地が放棄されたままになってしまった。農民の健康を蝕んでいく感染症は、農業生産性と食料生産に間違いなく悪影響を及ぼした。ローマ帝国の移行衰退期での気候の不安定さが帝国の滅亡に対するマラリアの蔓延を深刻なものにしたのだろうか？　おそらくそのとおりだ。３世紀から６世紀にかけての、乾燥と多湿を交互に繰り返した数十年間には、広範囲にわたる森林伐採と相俟って、低湿地環境つまりはマラリアを媒介する蚊の大量発生環境をつくり出して、農民にマラリア感染が広まり、都市生活者のみならず、農民への食糧供給も減少させる最適の条件が整ったのだ。

火山噴火とペストの感染爆発

ローマ帝国の移行衰退期の間ずっと、ヨーロッパの夏は一般的には冷涼だったが、この低温傾向は476年の西ローマ帝国滅亡後に続く2世紀の間、さらに深刻化した。古代後期の小氷期（LALIA）は、536年～660年頃までユーラシア大陸全体を覆った際立って寒冷な期間だった。LALIA中の寒さは、オーストリアアルプスでの2500年間に及ぶ気温変化の復元から、また東に7500キロ以上隔たったロシア西部、アルタイ山地でのほぼ同じ期間（共通紀元前359年～共通紀元2011年）の夏の気温変化からも捉えられている。LALIAは536年に突然訪れた。その年は、たいへん寒くて、アイルランドの年代記には「パンの失政」と記載され、同時代のメソポタミアの作家、エフェソスのヨハネは「すべてのワインは廃棄されたブドウの味がする」と述べている。* 長い間、536年のひどい寒さの原因ははっきりとせず、科学的な議論の的だった。この年についての現存しているいくつかの記録文書は多くが曖昧で、火山、星間雲、小惑星または彗星の衝突などの可能性を説明しているにすぎない。例えば、エフェソスのヨハネは、「太陽は暗くなり、その状態が18ヶ月も続いた。毎日、太陽は4時間ほど照っただけで、その光は弱々しい日陰をつくったにすぎなかった。人びとはみな、太陽は決してもとの輝きを取り戻すことはないと言っている」とも述べている。ビザンツ帝国（東ローマ帝国）の歴史家、プロコピウスは「太陽は輝きのない光を発散し……、太陽の光は弱々しく、日食にたいへんよく似ている」† という記録を残している。

＊『テル・メーアの偽ディオニュシウス』、年代記、65。
†プロコピウス著、H・B・デューイング訳『戦争の歴史』、（マサチューセッツ州ケンブリッジ、ハーバード大学出版局、1916年）、第4巻、14号。

マイケル・シグルと彼の共同研究者が、775年の放射性炭素同位体含有量のスパイクを使って、氷床コア試料に記録された火山噴火発生の年と年輪年代に記録された低温の年を比べてみたところ、突然に起きた536年の寒波の謎が解決した。彼らが氷床コア記録と年輪の間の7年の開きを考慮した結果、536年は、紛れもなく、短期間に3度発生した一連の火山噴火の最初の噴火が発生した年だったことが明らかになった。2回の連続した大きな噴火と1回の小規模な噴火が引き金になって、LALIAが始まるきっかけとなった10年に及ぶ冷夏が次々と起こった。アルプスとアルタイ山地の年輪記録から、540年代の夏の気温はマイナス15・9℃からマイナス14・6℃で、全ユーラシアの平均気温を下回った＊ことが明らかになっている。

＊この気温の差は1961年〜1990年の参考期間に比較して計算されている。

536年の噴火は、北半球高緯度での激しいものだった可能性が高いが、その正確な噴火位置はまだ不明のままだ。続いて4年後の540年には、1816年の「いまだ夏は来ず」の引き金となったタンボラ火山の噴火よりも大規模だった、現在のエルサルバドルのイロパンゴ火山の噴火と思われる巨大噴火が熱帯地域で発生している。ブリストルコーンパインの古樹に見られる霜年輪や、各地域（アイルランド、ヨーロッパ、ロシア、アルゼンチン）で見られる幅が狭い年輪に加えて、この噴火が南北両極の氷床コア（グリーンランドと南極）に記録されていたので、私たちはこの噴火を知っている。536年と540年の噴火による火山灰は、太陽光線を遮り、地表を低温化させ、植物の光合成作用を妨げて、食糧安定供給の脅威となった。これは、フィンランド北部の半化石化木材試料の安定炭素同位体の測定結果で裏付けられている。太陽放射エネルギーの変化を反映する安定炭素同位体の測定結果は、536年と540年の年輪での太陽放射エネルギー強度の極端な低下を示している。これらの噴火に比較すると規模の小さかった547年の噴火、続いて起きたこれら3度の噴火がLALIAを本格的に開始させたのだった。

連続して起きた3度の火山噴火のあと寒冷期に突入したが、寒冷気候はさらに深刻化し、また太陽活動が極小になったこととNAOが負の状態になったことで次の世紀にも続いた。スコットランド、タルテア洞窟（NAOの復元で用いた鍾乳洞）の3000年に及ぶ鍾乳石の年縞記録からは、550年頃にNAOのフェーズが正から負に移行したことが明らかになっている。LALIA開始前は大西洋の暖かい空気をヨーロッパに向かって渦を巻いて送り込んでいた北大西洋の気圧差が大陸に停滞し、大陸を東のシベリアから吹き込む寒気にさらされたままにしたのだ。

LALIA開始時の厳しい寒さは、これに先立つ世紀に内戦、民族大移動、不安定な気候による農業経済と社会秩序への打撃によってすでに弱体化していたローマ帝国を襲った。536年の噴火の頃には、ローマ帝国の強靱さは跡形もなくなっており、その西半分は、不作、感染症拡大、異民族の侵入が組み合わさった圧力で押しつぶされていた。東ローマ帝国もまた、6世紀のLALIAと悲惨な感染症拡大という二重の打撃に直面していたが、それでも1453年にオスマン帝国によって征服されるまでは存続した。

５３６年と５４０年の噴火の直後、腺ペストがアジアの高原地帯から東ローマ帝国の東海岸に到達し、前例のない規模の爆発的感染が西に向かって東ローマ帝国全体に拡大した。２番目の噴火からわずか１年後の５４１年、ネズミとノミがはびこった穀物運搬船に運ばれて感染症がエジプトの沿岸に最初に到達した。エジプトの穀倉は、爆発的に数を増やし、急速にローマ人の社会全体に拡がっていったネズミの餌食になった。

５４２年、エジプトから着いた穀物運搬船とともに、感染症に感染したネズミがローマ帝国滅亡後に新たな首都になったコンスタンチノープル（訳註：現在のトルコ、イスタンブールの前身）に持ち込まれた。感染症は、コンスタンチノープルから地中海一帯の港湾都市に拡大し、５４４年には東ローマ帝国の西の端、イギリス諸島に達した。ネズミ類によって汚染された社会基盤と貿易のグローバル化が組み合わさって、急速に始まると同時に長期化し、現在ではペストとよばれる感染症の爆発的感染拡大という最悪の事態をもたらした。

感染症の流行は2世紀にわたって帝国を悩ませた。最後の大流行は７４０年代に発生し、その後、爆発的感染はその開始と同様、突然に終息した。最初の火山噴火によるＬＡＬＩＡの突発的発生の数年後に最初のペストの爆発的感染拡大が始まり、ＬＡＬＩＡから中世気候異常に移り変わった頃に感染拡大が終息したという事実から、ＬＡＬＩＡと感染症拡大の関連性が想起される。ペストの感染拡大は、生物学的そして環境的な要因の複雑な相乗効果がもらした結果だ。２０１７年の著書、『ローマ帝国の運命：気候、疫病、帝国の終焉』（The Fate of Rome: Climate, Disease, and the End of an Empire：プリンストン大学出版局）の中でカイル・ハーパーは、ローマ帝国後期の海上輸送、都市、穀物貯蔵などの社会基盤の拡大がどのようにして感染症拡大を助長する背景を生み出したのかの概要を述べている。ハーパーは、少なくとも6種類の生物、つまりペスト菌（*Yersinia pestis*）それ自身、菌を運ぶノミ、ノミに刺されて感染するアレチネズミ、マーモット、クマネズミ、そしてノミに刺されるかネズミに接触するかで最終的にはヒトが疫病に冒されてしまう生物学的な連鎖反応として感染症拡大を記述している。気温と降水量の変化がどこで、またいつ発生するかによって、感染拡大に関わる生物それぞれの棲息地、行動様式、生理に影響を及ぼす可能性がある。ＬＡＬＩＡ期の低温化のような気候の変化と感染症とのつながりはこのように複雑で、単純なものではない。最も可能性が高い筋書きとは6世紀中頃のＮＡＯの負のフェーズへの移行であり、これによってペスト菌の発生地である半乾燥気候のアジアに降雨が増える結果になり、地域的にアレチネズミ、マーモットの数が増加したのだ。このような野生宿主生物の増加は、ローマ帝国に向かうたくさんの貿易船に乗って次々と移動していくクマネズミのような他の宿主との接触が増える結果になった。

ＬＡＬＩＡの寒波とペストが集中して発生したことは、すでにローマ帝国の移行衰退期に端を発する衰弱状態に陥っていたローマ帝国後期の人びとにはきわめて重い負担となった。ローマ帝国全体の感染症による死亡者の割合は50～60％と推定されている。このような膨大な人命の損失で、ローマ帝国は奈落の底に向かう悪循環に陥ってしまった。突然に農民と兵士の半数が失われ、それによって収穫前作物の腐敗、食糧不足、軍隊の崩壊が起きる結果を招いた。社会経済体制のこの破滅的な変質にもかかわらず、ＬＡＬＩＡ終結の頃に起きたイスラム帝国の台頭の中で東ローマ帝国が生き抜いたのは、帝国の強靭さに他ならない。2世紀に及ぶ感染症蔓延と7世紀中頃のイスラム教徒の侵攻から立ち直った東ローマ帝国は、数世紀にわたって東地中海地域の政治的・文化的世界で優位を築き、栄えるビザンツ帝国として10世紀に再登場した。

第12章　王朝の興亡と気候変動

温暖な気候とモンゴル帝国の台頭

モンゴルのテルヒーン・ツァガーン湖国立公園の中心部にあるホルゴ火山の麓の火山原であるホルゴ溶岩地帯は、「玄武岩のゲル」といわれる気泡だらけの固まった溶岩でできている。一般観光客の関心を引くと同時に、この溶岩地帯は、気候に敏感な古樹をどこで発見できるかについての教科書的な事例にもなる。中央モンゴルのこの地域は乾燥しており、降水量は年間160ミリ以下でしかない。黒っぽい玄武岩地帯は、疎らな樹木がきわめてゆっくりと成長できる独自の環境をつくり出している。太古のブリストルコーンパインが身を寄せるように生えているアメリカ、グレートベースンのドロマイトの露岩地帯のように、ホルゴ火山の斜面の溶岩流が広がる地帯では表土を欠くか、ごく少なく、そのため有機物を分解する微生物やバクテリアがほとんどいない。枯死した樹木は立ったままか、あるいは倒木になって、何世紀も、ときには1000年間にわたってホルゴ火山の景観の中でそのままの状態であり続けることができる。

私は、ホルゴ溶岩地帯を広く研究していたウェストバージニア大学の年輪年代学研究者、エイミー・ヘッスルとスカイプを使って会話を交わした。2010年のモンゴルの野外調査の間、彼女の共同研究者たちから、「どうかしている」と思われているのよと彼女が言ったとき、アリゾナ州ツーソンの陽だまりのポーチに腰掛けていた私は、彼女の家の窓ごしに雪が舞い降りてくるのを見たのを覚えている。

野外調査でのエイミーの共同研究者のひとり、ハーバード大学森林学専攻のニール・ペダーソンは、先行調査時にシベリアカラマツ（*Larix sibirica*）の現生木をホルゴで採集していた。その調査で抜き取り採集された最長寿木は樹齢約750年だった。エイミーは、もっと長寿の樹木と枯れ木を求めてホルゴ溶岩地帯を再訪することを提案した。共同研究者たちは気乗りしなかった。それは、彼らが滞在していたモンゴルの首都、ウランバートルから悪路を20時間かけて往復する悲惨な旅が待っているからだった。それでも、彼女は頑として言い張った。

ホルゴへの旅の始まりは、さんざんなものだった。ウランバートルからホルゴへの途中、ニールは食用かどうか疑わしい野生のキノコのシチューを地元のレストランで食べるという危険を冒した。調査チームがホルゴに到着したときには、彼はひどく気分が悪くなっていて、初日の野外調査を休んだ。同じ日、エイミーはモンゴル人学生2人を連れてホルゴの調査地点を訪れたのだが、学生は2人とも飲料水を持って行かなかった。ヤクのミルクを入れた温かいお茶を飲むのを習慣としていた彼らは暑い玄武岩溶岩の調査地で水を飲まなくとも、終日作業できると思い込んでいたのだ。しかし太陽がすぐに照りつけて、彼らはひどい脱水症状を起こしてしまった。3人にはエイミーが持っていた水しかなかったので、樹木1本を採集することもなく、キャンプ地に戻るより他なかった。運よく、翌日は事態が好転した。準備万端、ニールも合流して、調査チームは初日とは違う小径を進んでまもなく、溶岩の荒れ地で、生育不良だが、明らかに古樹のシベリアカラマツが疎らに生え、立ち枯れた木と丸太が散在する光景に偶然出くわしたのだ。調査チームは、アメリカに帰るまでにさらに5日間を使って100以上の試料をホルゴで採集した。

エイミーとニールは、秋学期開始の直前に帰国したが、2人とも授業の負担が重く、苦労して採集したホルゴの試料をすっかり放置してしまっていた。「ニールと私はその試料を8ヶ月間クロスデーティングも一切しなかった」。エイミーは私にそう語った。「その後ニールが夜8時頃に、番号だけをメールで送ってきた」。その番号とは、ニールが前にクロスデーティングで決定していたホルゴ産樹木のひとつの試料の年代、共通紀元657年を表す657だった。それからというものは、彼らは迅速に作業を始めた。ほどなくして、彼らは1112年の長さの年輪年代をまとめた。その年代は、アジアの草原地帯での年ごとの旱魃の最長記録だった。

ホルゴの旱魃復元記録をつくり上げて、彼らが注目した最初の時期は、チンギス・ハーンが台頭した13世紀初めだった。モンゴルの歴史でこの時期に焦点を当てたことは、研究チームには直感的にわかる明快な選択だった。「もしモンゴルで研究していて、もしタイムマシーンを持っていたら、歴史上最大の出来事のひとつの気候的背景を理解するために、あなたもこの時期に注目してみたいでしょう」とエイミーは私に言った。チンギス・ハーンは1206年、モンゴルの万能の指導者であることを宣言した。[*] 1227年に死去するまでの20年間、彼が指揮した軍事行動は次々と成功を収めた。彼の下でモンゴル人は中央アジアと中国の大部分にわたる広大な地域を征服したのだ。

*万能の指導者はチンギスの言葉を直訳したものである。

エイミーとニールが開発した年輪タイムマシーンが物語を語った。チンギス・ハーンは過去1000年間で最も多湿な数十年間に帝国を築いて拡大した。チンギス・ハーンの征服事業の絶頂期にあたる1

211年から1225年までの期間には、15層の幅広い年輪が連続して見られ、年輪記録では際立っている。この期間は、1112年間の年輪記録の中には比べものがないほどの、平均を上回る降水量があった、つまり多雨だった15年間にあたるのだ。13世紀初期の温暖で多湿な気候と、チンギス・ハーンの領土拡大の成功とを最も直感的に関連付けるのは、このような条件の下で牧草地が繁栄し、チンギス・ハーンが望んだだけの飼料が膨張を続ける騎兵軍団に供給されたことだ。

騎兵軍団はモンゴル帝国の軍事戦略の中核に置かれた。モンゴルの馬は小型で、体高（註：馬の場合、首の付け根にある鬐甲（きこう）とよばれる骨の部分までの高さ）が約80センチで、他品種の馬よりもむしろ仔馬の高さに近いが、馬に乗った騎兵軍団の射手にはなくてはならない「兵器」だった。モンゴルの射手は世界最高の騎手で、騎手が馬の側面に滑り降りて、馬が敵の矢の盾になって騎手の体を守ったと言われている。横向きにぶら下がりながら全速力で駆けて、騎手は馬の顎の下で地面と平行に弓を構え、矢を撃ち返した。チンギス・ハーン自身、世界征服は馬上からこそ成し遂げられると言っていた。

13世紀初期の多雨気候の下で、乾燥した草原地帯の牧草地の生産性を向上させ、モンゴルの軍事力は強化された。温和な気候によって陸上輸送能力が増大し、そのため資源の集約化と中央集権も進んだ。多雨気候に入って10年になる1220年、チンギス・ハーンはオルホン渓谷の端、カラコルムに小規模な前哨基地を設置した。カラコルムの前哨基地が政治的軍事的中枢に発展するには、余剰食糧が限られる完全な牧畜社会で、恵まれない気候条件下では考えられないような住民、軍隊、馬の集中が必要だった。けれども、13世紀初めの好適な気候の下でチンギス・ハーンはモンゴル帝国の政治的、軍事的な力を統一し、帝国は急速な膨張を成し遂げた。

しかし、何百もの独立した部族からなる巨大帝国を統一するには、土地の生産性とエネルギー利用可能性を向上させる以上のことが必要だった。またそれには、カリスマ的な指導者と、英雄が登場するのにふさわしい社会経済的、政治的状況も求められた。ホルゴでの旱魃記録はモンゴルの歴史にさらなる光を当てた。1180年代から13世紀初め、チンギス・ハーンの前半生に生じた異常な旱魃は、1211年〜1225年の多雨気候に先立つものだった。この厳しい旱魃は、国内での激しい武力衝突と既存の階層制度の崩壊など、モンゴルの政治的騒乱と同時に発生したのだ。チンギス・ハーンが台頭し、モンゴル帝国を統一したのはこの社会の混乱を背景にしたものだった。

モンゴルでの1180年代の旱魃と1210年〜1220年の多雨という結果から、好ましくない気候が社会の混乱を招き、好ましい気候が大帝国の勃興を促すのだと結論するのは簡単だ。しかし、気候の不安定さはたしかに多くの社会的変化に結びついてきたけれど、何度となく年輪年代学研究者が主張してきたように、ローマ帝国の例にもある通り、気候変動は、互いに関係する要因が複雑に絡み合う中のほんのひとつの要素にすぎないのだ。気候変動それ自身だけでは文明の興亡は説明できない。気候変動が既存の社会構造の瓦解につながるかどうかは、その社会の脆弱性、回復力、適応能力が最も重要な要因になる。感染症の流行や競合する勢力のような外的要因が複合して影響を及ぼすこともある。さし迫る大災害の脅威に社会が本腰を入れて対応するか、そしてどう対応するかはその文明の価値観次第であり、その価値観はローマ帝国の頭でっかちな構造のような社会経済構造と政治的指導力にどのように反映されているのか、私たちはいままさによりいっそう説得力のある事例をたぶん経験しつつあるのだ。歴史上初めて、私たちの科学的手法が十分に進歩した結果、全地球的でしかも人為的な気候変動の脅威を詳細に予測できるようになったが、それを軽減するまたはこの知識にしたがって行動することへの私たちの無力さ（または熱意のなさ）の大部分は、政治的な意思決定あるいはその欠如から来るものだ。

ウイグル帝国と旱魃

年輪年代学の最近の進歩は、環境の脅威に耐えてそれを克服する社会の対応が重要だと強調することに役立ってきた。人間の歴史の中で、文書記録が整っている時代の気候変動が正確に復元されたことで、私たちが必要とし考慮に値する、過去の人間と環境の相互作用に細心の注意を注ぎ込めるようになった。ホルゴの年輪年代はさらに年代を遡り、エイミーと彼女の共同研究者は、チンギス・ハーンが台頭する約450年前、ウイグル帝国が栄えた8世紀と9世紀のモンゴルの歴史でも初期の気候の時間的変化をうまく示すことができた。このために、彼らは、さらに3度のモンゴル高原への野外調査を組織し、ウイグル帝国の首都近くのウールガットの2ヶ所の溶岩流地帯などから試料を追加採集した。その結果、モンゴルの年輪年代は、現生木、立ち枯れ木、丸太から得たさらに多くの試料を加えて、いまでは共通紀元前688年まで2700年遡って拡張されている。拡張されたモンゴルの年輪年代から、共通紀元744年から840年までのウイグル帝国の勃興と滅亡を描いた、信頼性が高い旱魃記録の復元結果が明らかになった。

ウイグルは、中央アジアを支配していたトルコ人を740年に追放した草原の遊牧民だ。その経済は基本的に牧畜によっていたが、多様化・高度化し、ウイグル人は、中国、中央アジア、地中海地域との強力な交流と交易網を発達させることができた。権力を得るとすぐに、ウイグル族の指導者は、中国の唐の指導者との間で、自国の軍事力と馬と中国の絹を交換取引する共栄関係を構築した。このやり方で、ウイグル帝国は自身をシルクロードの主役の座に導き、西はカスピ海から東はモンゴルまでたちまち勢力を伸ばした。744年の建国から782年までのウイグル帝国時代の前半期は、温和でほどよく湿潤な状態が目立ち、ウイグルの馬の頭数、中国との絹の交易、高度化した牧畜経済に有益な結果をもたらした。しかし７８３年にこの好適な気候が崩れ、68年間の旱魃が訪れた。この旱魃は当初からウイグル帝国の組織を混乱させたが、帝国が完全に崩壊するのにさらにほぼ70年を要した。

旱魃が始まった頃にチベットとの戦争が起こり（７８９年〜７９２年）、それに続く７９５年から８０５年にわたる中国との馬－絹交易の中断*などの政治的不安定の時期が訪れた。やがて旱魃は激しさを増し、８０５年〜８１５年には最も乾燥した状態に達した。この激しい旱魃にもかかわらず、ウイグルは中国との交易関係をなんとか修復した。現代の中国の教科書から、８２９年には馬５７５０頭、８３０年には馬１万頭が計23万着の絹製衣服と取引された８２０年代後半、ウイグルと中国の交易が最高潮に達していたことが読みとれる。維持され、また強化もされたウイグルの交易は、長く続く気候的な負荷に直面する中での帝国の回復力を証明するものだ。経済多様化と４本柱——牧畜、農業、交易、兵役——のひとつから別のものに重点を移動させることによって、ウイグル帝国は、全世代に影響を及ぼした環境負荷による社会に対する思うに任せない影響をどうにか軽減させることができたのだった。

*この交易の中断が、馬の生産数の低下、軍隊での馬の需要の増加、干魃の下での馬の長距離輸送がますます難しくなったこと、あるいはこれらすべてが複合したことによるのかどうかははっきりしない。

しかし、最終的には過酷な旱魃が、発達したウイグルの経済にさえ、あまりにも厳しいものだったことが明らかになった。旱魃によって牧草と馬の生産が壊滅的な状態になったため、８３０年以後中国の絹が流入せず、ウイグルの経済を破綻させてしまった。経済の破綻の後、すぐに続いて政治的衝突が起こった。８３９年〜８４０年、豪雪と家畜の高い死亡率を伴ったゾドといわれる冬の破滅的な寒さがウイグル帝国に最終的な一撃を加えた。ゾドは年輪には記録されていない——もともと樹木は夏に成長するものだから——が、歴史記録からは家畜の大量死、感染症の蔓延、その年の冬を支配した飢饉が明らかになっている。ウイグル帝国の統治下にあったシベリア南部に住むキルギス族は、ウイグル帝国のこの危機的状況を反乱の好機と考えた。彼らはウイグル帝国に侵攻し、首都を破壊し、皇帝*を殺害し、1世紀になろうとするウイグル帝国による統治を終わらせた。ウイグル帝国衰退の直接の原因は——経済の危機、ゾド、キルギス——にあると長い間考えられてきたが、モンゴルの年輪年代からはこれらの事態が半世紀以上も続いた旱魃のあとに起きていたことが明らかになっている。過酷な旱魃が、中国との交易の中止だけではなく、839年～840年の破滅的なゾドに続いた経済的・政治的危機発生の一因になったのだ。

*または、チュルク語とモンゴル語でカガン。

クメール王朝崩壊をもたらした季節風

ウイグルの危機的状況が発生していた場所からざっと4000キロ南、同時に別の大国がアジア大陸南部で台頭していた。クメール王朝だ。現在のカンボジアにあるその王都アンコールの遺跡は、世界で最も感銘深く、また考古学的に重要な場所にあって、ユネスコの世界遺産に登録されている。1000年前、王都アンコールは四方に拡がる都市複合体で、広大な水資源制御都市だった。アンコールの都市中心部は、運河、排水溝、貯水池などの高度な水資源制御システムを通して近郊部の農地と広く網目状につながっていた。この水資源制御システムは、夏の季節風で降った雨をうまく農地に行き渡らせるように設計され、制御された面積はほぼ154平方キロに及んだ。ほとんどの年、夏の季節風が湿った大気と雨をインド洋から東南アジアに運び込んで、7月と8月に降雨最盛期をもたらした。水資源が制御された王都アンコールは、季節風による降雨が確実なものである限りはうまく適応できていたが、降雨状況の急速な変化に対しては脆弱性をさらけ出してしまった。

東南アジアにおける夏の季節風の変動の歴史とクメール王朝への影響を研究するために、コロンビア大学、ラモント・ドハティ地球観測研究所年輪研究室のブレンダン・バックリーとその共同研究者は珍しいイトスギの一種、ラオスヒノキ（*Fokienia hodginsii*、またはフッケンヒバ）をベトナムで採集した。他の多くの熱帯性の樹種と同じく、ラオスヒノキにも樹幹の不規則な成長が見られ、年輪の多くは樹幹の各部で欠損しているか、または間隔をおいて偽輪を伴っている。このような年輪の性質によって、この樹種のクロスデーティングは難しくなるものの、樹齢が長いことと旱魃をよく記録することから、たいへん価値があるのだ。標準的な2試料採集方式よりも多く、樹木ごとに7試料を採集し、クロスデーティングしなかった試料を廃棄し、ブレンダンはクメール王朝期の夏の季節風の変動を捉えた750年超のラオスヒノキの年輪年代をなんとかつくり上げた。

ブレンダンによる季節風の変化がもたらした旱魃の復元（1250年〜2008年）から、東南アジアの夏の季節風は、15世紀の王都アンコールの陥落に至る数十年間、たいへん不安定だったことが明らかになっている（図17）。突発的で激しい季節風がもたらした洪水によって旱魃はときどき中断されたが、14世紀中頃から後半にかけての異常に弱い夏の季節風は、およそ35年間に及ぶ旱魃を招いた（1340年〜1375年）。ローマ帝国の場合で見たように、このような旱魃から洪水、またはその逆とい

南アジアの巨大旱魃
1250–2008CE

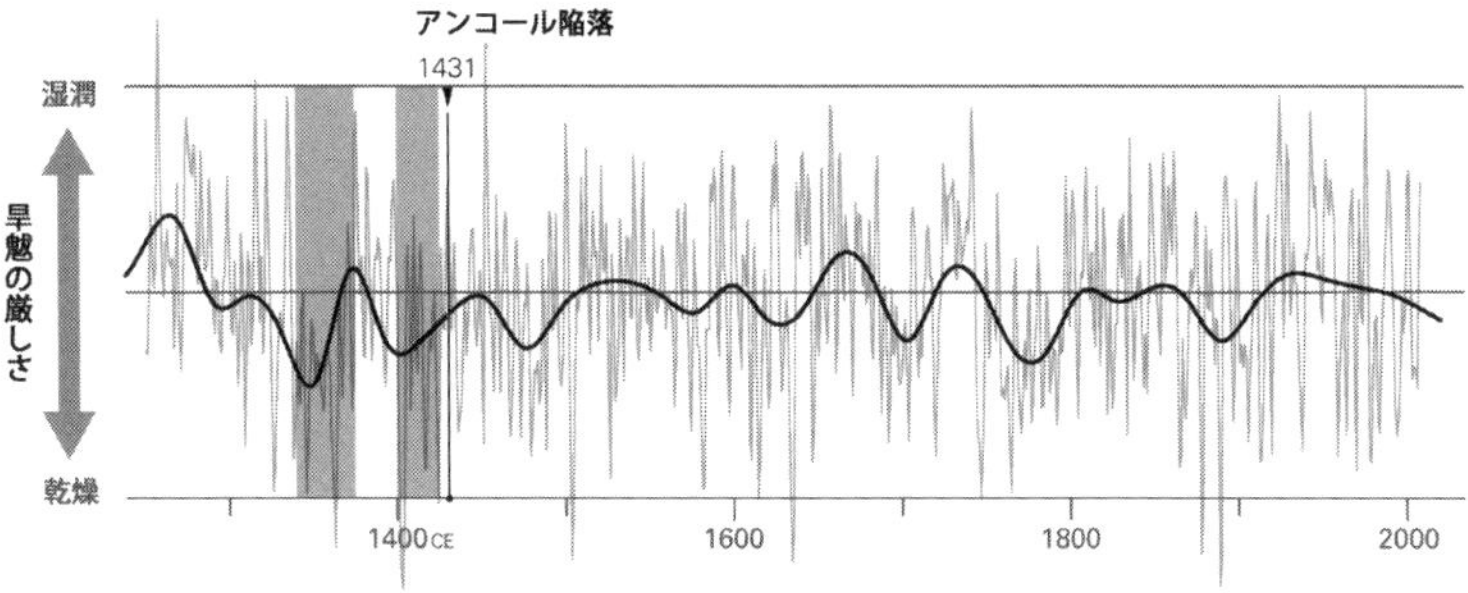

図17　東アジアの夏の季節風はアンコール陥落に続く数十年の間、たいへん不安定になった。14世紀中頃に起きた約35年間の旱魃は強い季節風による洪水でときどき中断したが、15世紀初めには、より短期だがときにはもっと激しい旱魃が続いた。アンコールの水資源管理のための社会基盤は、このような旱魃から洪水、またはその逆の目まぐるしい変化を制御するには適していなかった。

う激しい移り変わりに対しては社会の対応の仕方が難しい。結局のところ、王都アンコールの精巧につくられた有名な水資源制御システムは、突発的で、激しい季節風による洪水で崩壊してしまった。その規模と複雑さのために、アンコールの水資源制御の社会経済基盤は取り扱いにくく、改造するのが難しかった。水資源制御の社会経済基盤は14世紀の季節風の不安定さに対応するには向いていなかった。

アンコールの水資源制御システムが損傷を被った証拠が存在するのだが、それは年輪年代学によるのではなく、驚くべきことに古さ６５０年の木の葉だった。繊細な木の葉がアンコールの主要運河のひとつにあった堆積物から発見され、炭素同位体年代測定によって、その木の葉の年代は14世紀後半のものとされた。落ち葉が大量に見つかったことから、アンコール陥落時には、周囲の地域から侵食された洪水堆積物で運河が埋めたてられていたことがうかがえる。土砂などが堆積したことによって、水源地域からアンコールの都市中心部への運河による灌漑用水の供給が止まってしまったのだろう。季節風による突発的な洪水で、周囲の農地が灌漑用水と洪水の制御を最も必要とした35年間の旱魃期のちょうど中頃に、アンコールの水資源制御システムの経済基盤は大打撃を受けてしまったようだ。

王都アンコールでの14世紀の季節風については他との関連においても議論が行われた。この場合も、激化の度を増す隣接するアユタヤ王朝との戦争などの社会経済的・地政学的混乱が気候的難局に付随して起きたのだ。季節風の変化が原因となった14世紀の旱魃に続いて、15世紀初めには短期間だが、ときにはさらに激しい旱魃が起きた。王都アンコールは相次ぐ気候不順、社会経済の悪化、政治的混乱という末期的な悪循環によって決定的に弱体化したことが明らかになり、１４３１年ついに陥落した。その寺院群、アンコールワットだけが世界最大の宗教的記念建造物でもある仏教修道院として今日まで存続している。

風土病「ココリツトリ」と旱魃

年輪年代学は、その長期暦の終焉によって示される8世紀から10世紀のマヤ文明の古典期末期での衰退とその原因にも光を当てた。マヤ文明は、その古典期（およそ共通紀元２５０年~９５０年）には世界で最も進んだ社会のひとつだった。豪勢な美術品と建築物で美しく飾られた彼らの広大な都市は、日常生活と珍しい出来事を象形文字で記録する数百万の人びとが暮らすところだった。彼らは長期暦を使って、マヤの創世神話では３０００年以上も前の世界誕生のときからの経過日数を数えて日付を認識していた。* マヤの文字記録の多くは、16世紀のスペインによる征服を生き延びることはできなかったが、数々の建物や記念碑の碑文はいまなお見ることができて、解読も可能だ。マヤの人びとが新しい建物にも刻み込んだ、最古のものでは共通紀元197年に遡る暦の日付が見つかった。しかし、古典期末期（およそ共通紀元750年～950年）の間、マヤの都市は、ひとつずつに日付が入った記念碑の建立を中止してしまった。チアパス州のトニナで見つかり、保全されている最後のマヤの長期暦の日付は909年だ。

＊グレゴリオ暦によると、天地創造のときは共通紀元前3114年8月31日だ。

700年に及ぶ長期暦の終了は突然だったようだが、じつはマヤ社会は時間をかけて分裂していった。マヤ社会の崩壊は予期できなかったことではなく、また完全な終焉となったわけでもなかった。マヤの住民は古典期末期に90ないし99％が死亡したと推定されている。しかし、スペイン人が16世紀にマヤに襲来し、さらに人口の大量減少を招いたときでも、数十万のマヤの人びとがなお生き残ってこの2度目となった、暗黒の日々さえもマヤの社会は最終的にはなんとか生き抜いた。その次の何世紀にもわたってマヤの人びとは生き延び続け、そして今日ではメソアメリカのマヤ人の人口は600万人か700万人にまで回復している。しかし、古典期末期での王の不在と長期暦の欠如に加えて、人口の大量減少とマヤの制度の崩壊がもたらした壊滅的な打撃を否定することはできない。

マヤ文明の崩壊の正確な原因はさまざまに議論されているが、気候変動が重要な役割を果たしたという仮説は1世紀以上も古くからある。この仮説を最初に唱えたのはイェール大学の地理学の教授だったエルズワース・ハンティントンと、同時代人のA・E・ダグラスだった。科学的な人種差別主義、植民地主義、優生学の問題があって、18世紀のこの仮説は20世紀初期には支持をすでにほとんど失ってしまっていたけれど、ハンティントンは気候決定論的な考えをひどくぞんざいに扱った。それでもハンティントンはメソアメリカの多雨が古典期末期のマヤ文明の衰退を誘発したと推定し、カリフォルニアで得たセコイアの年輪データに基づく、欠陥を含んだ仮説を発表した。ハンティントンは、ユカタン半島での気候変化がカリフォルニアの気候と逆相関するという仮説を提案している。ユカタン半島が乾燥しているときは、カリフォルニアは多湿で、またその逆もありうるというものだ。つまり、ハンティントンの考えによると、カリフォルニアの年輪データに記録されている10世紀の旱魃はユカタン半島の多雨に対応することになる。

年輪データを使って古典期末期を研究しようとしたハンティントンの着想は優れたものだったが、その調査はお粗末なものだった。遠く離れたカリフォルニアの年輪や気候の遠隔相関を想定するのではなく、千年紀クラスの樹齢を持ったメソアメリカの樹木を使えばはっきりしたことを明らかにできたはずだ。先コロンブス期の歴史を研究するのに適した、十分に遡ったメソアメリカの年輪年代はほとんどない。なぜならメソアメリカの景観の多くは、樹木が伐採されて以後、長らく開拓が進んでしまっていたので、年輪年代学研究は３００年から４００年よりも古くには拡張できないのが一般的だ。しかし、メキシコ、ドゥランゴ市のメキシコ国立農畜産林業研究所（ＩＮＩＦＡＰ）のホセ・ビラヌエバ・ディアスとアーカンソー大学のデーブ・ステールが、メキシコシティの約80キロ北の険しいアメアルコ渓谷（訳註：メキシコ南部ケレタロ州）で、数世紀にわたって人為的な森林破壊を免れたメキシコ落羽松（*Taxodium mucronatum*）の木立を発見した。皮肉にも、メキシコ落羽松は、ある意味でかつて調査に使われていればハンティントンを正しい方向に導いていたかもしれないセコイアと類縁関係にあるのだ。

メキシコ落羽松はメキシコの国樹で、樹齢1000年に達するメソアメリカで唯一の樹種だ。オアハカのメキシコ落羽松の木は樹幹が直径11・43メートルで、樹幹の円周が世界最大の樹木だ。アメアルコ渓谷の樹木は直径が4・2メートルで、ずんぐりとはしていないが、それでもメキシコ落羽松からはメキシコ中部での過去の旱魃を記録した1238年の長さの年輪年代が得られる。アメアルコ渓谷の年輪年代（771年〜2008年）には少なくとも4度の旱魃が記録されている。最初の旱魃は古典期末期に25年間（897年〜922年）続いた。年輪年代は古典期末期の旱魃発生時期を年レベルまで狭め、ハンティントンが推定した多雨ではなく、10世紀の旱魃でこの地域の住民が苦しめられたことを示している。年輪年代からは、旱魃がユカタン半島地域からメキシコ中部の高原地帯へと広い範囲に拡大していったこともわかる。年輪は、あとから起きた2度の旱魃がそれぞれ、トルテカ王国（1149年〜1167年）の滅亡と、アステカ王国（1514年〜1521年）の16世紀のスペイン人による征服の時期に一致することも記録していた。

古典期の初めの頃の旱魃と同じく、16世紀の旱魃は、現代科学と一般メディアの双方から詳しく調べられたメキシコの大規模な人口減少と同時に起きている。ヨーロッパ人侵入後1世紀の間に、アステカ王国の住民の80〜90％が死亡したと推定されている。ヨーロッパ人とアフリカ人の征服者が持ち込んだ天然痘やはしかなどの感染症の流行も、16世紀に起きた人口の大激減の要因だったが、最大の原因は、「悪疫」を意味するココリッツトリとアステカの人びとが名付けた風土病（訳註：最近の研究では、ヨーロッパ由来の腸チフスに似た腸熱だった可能性が高いとされている）だった。ココリッツトリは、ヨーロッパ人、アステカ人の医師ともに未知の出血性熱病だった。ココリッツトリは、エボラ出血熱やマールブルグ病に似てウイルス感染した可能性が高く、免疫を持っていたスペイン人にはほとんど感染しなかったが、一連の風土病の中でアステカの人びとの間で猛威をふるった。スペイン人によるアステカ王国征服の24年後、１５４５年にココリッツトリの最初の流行が始まり、メキシコ盆地だけでも80万人が死亡した。さらに大規模なココリッツトリの流行が１５７６年に始まり、アステカ王国の残りの住民の45％が死亡するという結果を招いた。

16世紀における感染症の2度にわたる流行は、１５４０年から１６２５年にかけて続き、もう少しで1世紀に及ぶところだった。旱魃の間に感染症が発生し、メキシコ中部からアメリカを経て、カナダ北極海沿岸にまで拡大した。アメアルコ渓谷の年輪年代を詳しく見ると、１５４５年と１５７６年のココリッツトリの流行は、長く続いた旱魃期を一時的に中断させた短期間の多湿の間に始まったことがわかる。古典期末期と16世紀での旱魃、そしてそれぞれでの壊滅的な人口減少との間の発生時期の類似性が際立っている。これらのことは、出血性熱病の流行が、16世紀のメソアメリカでの人口減少だけではなく、古典期末期でのマヤ帝国の滅亡にも関係していた可能性があることを意味している。乾燥と湿潤が交互するような気候は、それ以外にも、１９９０年代のアメリカ南西部で起きたハンタウイルス肺症候群の流行のような感染症の拡大に関係した。同じことは、マラリアの発生とローマ帝国滅亡の間の気候的なつながりでもいえることだ。

ビラヌエバ・ディアスやステールとの共同研究以後、アラバマ大学のマット・テレルとメキシコ国立自治大学のロドルフォ・アクーナ＝ソトはアメアルコ渓谷の年輪年代を拡大し、その結果いまではメキシコの年輪研究データベースはベイマツ（註：マツ科トガサワラ属の樹木。別名、ダグラスモミ。*Pseudotsuga menziesli*）とメキシコ落羽松による30以上の年輪年代を含むまでになっている。このデータベースは、スペイン人による征服以前のアステカ王国のある種の信仰の信憑性を検証するのに使われた。アステカの住民は迷信を信じる人びとだ。彼らは民間伝承を固く守り、神のお告げや呪いを信じた。そのお告げの中で、ほぼ間違いなく最も忌まわしいのは「ウサギの呪い」だ。それは、52年でひとまわりするアステカ暦の最初の年であるウサギの年ごとに飢饉と荒廃が起きることを予言するものだ。「ウサギの呪い」の信憑性を検証するために、研究者たちは、年輪を使って復元されたウサギ年の前、途中、後の旱魃の有無を調べた。するとなんということか、記録の上では（882年～1558年）、スペイン人による征服以前の13回中の10回ものウサギ年の前年に厳しい旱魃が発生していたことに研究者たちは気づいたのだ。例えば、広く知られている1454年のウサギ年の飢饉に先立って、旱魃と作物の不作が起きた可能性を示す平均値以下の幅の年輪が2年間にわたって見られた。アステカの人びとは、ウサギ年が飢饉と不幸に関係していることに気づいていたが、彼らの不幸の元凶はアステカ時代とともに終わった。共通紀元1558年以後とスペイン人による征服後の8度のウサギ年が狭い年輪幅、つまり旱魃に先行したものはない。ココリツトリはアステカ人を滅ぼしただけではなく、ウサギも一掃したようだ。

第13章　アメリカ南西部の古代遺跡と巨大旱魃

アメリカ南西部の古代史研究

私がツーソンに移った2年後、アリゾナ大学年輪研究室にあった私の根城は、アリゾナ大学フットボールスタジアムの屋根なし観覧席の下の「一時的な」場所での75年を経て、キャンパス内の新しく、特別にデザインされた建物に移った。その75年の間に、年輪研究室の年輪試料のコレクションは指数関数的に増え、フットボールスタジアム下の部屋では壁の継ぎ目に隙間ができつつあった。5年後のこの本を執筆しているときも、なお私たちは70万点以上の標本コレクションの移設の最中だ。

そのうち、40万点の標本がアメリカ南西部の年輪年代学研究用のコレクションだ。共通紀元171年にまで遡る最も古い試料と1972年の最新のクッキー試料とがあり、このコレクションは1800年の長さに及ぶアメリカ合衆国南西部の歴史を物語るものだ。年輪試料から、古代プエブロ人*の生活様式の複雑な細部、彼らが生活してきた気候条件、そしてその2つがどう関わり合っているのかが私たちに伝わってくる。産業革命前のほとんどの文明と同じく、古代プエブロ人も建築用材に、工芸品の製作に、調理に、暖房にふんだんに、そして一貫して木材を利用した。コロラド州、ニューメキシコ州、アリゾナ州、ユタ州のフォー・コーナーズ地域の寒冷な草原環境では、時間が経ってもそうした木材の多くが保存されている。

＊古代プエブロ人の考古学上の文化は長らくアナサジ文化とみなされてきた。「われらの敵の祖先」を意味するアナサジという言葉は共通紀元１４００年頃にフォー・コーナーズ地域に移住したティン（ナバホ）族の人びとが導入した。現在のプエブロ文化に配慮して、私は古代プエブロ人という言葉を使う。

ダグラスによる１９２９年の年輪年代決定法発見より前では、フォー・コーナーズ地域にある古代プエブロ人の遺跡の年代はほとんどわかっていなかった。考古学者は、現在ではコロラド州南部のメサ・ヴェルデ国立公園やニューメキシコ州北部のチャコ文化国立歴史公園などとして保存されているプエブロ人の祖先と岩窟生活の年代を検討した。例えば、１９２２年、チャコ渓谷での考古学調査業務の責任者は、プエブロ・ボニート複合遺跡は「およそ８００年か１２００年前」＊には人が住んでいたと推定した。しかし、ダグラスがチャコ渓谷で最も新しい年輪の年代を共通紀元１１３２年と測定したことによって、アメリカ南西部の考古学と人類学の世界を大きく変えることになる年代学の大問題が世に現れたのだった。

＊ニール・M・ジャッド、「ナショナルジオグラフィックによるプエブロ・ボニート複合遺跡の探検」、『ナショナルジオグラフィック』、41巻、3号（１９２２年）、３２３頁。

年代測定のためにＬＴＲＲに送られる古代プエブロ人の考古学上の木材試料の大半は、燃えた建物の一部か、暖炉での調理や暖房の設備が炭化した遺物だ。炭化木材は、ほとんど全体が炭素でできているので、通常の木材よりもよく保存される可能性が高い。つまり炭化木材には、昆虫や菌類が好み、木材が土中に埋積されると分解されてしまうセルロースと糖類が含まれていない。木材のもともとの構造の特徴は黒焦げになっても保存され、炭化木材の破片からでも、早材と晩材、そして樹種の識別に使えることもある樹脂導管などの解剖学上の明確な特徴も示す、はっきりした年輪を読み取ることができる。炭化木材片をうまくクロスデーティングするには、これらの明瞭な年輪が十分に見えることが必要だ。もし炭化木材片が小さいか、暖炉で見つかるような炭化木片がしばしばそうであるように、成長が速く、年輪幅が広い樹木に由来している炭化木片ならば、それにはせいぜい20層かそれ以下の年輪しか見られない。これでは、炭化木片の年輪パターンを参考年輪パターン内のひとつの年輪に正確に照合して、炭化木片の年代を決めるには不十分だ。連続年輪がこのように短いため、LTRRに収蔵されているアメリカ南西部の考古試料で年代決定されているのは全体のわずか約40%にすぎない。

それでも、アメリカ南西部から出土した炭化木材で、LTRRで年輪年代が決定された試料の数は年とともに着実に増えてきたといっていいだろう。同僚のロン・タウナーによると、LTRRの収蔵品リストでは年代測定された炭化木材試料が10万点を超えるという。それらの試料の多くは、点数こそ少ないが木製の梁に由来する炭化していない木材考古試料によって補完されている。ずっと地上に残されたままだった木製の梁が、炭化木材と同じく、木材を分解する微生物から逃れ、1000年以上も保存されることもある。炭化木材試料と木材試料を組み合わせることによって、古代プエブロ文化の年代と環境が明らかになるのだ。

建築資材の年代と調達場所をつきとめる

チャコ文化国立歴史公園のチャコ渓谷は、古代プエブロ文化の防御壁のひとつだった。チャコ渓谷は延長約40キロ、幅1・6キロの規模で、その両側の壁には大型、複数階層の町が並んでいる。9世紀中頃から12世紀中頃にかけて、チャコ渓谷は文化、政治、商業の主要な中心拠点だった。地域と文化の拠点としての役割は、12のグレート・ハウスと、もっと多くの宗教儀式、政治的な集会、共同体の集会に使われたキバとよばれる地下の円形の部屋からなる建築物で維持されていた。チャコ渓谷で、最も大きく、最もよく調べられたグレート・ハウスは、プエブロ・ボニート複合遺跡で、広さ2エーカー（訳註：2エーカーは約8100平方メートル）、4層構造で、650以上の部屋があった。チャコ渓谷の町の宗教儀式の中心になる建物の建築には20万以上の材木が必要だったと推定されている。チャコ渓谷の人びとは、そのグレート・ハウスとキバの屋根を葺くために、そして石造壁の内側の連結角材、支柱として材木を使った。小型の材木は、屋根葺きと床張り、また窓の上の横木、敷居に使われた。

現在、チャコ渓谷を訪れるには歩いて行く必要がある。チャコ渓谷は、ニューメキシコ北西部の辺鄙なところにあって、アルバカーキかサンタフェからチャコ渓谷への3時間のドライブの間、この荒涼とした景色の中にいったい誰が定住しようと思ったのかと不思議に思わずにはいられないだろう。ホテルはないが、廃墟がたくさんある渓谷の岩壁の向こうで日の出と日の入りを見ようとひと晩を過ごしたいなら、キャンプ場がある。チャコ渓谷には樹木がほとんど生えていないから、自前で薪を持ってくる必要がある。ピニオンパイン（訳註：アメリカ中南部に分布するマツ科の植物。*Pinus edulis*）とビャクシンの疎林、発育不良のポンデローサマツとベイマツがところどころにあるが、薪を手に入れるのは難しい。これがチャコ渓谷の昔から変わらない風景だ。マツ類、トウヒ類、モミ類の大きな樹木は、1万2000年前の更新世末期以後、ほとんど姿を消してしまった。

11世紀初期まで、チャコ渓谷の人口密度は低く、人びとは建築用には主に地元産の木材資源に頼っていた——ピニオンパイン、ビャクシン、ポプラなど——。しかし居住範囲が大きくなるにつれて、グレート・ハウスや大きなキバがどんどん建てられ、渓谷周辺の節だらけの小さな木では壮大な建築物に必要な長くてまっすぐな屋根材には使えなかった。チャコ渓谷でこの条件に適した数少ないポンデローサマツとベイマツは、チャコ渓谷の開拓の初期に伐採されてしまっていた。そのため、11世紀の中頃には、チャコ渓谷の住民は周辺の山岳地域から木材を入手せざるをえなくなった。チャコ渓谷の木材が遠方に由来することは、渓谷それ自身での1世紀以上にわたる考古学的発掘を通して石斧（樹木伐採の主な道具）の出土が少ないことで裏付けられている。対照的に周辺の山岳地域からは斧やナタがたくさん出土している。

もっとはっきりしたチャコ渓谷の材木の供給源の証拠が木材産地推定法によって明らかにされた。LTRRの試料保管室所蔵のアメリカ南西部の考古試料の木材のほとんどは、年輪幅の実測をせずに、目視観察によってクロスデーティングが行われている。ロン・タウナーとその共同研究者は、南西部の年輪年代学での幅狭い年輪と幅広い年輪の数世紀に及ぶ繰り返し（モールス信号）を暗記していた。彼らは年輪パターンを見ただけで炭化木材の年代を決定できることがたびたびあった。並外れたアメリカ南西部の年輪年代学研究者であり、LTRRの同僚のジェフ・ディーンは、アメリカ南西部の試料で頼りになる年輪の特徴は1250年代の年輪にあると私に言うのだ。1251年、1254年、1258年の年輪はたいてい幅が狭く、1259年の年輪は幅が広い。ジェフがこの特徴を年代未決定の試料で見つけたら、そこから彼は仕事を始めるだろう。作業に取りかかると、彼は他の年輪パターンの合致も見つけることができるのだ。この手法を使って、ジェフとロンとその共同研究者たちは、10万点以上の南西部の試料の過去90年の年輪年代を決定できた。一方、チャコ渓谷の材木の産地を決めようと、LTR

Rの博士課程院生、クリス・ギターマンはチャコ渓谷のグレート・ハウスの170の梁の一部について年輪幅を測定した。それは目視によるクロスデーティングよりもずっと骨の折れる作業だった。それから、彼は梁に見られた年輪幅パターンを、チャコ渓谷周辺の山地で木材産地の可能性がある8つの伐採地域から得た年輪年代の年輪幅のパターンと比較した。彼は、測定したチャコ渓谷の木材の70%がチャコ渓谷の西に80キロ離れたチャスカ山地と、南に80キロ離れたズニ山地に由来していることを発見した。

チャスカ山地とズニ山地の斜面は、グレート・ハウスやキバの建設に必要な長くてまっすぐな梁をつくれる大型の混合針葉樹に覆われている。トウヒ類、モミ類、マツ類のまっすぐな木材を伐採するために、チャコ渓谷の人びとは渓谷から80キロの道のりを往復したのだ。彼らには運搬用の荷車も馬もなく、大きな樹木を伐採するための主な道具は前に述べた手持ちサイズの石斧だけで、伐採に膨大な時間と労力がかかったことは想像に難くない。チャスカ山地からチャコ渓谷まで1本の材木を引きずってくるには100パーソンアワー（訳註：1人が1時間に成し遂げられる仕事の量）、プエブロ・ボニート複合遺跡のような最大クラスのグレート・ハウスを建設するには2000パーソン-トリップ（訳註：人間ひとりが、ある場所から他の場所に移動する量）以上が必要だった。しかし、それでもチャコ渓谷の人びとは文化的大都市を建設するために、何万もの材木を運び込むことを止めなかった。

クリスはさらに、需要が大きかった樹木の供給地の驚くべき変化を発見した。およそ1020年以前では、材木の大多数はズニ山地から運び込まれていた。50年も経たないうちに、チャスカ山地が主要伐採地域としてズニ山地を上回った。このチャスカ山地からズニ山地への移行は、11世紀中盤にチャコ渓谷が存在感を増し始めたことに一致する。それに伴って、11世紀中期の建設ラッシュの間に、7つのグレート・ハウス――チャコ渓谷での総数の半分にあたる――が新たに建設され、最も見事なグレート・

ハウスが拡張された。

建築資材を探し求め、壮大なグレート・ハウスを建設することに精力を注いだチャコ渓谷の人びとの超人的努力にもかかわらず、彼らがその建物を使ったのは非常に短い期間でしかなかった。11世紀中頃の最盛期のわずか１００年後には、チャコ渓谷はすっかりさびれてしまっていた。ズニ山地やチャスカ山地から大量の梁材を運び込んでいたわずか10年ほど後には、チャコ渓谷の住民は荷物をまとめて出て行ってしまった。１００万パーソンアワー以上の負担を要した、スペインによる征服以前の北アメリカ最大の建築物をつくりながら、彼らはわずか数世代でチャコ渓谷に住むのを放棄してしまったのだ。

同じような話は、アメリカ南西部の古代プエブロ文化すべてで知られている。例えば、13世紀後半につくられたカイエンタの建築物、ベタタキン遺跡の岩窟住居は、40年間しか居住に使用されなかった。投資に対するこの短い期間の利益についてロン・タウナーに訊ねたところ、年輪年代学が年代決定の次にアメリカ南西部の考古学研究にもたらしたおそらく最大の新事実は、大半の古代プエブロ人の居住はほんの束の間にすぎなかったことだと彼は答えた。ロンが言ったように、これらの構造物が８００年間そこにあったからといって、８００年間そこに住んでいたわけではないことに人びとが気づいたのは、年輪年代学が登場してからのことだ。

建築ブームと大規模旱魃

こうした居住が短期間でしかなかったことから、古代プエブロ文化では集団移動性が特徴的だったと結論できる。もし、21世紀の古代プエブロ人の子孫にチャコ渓谷の過疎化を訊ねても、彼らは驚かないだろう。そこを離れるときが来た、それだけだ。その複雑な組織や社会とともに、チャコ渓谷での実験的生活を放棄するときだったのだ。チャコ渓谷の人びとは、各地域に分散し、ずっと小さく、短期間しか居住できない建築物と、儀式張らずに、一点集中しないグループをつくって、より移動性が大きい生活様式に戻った。

チャコ渓谷の繁栄と衰退は、私たちが理解している古代プエブロ文化に固有な人口変動サイクルの典型的な事例になる。古代プエブロ人は分散して住んでおり、居住できそうな新しい定住地と新しい組織の形態を探す、長い探索の時期からそのサイクルが始まる。探索に成功した者もいて、その結果、探索者が定住し、農業とグレート・ハウスやキバの建設に精力を注ぎ込めるようになって、探索の時期が次第に開拓の段階に移り変わる。やがて開拓段階の次には、成功を収めた集団の比較的急速な分裂が起こり、そのあとには緩やかな探索段階とともに新しいサイクルが始まる。ひとつのサイクル全体には1～2世紀を要し、そのあと再びサイクルが始まるのだ。

社会の拡大と縮小に見られる人口変動は、はっきりと年輪記録に表れる。コロラド州南西部にあるクロウ・キャニオン考古学研究センターに属するコンピューター人類学者、カイル・ボチンスキーとその共同研究者は、フォー・コーナーズ地域の1000以上の考古遺跡から得た共通紀元500年から1400年までの3万件もの樹木伐採日のデータをまとめた。年間どのくらいの数の樹木が伐採されたかを一覧表にしてみると（ヨーロッパ中央部のローマ時代の木材に対して私たちが行ったのと似た作業）、伐採が比較的短い期間で隔てられた、明確な伐採増加のピークが4回あることに気づいて、彼らは驚いた（図18）。ピークは開拓段階での建設ブームの結果であり、これに対してピークの間の伐採数が減少している期間は、建築が減った探索時期に対応したものだった。ボチンスキーたちは、約1世紀にわたって続くそれぞれの開拓段階でのピークが、時間が経つとゆっくりと伐採数が増加する探索時期のあと

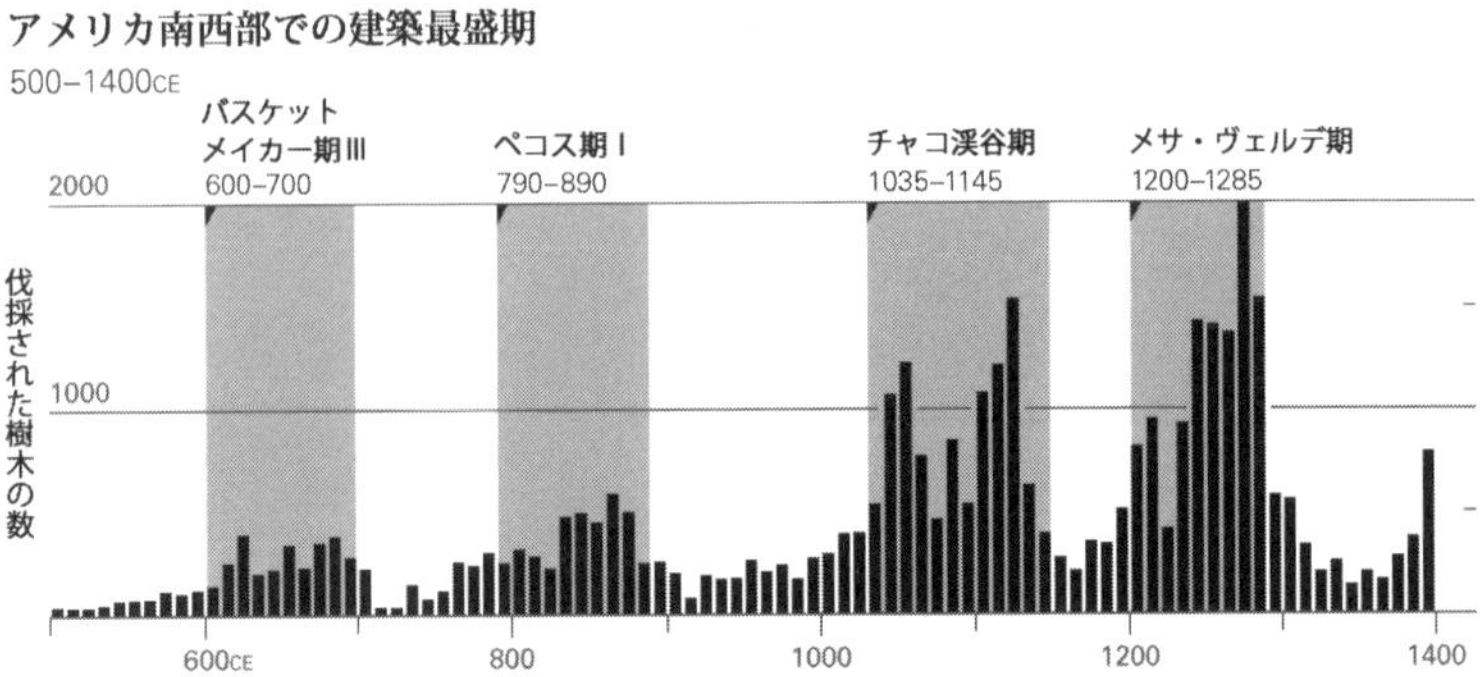

図18　共通紀元500年から1400年までのフォー・コーナーズ地域での約３万本の樹木の伐採時期の比較から、明瞭な建築ラッシュの４つのピークを見出すことができる。それぞれのピークは約1世紀にわたって続き、樹木伐採の急激な減少で終わった。

に続いて発生し、伐採数の急激な減少とともに終わっていることに気づいた。古代プエブロ文化の記録にボチンスキーが発見した４つの建築ラッシュのピークは、共通紀元６００年～７００年、７９０年～８９０年、１０３５年～１１４５年（チャコ渓谷文化の隆盛）、１２００年～１２８５年だった。樹木伐採のメサ・ヴェルデ・ピークとよばれるこの最終のピークは、13世紀のメサ・ヴェルデ文化とカイエンタ文化が隆盛だった時期に対応する。

　しかし、それ以前の建設ラッシュのピークとは違って、１２８５年のメサ・ヴェルデ・ピークのあとには、樹木伐採数が時間とともに増加していく探索時期が見られない。むしろ、樹木伐採の数は１２８５年のあとは減少しており、回復しなかった。１２８５年の破滅的な出来事は最も劇的なものであったらしい。チャコ渓谷文化など以前の文化では、人びとが定住地を離れて、各地に移動して人口変動サイクルが終わっている。しかしメサ・ヴェルデ文化は、完全にフォー・コーナーズ地域から移動してしまって戻ってこなかった。古代プエブロ人社会を特徴付ける移住と定住のサイクルは、人口密度が低く、探索して、そこに居住できる無人の地域が存在する間でのみ持続可能なのだった。しかし13世紀後半には、その地域のほとんどが人びとであふれ、メサ・ヴェルデの住民がそこを離れなければならなくなったとき、残された唯一の選択肢は、かつて放棄した土地に戻って再び住むか、南に向かって移動するかであった。メサ・ヴェルデの住民は南に向かい、モゴロン・リム地域と、現在のニューメキシコ州にあるサン・ホワン盆地に移動した。メサ・ヴェルデの古代プエブロ人は１２８５年以後、消滅したわけではなかった。古代プエブロ人と文化は、アメリカ南西部の社会と融合し、今日その子孫が、ニューメキシコ州でホピ族とズニ・プエブロ族として暮らしている。彼らは宗教儀式のために彼らの祖先の住居を訪れているのだ。

メサ・ヴェルデ期での住民の突然の集団移動の原因は、人口密度の上昇だけではないのだ。天然資源の過剰開発とともに人口過密状態が訪れ、これはアメリカ南西部の脆弱な環境にとっては決定的に有害だった。フォー・コーナーズ地域の乾燥した環境では水資源と樹木は貧弱で、そして何世紀にもわたってほとんどがはげ山だったチャコ渓谷のポンデローサマツとベイマツの場合で明らかになったように、これらの資源は簡単に過剰開発されてしまうのだ。チャコ文化国立歴史公園へのドライブ途中の荒れ果てた風景は、１０００年前に起きた過剰開発の無言の目撃者だ。

アメリカ南西部から３２００キロも隔たった３００年前のマヤ文明の滅亡のように、フォー・コーナーズ地域の過剰開発はそれ単独で起きたことではなかった。むしろそれは、１１３０年代にチャコ渓谷文化、１２８０年代にカイエンタ文化とメサ・ヴェルデ文化を襲った過酷で慢性的な旱魃の発生が重なっていたのだ。20年、30年、あるいは50年も続くような巨大旱魃で乾いた土地が拡がると、灌漑農業ができなくなってしまい、2、3年ならまだしも、旱魃が10年も続けば食料備蓄が底をつく。こうした巨大旱魃は、１９３０年代のダストボウル（訳註：アメリカ中西部で発生した旱魃と砂嵐）や、１９７０

年代と1980年代のサヘル旱魃（訳註：サハラ砂漠南縁で発生した大旱魃）のときでさえも見たことがないようなものだった。人口密度が低く、植生が乏しくない社会なら、そのような困難な状況に対処する手段を見つけ出せたかもしれないが、人口密度が高く、開拓が進んだ土地に住むカイエンタやメサ・ヴェルデの人びとは移住してゆくより他に手だてがなかったのだ。

大規模旱魃が起きたのは夏か？　冬か？

このような巨大旱魃を私たちはどのようにして知りえたのか。もちろん年輪からだ。13世紀後期のメサ・ヴェルデの巨大旱魃は、まさしく年輪年代学の創設以来の研究課題の一つだった。1935年に、ダグラスはこう書いている。「1276年から1299年までの日照りは1200年の記録の中では最も過酷なもので、古代プエブロ人の幸福な生活の大混乱に関係していたことは疑いない」。第1章で紹介したように、ダグラスは、フォー・コーナーズ地域全体に及ぶ考古遺跡の確実な年輪年代学的年代を明らかにした最初の人物だった。ダグラスは試料採集と、現生木の年代と年代不詳（相対的にはわかっているが、数値年代が確実ではない）の考古試料の年輪年代の不連続を埋めるために、無数の年輪のクロスデーティングに15年近くを費やしてきた。1929年、ダグラスは試料HH-39を使って、2つの年輪年代の間にある不連続期間を連結させた。不連続部分は、ダグラスが命名した「大旱魃」のちょうど真っ最中の1286年に集中していた（**図1参照**）。彼がこの不連続部分を連結するのにそんなに長い時間がかかったのには2つの理由がある。ひとつは、ちょうどその頃、メサ・ヴェルデやカイエンタなど、フォー・コーナーズ地域の古代プエブロ文化遺跡の多くが放棄され、そのため採集可能で、分析に使える木の考古試料の量が大きく減少したためだ。また同時に発生した13世紀後半のメサ・ヴェルデの巨大旱魃も不連続の一因となった。13世紀後半の年代決定に利用可能な少数の試料には、クロスデーティングによる年代の決定を大きく妨げる欠損輪や微細な年輪が多く見られた。１９２９年11月のナショナルジオグラフィック誌のダグラスの一文、「話し好きな年輪が打ち明けたアメリカ南西部の秘密」で、彼は、試料ＨＨ-39中の「年輪を樹芯に向かって内側にたどっていくと、大きな旱魃の記録が読み取れる」とジェフ・ディーンが述べた１２５０年代の年輪の特性も含んだ13世紀後半の年輪の重なり具合を記載した。そこには、樹木が耐えた１２９９年と１２９５年の厳しい状況を物語るたいへん微細な年輪があったのだ。樹芯に向かってさらに検討を進めていくと、１２８８年、１２８６年、１２８３年、１２８０年の年輪のそれぞれからも、別の梁材から私たちが見つけた凶作と生活難に苦しんだ年と同じ状況を読み取ることができた。また、１２７８年、１２７６年、１２７５年という、他の試料から読み取った記録がこれらの年の年輪で裏付けられる年もあった……困難が多かった１２５８年の、そしてもっと苦しかった１２５４年の年輪記録もあった。現在では、年輪記録が「自分はなんと乾燥しているのだ」と樹木すべてが泣いていた１２５１年と１２４７年のことを教えてくれる。

メサ・ヴェルデやその他の居住地の放棄は、大旱魃に関係したのだとしたダグラスの仮説は最初、批判を受けた。アメリカ南西部の考古学者は、ダグラスのいうポンデローサマツはもともと冬の湿度に敏感だが、古代プエブロ人の主作物であるトウモロコシは夏に生育することにすぐに指摘した。アメリカ南西部地域の年間降水量の半分を賄う夏のモンスーン気候下では、夏に農業ができる。冬の、あるいは夏の旱魃の問題に取り組むために、アメアルコ峡谷のメキシコ落羽松の林とノースカロライナ州の古い落羽松の発見にも関係していたデーブ・ステールは、アメリカ南西部の年輪群で早材と晩材の幅を別々に測定しようというアイデアを思いついた。彼は、アメリカ南西部の樹木の中には冬の降水量に影響を受ける早材と、北アメリカモンスーンによる夏の降雨に応答する晩材の間には非常に明瞭な境界が見られるものがあることを発見した。

13世紀後半の大旱魃のことを十分に記録している古い樹木を見つけるために、デーブはニューメキシコ州のエル・マルパイス国定公園を訪れて、現生木と、エイミー・ヘッスルと共同研究者がモンゴルで採集作業を行った環境に似た溶岩流地帯の中で残存木を発見した。エル・マルパイス国定公園の年輪年代は2000年以上に及び、デーブとそのチームは1ヶ月以上を費やしてエル・マルパイス国定公園の試料の早材と晩材の幅を測定した。2つの季節の降水量が復元され、その努力が報われた。ひとつは早材の幅に基づいた冬の降水量で、もうひとつは晩材の幅に基づく夏のモンスーン期の降水量だ。デーブの研究によって、13世紀の大旱魃は主として冬のイベントだったことは確かで、例えば、1950年代のアメリカ南西部の旱魃は継続期間が短いものの、冬と夏の両方の季節にわたって続いていたことが明らかになった。

年輪データを活用して大旱魃に備える

ダグラスによる年輪年代の不連続部分を埋める作業以来、数百の年輪年代がアメリカ南西部で発展し、ここでは100年の歴史を持つようになった。ここの樹木は長寿で、渇水に敏感で、そして科学者たちは忍耐強い。南西部の年輪研究データベースには、8000年超の樹齢のブリストルコーンパインの年輪研究とカリフォルニアのセントラルバレーの落羽松——世界で最も優れた旱魃の記録者である——の年輪研究が含まれている。時間が経つにつれて、降水量に敏感な年輪の研究が北アメリカの他地域や中・高緯度地域でも発展した。コロンビア大学ラモント・ドハティ地球観測研究所年輪研究室のエド・

クックは、北アメリカの年輪研究のデータを利用して、北アメリカ旱魃アトラス（地図）をつくった。* 2000年間の旱魃発生を復元するこのデータベースは製作に20年を要しており、最新版は、緯度・経度0・5度幅のグリッドで北アメリカのあらゆる地点での過去の旱魃の状況を示している。エドと彼のチームはそれ以降、ヨーロッパ（旧大陸旱魃アトラス）、モンスーンアジア、メキシコ、オーストラリアについて類似の旱魃アトラスを製作した。ステールの早材・晩材の関係を用いた旱魃発生の季節についてのアトラスは準備中だ。

*http://drought.memphis.edu/NADA/参照。

北アメリカ旱魃アトラスで単一イベントとして最大のものは、12世紀のチャコ渓谷巨大旱魃で、その後すぐに13世紀のメサ・ヴェルデ旱魃または「大旱魃」が発生している（図19）。アトラスからは巨大旱魃の地域的拡がりを読み取ることもできる。アトラスのおかげで、私たちには、チャコ渓谷とメサ・ヴェルデの巨大旱魃がアメリカ南西部に限って発生したものではなく、アメリカの西部全体に及んだものだったこともわかる。チャコ渓谷とメサ・ヴェルデの巨大旱魃は、ホッケースティック・モデルやスパゲッティ料理モデルで見てきたように、ヨーロッパでは、北半球の気温がそのあとに続く小氷期に比べて約1・4℃高かった中世の異常気象の期間に発生した。ヨーロッパの中世の温暖気候はバイキングの勢力拡大とイギリスのブドウ栽培を促進した。これに対してアメリカの西部では、温暖な気温は中世の巨大旱魃頻発の理由の説明に役立った。結局、旱魃とは、降雨または降雪としてどれくらいの水が地球システムに入ってくるかだけではなく、どれくらいの水が蒸発や発散でシステムから出ていくのかに

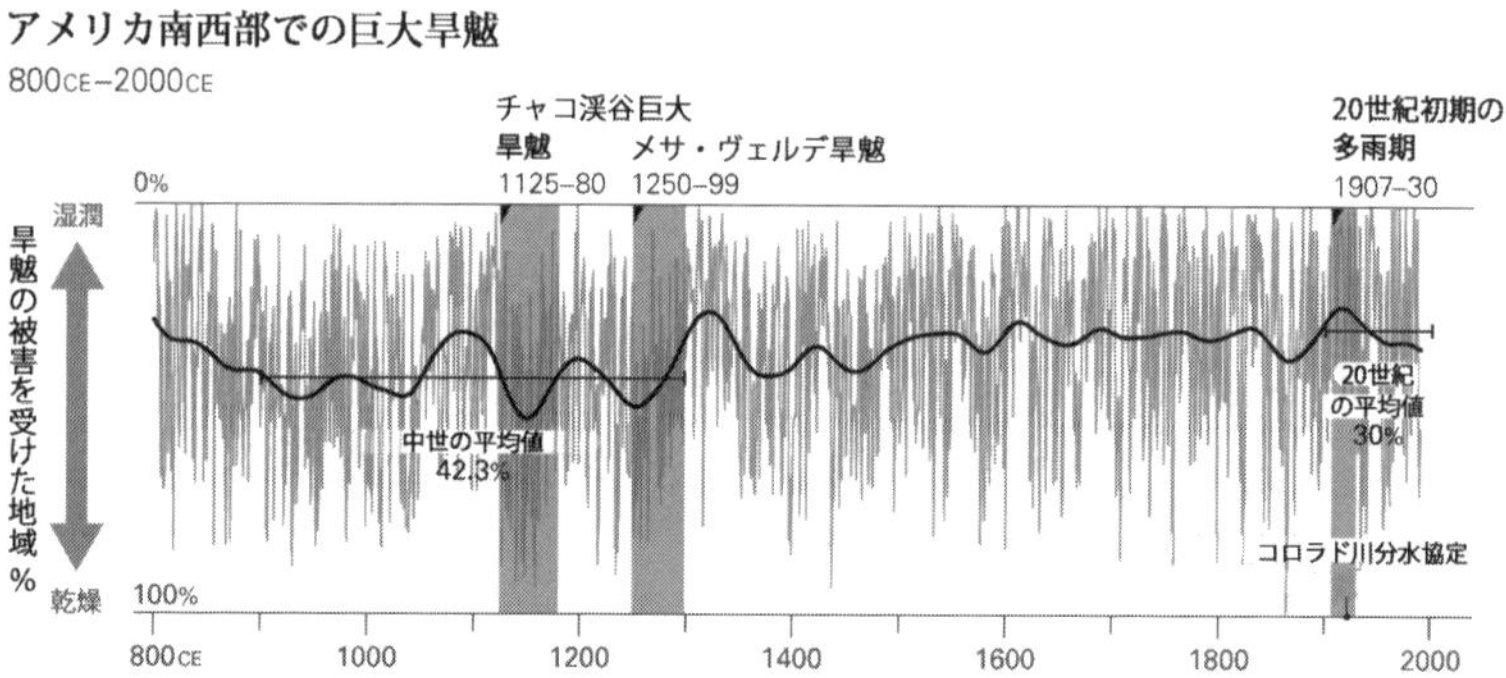

図19　北アメリカ旱魃アトラスに記載された単一のイベントとして最大の旱魃は、1150年頃のチャコ渓谷巨大旱魃である。

も関連しているのだ。その意味で、地球システムは人体と変わらないのだ。涼しい日にハイキングしたときと、暑い日にハイキングに出かけたときとで、あなたがどれくらい汗を流すのか、そしてどれくらい簡単に脱水症状に陥ってしまうのかを考えてほしい。これと同じように、中世の異常気象の時期から小氷期にかけて降水量が同じままだったとしても、中世の気温がより高ければ、ずっと長く、より厳しい旱魃が発生することになるだろう。

私たちはアメリカ南西部の近年の温暖化の影響を直接目撃している。カリフォルニアは、共同研究者と私が発見した、シエラネバダ山地の５００年ぶりの積雪量の記録的な少なさをピークとして、２０１２年から２０１６年まで５年間続いた旱魃に苦しんだ。アメリカ南西部は、ミード湖（訳註：フーバーダムの建設でつくり出されたネバダ州とアリゾナ州にまたがるアメリカ最大の人造湖）などの貯水池に、貯水量が大きかったときの水位を示す「バスタブリング」を残した１９９９年に始まり、２０１８年まで続いた20年間の旱魃を経験した。１９９９年６月、アリゾナ州知事ジェーン・ディー・ハルは、20年後の現在まで続く州旱魃非常事態を宣言した。しかし最近の状況がどれほど深刻であっても、中世の巨大旱魃の前では色あせて見える。中世の巨大旱魃は長期間にわたって続いただけではなく――50年かそれ以上――、20世紀と21世紀で最悪の旱魃よりも過酷で、影響が広く及んだのだ。もしそうした巨大旱魃がいま再び発生したら、現在のアメリカ西部の水資源管理システムに計り知れないほど困難な事態を引き起こすだろう。貯水池を再び満水にするために必要となる主要河川の流量は、数十年にわたって不足することだろう。もしアメリカ西部全体が中世の巨大旱魃と同じような状態を経験すれば、シエラネバダ山地の降雪とコロラド川からの水の供給に依存しているカリフォルニア南部などはたいへん深刻な事態に陥るだろう。

中世の巨大旱魃が、気候システムで自然発生した変動であることを思うと不安になる。例えば、12世紀のチャコ渓谷の旱魃は、太陽活動のピーク時、火山活動が低調だった期間に発生したものだ。前に述べたように、気温の上昇とこの状況がアメリカでの旱魃の悪化を直接に招いただけではなく、エルニーニョ・南方振動（ＥＮＳＯ）システムのラニーニャ現象など、アメリカ南西部の旱魃発生につながる海洋と大気の運動パターンの変動にも間接的な影響を及ぼしていたのだ。気候システムのこのような自然の変動が将来再び発生しうると考えておくのは当然至極なことで、もしその変動が起きれば、人為的な温暖化の影響も重なってさらに深刻な結果を招くことになるだろう。要するに、過酷な旱魃は、すべて気候システム自身によってつくり出されるものだが、関係する水資源の超過配分によって旱魃が「巨大」なものになる可能性が大きくなるのだ。

北アメリカ西部の水資源管理計画の策定には、年輪から得られる旱魃に関する長期的状況について考慮に入れることが必須なのだ。私たちはコロラド川分水協定の辛い経験からこのことを学んだ。１９２２年にハーバート・フーバー議長の下でコロラド川委員会が作成したこの州際協定は、アメリカ西部の

7つの州とメキシコの間でのコロラド川の河川水分配のための河川法として制定された。水の配分のため、コロラド川流域は上流域と下流域に分けられた。上下の境界は、今日ではグランドキャニオン観光ボートの出発地点になっているアリゾナ州北部、リーズフェリーにあった。配分の交渉では、上流域と下流域のそれぞれの州へのコロラド川からの年間配分可能水量を決める基準として、リーズフェリーの河川水位計が使われた。どれくらいの量の河川水を分配交渉者が考えておく必要があったのかは完全にはっきりしているわけではないが、それは年間ざっと16から17エーカー・フィート（MAF）（訳註：MAFは100万エーカー・フィートの略号。貯水池など、水資源の体積を表すアメリカの単位で、1MAFは約12３３・5立方メートルに相当）の水量に相当した。1MAFの水とは、アメリカ南西部の4世帯が生活で1年間に使う水量にほぼ匹敵する。交渉者がコロラド川の年間流量から15MAF、つまり上流域と下流域にそれぞれ7・5MAFずつを効率的に毎年分配すれば十分だと思っていたことは明白だ。1944年のメキシコ水協定はさらに毎年1・5MAFをメキシコに送水することをアメリカ合衆国に約束させており、コロラド川からの取水の法的権利を上乗せして、年間16・5MAFにする結果になった。

振り返ってみると、1922年の協定締結はたいへん不運なものだった。交渉者は、分配水量を当時利用可能だった20年間のデータに基づいて決定していた。しかしこの20世紀前半の流量測定は、長期間にわたるコロラド川の使用可能水量を表したものではなかった。それどころか、1922年の協定が過去500年間で最も多雨な時期に結ばれたことがいまでは年輪データからわかっている（図19参照）。年輪も河川流量もともに、降水や蒸発散などの同じ水文気候条件に支配されているので、私たちは年輪を利用してコロラド川の流量を復元することができる。1976年、LTRRのチャック・ストックトンとラモント・ドハティ地球観測所年輪研究室のゴードン・ジャコビーは、年輪を使って初めてリーズフェリーでのコロラド川の水位記録を1521年に遡って復元した。コロラド川の長期平均流量は、協定が定めた配分量の年間16・5MAFではなく、13・5MAFであることを彼らは明らかにした。これは、3MAF、つまり1200万世帯の年間使用量が協定に上乗せされていたことを意味する。さらに彼らは450年間の記録で、大きな流量が最も長く安定した時期が、1907年~1930年、つまり1922年の協定が起草された20世紀前半にあたっていたことにも気づいた。それ以来、ストックトンとジャコビーの最初の復元は改訂され、もっと多くの年輪データを使って拡張され、リーズフェリーでの最長の流量復元は共通紀元762年にまで遡ったのだ。現在知られている4つか5つのリーズフェリーでの流量復元では、コロラド川の平均流量がすべて一致しているわけではなく、推定値は13MAFから14・7MAFの幅がある。しかし、平均年間流量の最高値14・7MAFでさえもコロラド川の配分水量を大きく下回っており、これは700万世帯以上への年間水供給量にあたる。

リーズフェリーの流量復元は、近年の北アメリカ西部の旱魃対策に待ち望まれていた長期的情報が年輪データから得られることを明確に示している。年輪からは、アメリカ西部での旱魃で予想される最悪の展開が、20世紀と21世紀の水資源管理戦略が想定している最悪の展開よりもさらに悪いものであることを示した。例えば20世紀では、コロラド川に大きな流量がなかった期間が最も長く連続したのはわずか5年間でしかなかった。12世紀のチャコ渓谷巨大旱魃の期間ではその最長連続期間は5年間ではなく、60年間だった。20年程度続いただけの21世紀のアメリカ南西部の旱魃などは、中世の巨大旱魃に比べると、ほんの駆け出し小僧のようなものでしかない。もし成熟した破滅的な旱魃に出合ったら、ミード湖のバスタブリングのことを思い出してほしい！　もし、私たちがアメリカ南西部の居住地放棄と古代プエブロ人の生活様式の最終的な結果の再来を避けたいと思うなら、コロラド川渇水緊急プランのような水資源管理計画を、年輪データと他の古気候データが明らかにした巨大旱魃に対する長期的な視点に根ざしたものにする必要がある。そうすることが、持続可能な方法で西部の水資源を管理し、その結果、将来の人びと、都市、生態系、そして年輪年代学研究者がこの環境で繁栄することにつながるだろう。

第14章 地球をめぐる風

ジェット気流がもたらすもの

地球の気候は複雑なシステムだ。私たちは人為的な気候変動を通して直接にそれを経験しつつある。物理法則は、温室効果ガスの放出が増加すれば、大気の温度上昇につながると述べている——文字通り地球温暖化だ。実際のところ、それは熱波だけではなく、20年間にわたる旱魃、森林火災、カテゴリー5のハリケーン、極渦、「スノーマゲドン（破滅的猛吹雪）」の多発も含み、むしろ世界的な不気味さに近いのだ。こうした気候の多様化と複雑さは、ホッケースティック・モデルのような平均的な全球気候だけで表されるものではない。幸い、私たちが20世紀全体に及んで構築してきた世界的な年輪データベースは、長期間の背景の中で、現在の狂った気候を私たちがよりうまく意味付ける助けになる。平均的なものより動的な気候パターンに注目するために、気候パターンの空間分布を地図上に描き、年輪年代を拾い出し、選び、総合し、照合することを可能にするものだ。例えば、北大西洋振動（ＮＡＯ）の復元のために、私たちはモロッコのアトラス山地のスギ年輪の記録と、スコットランドの鍾乳石という代替指標記録を比較してみた。私たちが年輪記録と気候の代替指標の記録を組み合わせて考えれば、歯車のように作用する北大西洋振動やエルニーニョ・南方振動（ＥＮＳＯ）などの気候システムの、別の動的性質が明らかになる可能性がある。私たちはこの種の研究に本腰を入れることもできるし、ジェット気流の運動力学のような地球表層ではなく、大気の上層部で発生する気象システムの状態を検討することもできる。

ジェット気流とは、地上8キロ〜14・4キロの、飛行機が飛ぶくらいの高度を吹く強い西風だ。北アメリカからヨーロッパに向かって大西洋を横断する東回りの飛行機が、西向きに飛行する便に比べて飛行時間が約1時間短いのはこのためだ。東回りの便は、ジェット気流と同じ向きに飛行するので、気流に押されてより大きな速度を得ているのだ。西回りの便は、強いジェット気流の向かい風を避けるために、気流よりも上空を飛行する必要がある。私が決定したブルガリアの年輪年代の中で最も狭い年輪がバルカン半島で最も低い気温を記録した1976年の年輪だったことに気づいたときに、年輪を使ってジェット気流の変化を復元しようというアイデアを偶然思いついた。

私たちは、ユネスコ世界遺産に登録されているブルガリア南西部のピリン国立公園で得た試料に基づいて年輪年代研究を行った。私たちは、ソフィアの林業大学の共同研究者、モンチル・パナヤトフから助言をもらったあと、2008年、活気ある民族音楽や多くの伝説があり、バルカン半島に典型的な急峻で、山が黒っぽいピリン山地地域を訪れた。私たちは、ブルガリア、スイス、ドイツ、ベルギーの年輪年代学研究者9人の国際研究チームを結成し、ボスニアマツ——ピリン山地から480キロ離れているが、同じ高度で生育しているアドニスと同じ種——の古樹から年輪試料を採集した。年輪年代学研究者の野外調査での試料の抜き取り採集のやり方はもうわかるでしょう。朝、キャンプを張った高木限界にあるキャンプ地から2時間歩いて、昼間、樹木の抜き取り採集作業を行い、そして午後の遅い時間に帰途に就いて、キャンプ地に戻るのは日暮れ前だった。その頃、ピリン国立公園は保護地域だったので、枯れ木採集のためのチェーンソーの持ち込みは禁止されていた。しかし、約10年後にこの事態は変化した。2017年10月、ブルガリア政府は商業的な木材切り出しを法的に認め、国立公園内にスキーリゾートの開発を許可したのだ。この生態系への脅威は、2018年、国内外の環境保護主義者による大きな抗議行動を引き起こしたが、この地域の環境保全についての解決策はいまもなお得られていない。

ピリン国立公園の観光の目玉は、ブルガリアの最高樹齢といわれているバイクシェフパインだ。樹齢約1300年で、発見者の森林警備隊員、コスタディン・バイクシェフにちなんで命名されているボスニアマツは、共通紀元681年の最初のブルガリア帝国建国の頃の樹木と考えられている。バイクシェフパインは風格があって、高さが約26メートル、樹径は（幹の直径）7・5メートルある。バイクシェフパインを抜き取り採集することは許されていなかった。国家の宝を抜き取り採集する？　まさか！　だが、正直なところ、その木が樹齢1300年と聞いて驚いた。それは文化的に重要な遺産樹木であって、樹齢はそれほど重要ではない。問題の名高い木は、古樹がよく見つかる高木限界の300メートルも下に生えているだけではなく、私たちがもっと高度が上がったところでも見つけ、樹齢が800年に達することがわかっている古いマツに見られる発育不全の外観もなかった。ピリン山地のマツは、ギリシャのアドニス（第3章参照）とその仲間のマツよりもやや若かったが、それでもたいへん立派な樹齢に達していた。研究室に戻って、私たちはピリン山地の採集品から850年余りの年輪年代（共通紀元1143年〜2009年）を完成させた。

試料の最大晩材密度を測定して、夏の気温を復元してみたところ、1976年の年輪の晩材の密度がたいへん小さく、1976年は、バルカン半島地域は850年間で最も冷涼な夏だったことがわかった。その年の夏は北西ヨーロッパでは最も暑い夏が記録されており、この復元結果はただごとではなく、私には衝撃的だった。2018年に世界的な熱波が発生するまで、1976年の夏の猛暑は、他のすべての熱波の記録と比較される、私が育ったベルギーでの熱波の参考記録だった。バルカン半島地域の夏の気温を復元した結果と、北西ヨーロッパの代表としてイギリス島でのそれとを比較したところ、１９７６年の夏が例外ではなかったことに気づいた。それどころか、過去３００年、バルカン半島地域の寒波とイギリス諸島の猛暑、あるいはその逆も、これらが同時に発生していたのだった。イギリス諸島では、バルカン半島地域の平年よりも寒く、バルカン半島地域ではイギリス諸島の平年よりも暑い。１９７６年の夏は、北西ヨーロッパと南東ヨーロッパの間での夏の気温のダイポール現象（訳註：インド洋熱帯域で、初夏から晩秋にかけて東部で海水温が低くなり、西部で海水温が高くなり、インド洋に符号が異なる２つの海水面温度異常の極が出現する大気海洋現象）を代表するものだったようで、このダイポール現象は、ほぼ３００年にわたって変わることなく作用していたことが私たちの年輪データからわかった。

２０１２年に私たちの成果を発表したあとの夏にベルギーを訪れたところ、天気はひどく鬱陶しかった。夏にしては恐ろしいほどに寒くて、長雨の記事が華々しく新聞紙上をにぎわせていた。天気図を見たのは、私が両親の家で朝食をとりながら「スタンダード」紙を読んでいたときのことだった。その日に発表された地元の天気図が、ほんの数ヶ月前に私たちが公表したバルカン半島地域とイギリス諸島の気温のダイポール現象の地図にたいへん似ていることに気づいて、少し変な感じがした。ベルギーで夏の寒さに震えているときに、バルカン半島地域では熱波に遭遇しているのだ。

蛇行するジェット気流と異常気象

新聞の記事は、ダイポール現象のパターンは、ジェット気流が大きく南にずれた結果だと解説してい

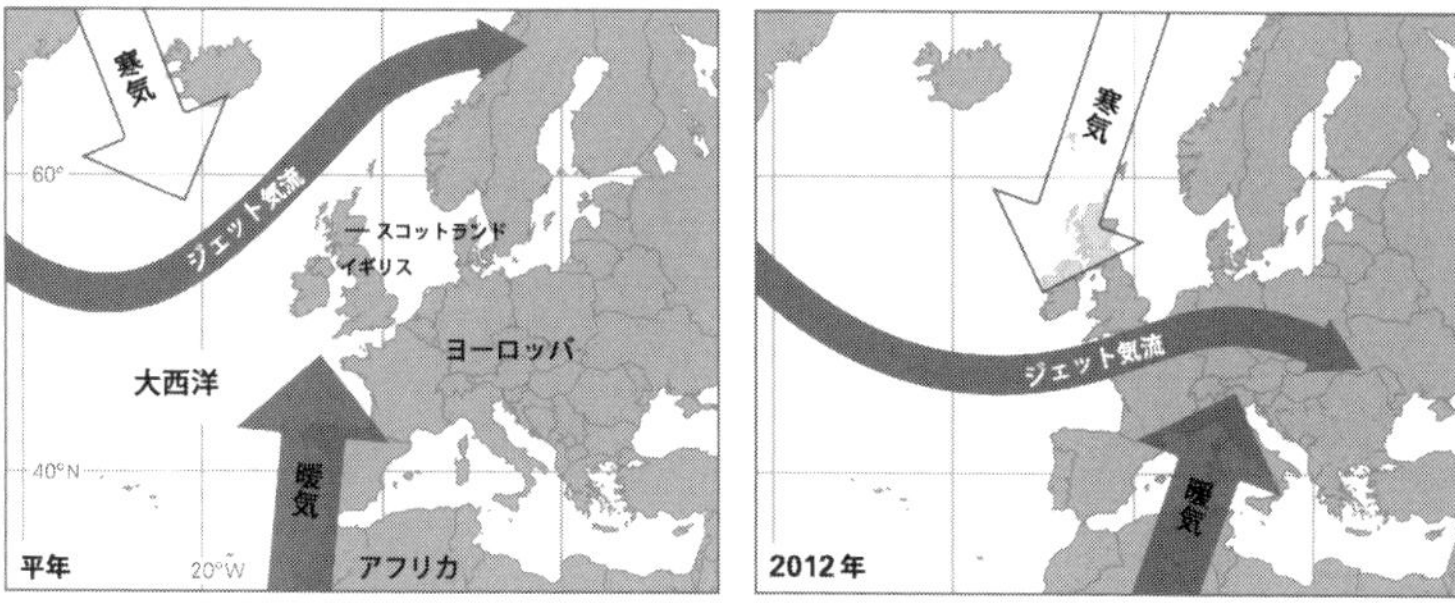

図20　夏場、北大西洋ジェット気流は平均するとほぼスコットランドの北を東に向かって流れていき、北緯52度付近に移動してくる。このジェット気流は、北からの冷たい北極の空気とヨーロッパの夏を暑くする南からの亜熱帯の空気の境目になっている。しかし、北大西洋ジェット気流が平年よりもずっと南に下がってしまうと――2012年に起きたように――、冷たい北極の空気が北ヨーロッパに流れ込んでくる。同時に亜熱帯からの空気がバルカン半島地域に集まって熱波が発生する。

た（図20）。平年の夏の場合、極前線ジェット気流が北大西洋東部の上空、北緯52度付近に位置し、東またはスコットランドやスカンディナビア半島のちょうど北に移動することもある。極前線ジェット気流は、ジェット気流の北にある北極の冷たい空気と南の亜熱帯域の暖かい空気の境目とみなすことができる。夏になると、北大西洋ジェット気流（北大西洋東部上空の極前線ジェット気流の分流部）が、2012年の場合のように平年以上に南下して、北極の寒気と低温がずっと南のイギリス諸島やベルギーに送り込まれるのだ。同時に、亜熱帯域からの暖かい空気がバルカン半島上空に集中して、そこで熱波現象が発生する。北大西洋ジェット気流が平年よりも北に寄ってしまうと、熱波がイギリス諸島で発生し、バルカン半島地域では比較的低温の夏になって、逆のパターンが発生する。

年によっては、寒帯ジェット気流の同様な南への移動が、北アメリカ東部上空で発生することがある。北極の冷たい空気をアメリカ合衆国東部に送り込むこの現象は極渦とよばれている。気候学的には、極渦は常に存在している。北半球では、周回して流れる寒帯ジェット気流の北に分布するのは、気圧が低く、低温の空気で覆われた北極を取り巻く巨大な極渦だ。* しかし、ジェット気流が通常よりもさらに南に張り出すこともあり、その場合は、氷のように冷たい極渦の空気がさらに南に流れ込んでしまうことになる。ジェット気流は完全に直線的に地球を周回するのではなく、地球上空を蛇行しながら流れるのだ。ときにはジェット気流が強くなり、直線的に流れることもある。速度が上がって、その揺らぎが小さくなると、極渦の影響は北極のまわりをおよそ同心円的に取り巻く地域に限定されてしまう。またあるときには、ジェット気流が北と南に揺らぎながら波打つように流れ、気流の位置がかなり北または南に移動してしまうこともある。ジェット気流が南北方向に大きく蛇行すると、場所によっては熱帯域からの暖かい空気が通常よりもずっと北にまで流れ込んでしまう結果になり、その一方では冷たい北極の空気（極渦）がずっと南に流れ込んでくる場所もある。このような大きな蛇行によって、ジェット気流の速度が小さくなって、北または南にずれた位置で長く留まり、極端な天候のお膳立てをすることがある。ヨーロッパの事例を見ると、ジェット気流がイギリス諸島上空で2日間留まって雨を降らせたとしても、それはことさら特別なことではない。しかし同じ位置で数週間留まったとしたら、雨が降り止まず、2012年の夏に起きたように、洪水まで起こしてしまうことになるのだ。その一方で、夏にジェット気流が2日間でもずっと北に動いていってしまうと、ブリュッセルの友人たちはみんな、都市の中の浜辺ブリュッセル・レ・バンに向かうことになるだろう。しかし、ジェット気流がその位置に長い期間、停滞すると、友人たちは1976年の夏に起きたような熱波に不平を言い出すだろう。

*同様な極渦は南極のまわりにもある。

北大西洋ジェット気流こそが、ヨーロッパでの夏の気温のダイポール現象と、私たちがピリン山地の年輪に発見したダイポールモードの原因で、この2つを関連付けることができるかもしれないと気づいたのは、ジェット気流の蛇行と移動について新聞で読んだあとのことだった。これら2つのダイポール現象を使えば、過去のジェット気流を復元できるのではないかと思った。地表から十数キロ近くも上空で吹く風のパターンの復元に年輪データを使えるだろうか？　このアイデアはたいへん魅力的に思えたので、全米科学財団宛てに研究のための補助金申請書を作成した。研究が補助金支給にふさわしいもので、研究実施が可能で、緊急性が大きいことを15頁の簡潔な文書にする、全米科学財団を納得させるのは気が遠くなるような仕事だ。進行中の予備的分析と図——私の場合はダイポール現象の地図——を構想の証拠として示すのが第1段階だ。そして、研究にどれほどの費用を要するのか、また誰が研究に協力してくれるのかを示した上で予算金額を取りまとめる必要がある。2012年~2013年の学年度の適切な季節に、時間を費やしてジェット気流研究計画について考え、資料を読み、1ヶ月以上かけて申請書を作成した。友人の大晦日パーティーで、私たちはテーブルを囲んで、それぞれが新しい年に起きそうな大きな変化を予想した。私が話す順番になり何かを話し出す前に、友人たちが声を揃えて「ジェット気流！」と叫んだので、ジェット気流についてひと晩中、みんなに熱弁をふるっていたに違いない。

ある意味で私は正しかった。2013年にジェット気流は大規模かつ緩やかに蛇行して流れ、その結果、北半球の中緯度地域全域で激甚気象が次々と発生した。イギリス諸島では、4月中旬に雪が多くて寒い、季節外れの冬の天気になった。クリストファーとよばれた熱帯低気圧は春の終わりにヨーロッパ中部に大規模な洪水をもたらした。激しい雨と洪水はその夏、ロシアや中国にも影響を及ぼした。6月、気温が32℃にも達した熱波がヨーロッパ北西部を襲った。12月には、猛烈な冬の嵐でイギリス諸島は大雨と洪水に見舞われた。その年の冬、北アメリカは気温ダイポール現象を経験した。カリフォルニアは5年間続いた旱魃のどん底にあり、北アメリカ東部は極渦で叩きのめされていた。２０１４年1月は寒さがたいへん厳しく、有名なナイアガラ瀑布が凍結し、南部のアラバマ州バーミンガムでは雪が降るに及んで、「スノーマゲドン」、「スノーポカリプス」などの新語が広く使われるようになった。

ここ数年の中緯度地域でのこのような異常気象——旱魃、洪水、寒波、熱波などの増加は、ジェット気流の振る舞いの変化を意味している。それはまさしく私たちが検討してきたことなのだ。北半球の寒帯ジェット気流の蛇行が大きくなり、また以前よりも速度が下がって、その結果、頻繁にジェット気流の位置が異常になり、異常気象の発生頻度が上がってしまう。最近数十年でのジェット気流の異常の頻発は、全球気候システムの劇的な人為的な変化と同時発生的であるが、この2つの変化が相互に関係しているのではないかという疑問が浮かび上がる。つまり、温室効果ガス放出の増加と全球気温の上昇が、最近のジェット気流の蛇行現象とそれによる中緯度地域の異常気象の原因になっているのだろうか？　この疑問に答えるには、気象への人為的影響が始まる前、20世紀よりも昔に遡ったジェット気流の変化の復元が必要になる。

年輪データに基づいたバルカン半島地域とイギリス諸島の気温の復元を組み合わせて、私たちは、１７２５年にまで遡ってヨーロッパの夏の気温のシーソーのような変化と、その結果として北大西洋ジェット気流の南・北への位置の変化も復元することができた（図21）。バルカン半島地域とイギリス諸島の年輪の組み合わせから、過去２９０年にわたる北大西洋ジェット気流の北と南への位置のずれを捉えた。イギリス中部の温度計が１６５９年以来記録している夏の熱波を見ると、私たちが復元した北大西

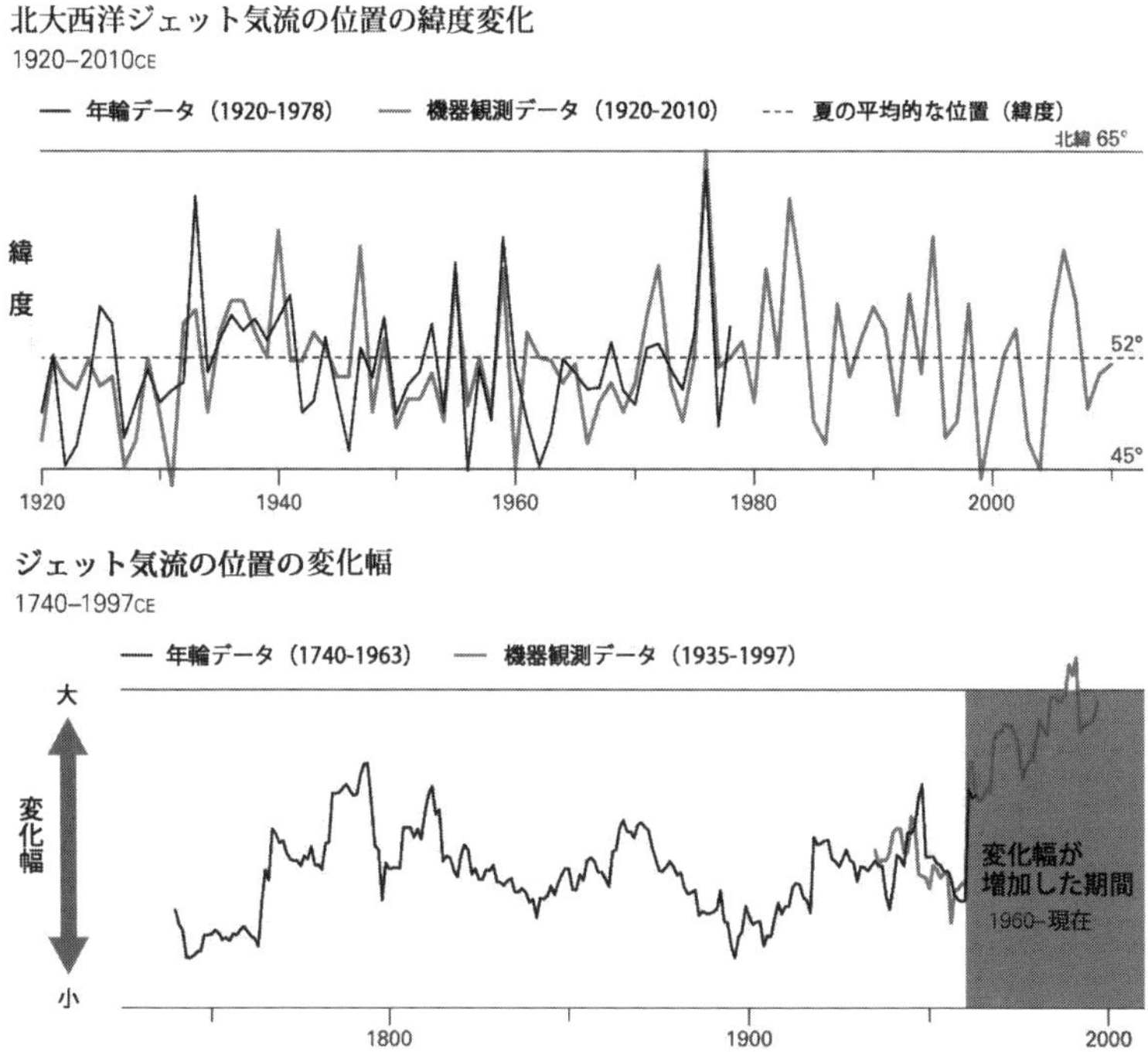

図21　年輪を使ってスコットランドとバルカン半島地域の気温を復元した結果、北大西洋ジェット気流の緯度を過去に遡って復元することができた。平均では、ジェット気流の位置は夏場、北緯52度付近にある（上図）。しかし、1960年代以後にはその位置がどんどん異常になってきている（下図）。北寄りそして南寄りへの蛇行は互いに相殺し合って平均すると同じ位置になるが、位置の変化幅の増大は蛇行がいっそう激しくなることを反映している。

洋ジェット気流がいつもよりずっと北にずれて、北極の空気をイギリス諸島の北に滞留させていたときにはイギリスでは熱波現象が常に発生していたことがわかった。逆に、北大西洋ジェット気流が平年よりも南にずれた夏、つまり極渦が南に張り出して極域の冷たい空気がイギリスのずっと南に流れ込むと、イギリス中部が寒波に見舞われていたのだ。北大西洋ジェット気流は１７８２年の夏に最も南下し、そのときはジェット気流が平均よりも10度（ほぼ１１００キロ）も南、北緯42度のずっと南まで下がってきた。歴史文書には、１７８２年の夏、スコットランドでは冷夏となり、穀類を収穫することができず、国全体が飢餓に苦しめられたと書かれている。

私たちの復元結果は、ジェット気流蛇行頻度の増加傾向をいっそう明らかにするものだった。北大西洋ジェット気流の位置のずれ幅、すなわち平均的な緯度からの北寄りずれと南寄りずれの幅は、１９６０年代以降大きくなって、夏の北大西洋ジェット気流が以前に比べて極端に北または南に大きくずれるようになったことを示している。熱波や洪水など上に述べたような異常気象が発生したとき、北または南に大きくずれた位置にあったので、この点は重要だ。例えば１９７６年８月、北大西洋ジェット気流は平均的な位置である北緯52度から13度も北（約１４００キロ余）の北緯65度にあった。ずれ幅の増大は、より波打つように流れるジェット気流と、私たちが最近数十年に見てきた頻繁に起きるジェット気流の位置異常と、中緯度地域での気象の異常に一致する。しかし私たちの復元結果から、最近の北大西洋ジェット気流のずれの拡幅は、過去２９０年間には例がなく、最近のジェット気流の位置異常とずれの拡幅は自然状態での気候変動現象の一部ではなく、人為的な気候変動に関係したものだということが初めて明らかになったのだ。

熱帯域の拡大と明朝、オスマン帝国の崩壊

北大西洋ジェット気流の復元が成功したことに勇気づけられて、私たちは最近数十年に変化した地球の気候の別の問題に取り組んでみた。それは熱帯域の拡大の問題だ。熱帯の『闇の奥』（訳註：西洋植民地主義の暗い側面を描いたイギリス人小説家、ジョセフ・コンラッドの小説、"Heart of Darkness"。1902年）は、北回帰線と南回帰線にはさまれた、帯のように地球をぐるりと取り巻く熱帯雨林が拡がる地帯だ。この緑豊かな熱帯の中軸帯の北と南は、緯度が南・北30度付近にあって、サハラ砂漠、オーストラリアの砂漠群、アタカマ砂漠、ツーソン近くのソノラ砂漠などの世界的な砂漠が多く集中する亜熱帯の乾燥帯に隣接している。1970年代以後、これらの乾燥帯が、南北両半球ともに極方向に向かって拡大しつつあり、乾燥した大地が拡がっているのだ。

＊北緯23・26度、南緯23・26度に位置している。
†「馬の緯度」ともよばれ、偏西風と貿易風にはさまれた南北緯度30度付近の亜熱帯無風帯を指す。

熱帯域が湿潤で、亜熱帯域が乾燥しているのには理由がある。ハドレー循環とよばれる、暖かい空気を赤道から極方向に移動させる大気の循環があるからだ。太陽から受ける放射エネルギーがいちばん大きい赤道で、暖かく、湿った空気が上昇し、上空約16キロに達すると、上昇してきた空気は北と南に向かって拡がり始める。暖められた空気が極方向に移動するにつれて、空気が冷やされて雨になり、熱帯の中軸部の緑多い地帯に雨を降らせる。この空気が南・北緯度30度付近に達すると冷却されて乾燥し、そのため浮力を失って下降し始める。冷却されて乾燥した空気の下降によって、水蒸気を含んだ雲や嵐

を南北緯度30度付近から押しやって、その結果、乾燥した砂漠のような環境が形成される。過去40年にわたって、熱帯の空気が下降してくる南北緯度30度付近の熱帯の乾燥地帯が極方向に移動して、熱帯域が拡大してしまったのだ。この熱帯域の拡大は、それに接する亜熱帯地域の気候にも大きな影響を及ぼす。熱帯域の北と南にある乾燥地帯が極方向に接近してくると、熱帯域からはるか遠くにあった亜熱帯域と半乾燥地帯の多くが熱帯の中軸部になってしまう。その結果旱魃が発生し、例えばオーストラリア南部は最近、北から押し寄せてくる旱魃に襲われている。メルボルン、パース、アデレードなどの南緯30度のすぐ南の都市が最もひどい旱魃の影響を受けている。北半球のツーソン（北緯32・2度）やサンディエゴ（北緯32・7度）などの都市では、熱帯域の縁辺部がさらに1度でも北に動くと、少雨や旱魃の被害を受ける危険にさらされている。

ジェット気流蛇行幅の増加の場合のように、近年の熱帯域の拡大は、地球大気の人為的変化と同時的だ。そしてジェット気流の場合と同様に、熱帯域の拡大についても、地球大気の人為的変化と互いに関連しているかどうかという疑問が生じる。大気中での温室効果ガス濃度の上昇による地球温暖化の影響が熱帯域の拡大をもたらしているのだろうか？　温室効果ガス放出の増加に伴う人為的な気候変動を気候モデルでシミュレーションすると、そうだ、そのとおりだという結果が出てくる。しかしたいへん興味深いことにモデル計算の結果では、10年間に0・5度（約56キロ）という現実世界での熱帯域の拡大の速さと同じような速さで熱帯域が拡大しているところはないのだ。シミュレーションされたモデルと実際の拡大速度の不一致は、熱帯域の拡大には温室効果ガスの放出だけによるもの以外の何かが関係していることを暗示している。それが何であるかは正確にはまだわかっていない。南半球では、南極上空のオゾンホールがその役割を果たしている可能性がある。北半球では、煤煙による汚染が関係しているかもしれないが、*自然の気候変動に加えて、さまざまな人為的原因が果たす相対的な役割はよく理解されていない。ジェット気流と同様に、温室効果ガス、煤煙、オゾンホールの原因となったクロロフルオロカーボン（訳註：フロン類のことで、炭素、水素の他に、フッ素、塩素、臭素などのハロゲンガスに富む化合物の総称）の人為的放出以前の、自然状態での熱帯域の縁辺部の移動がわかる産業革命前の記録が助けとなるはずだ。再び、年輪が救いの手をさし伸べることができる。

＊煤煙は化石燃料と薪ストーブや森林火災に含まれるバイオマスの燃焼で発生するのが一般的だ。陸地が多く、とくに化石燃料などの燃焼も多い北半球で１９７０年以後、大気中の濃度はかなり増加している。

アルゼンチンのメンドーサにある国立科学技術研究審議会の年輪年代学研究者、リカルド・ビジャルバは、年輪を使って熱帯域の縁辺部の過去の動きを追跡するアイデアを最初に思いついた人物だ。リカルドは、１９８０年代以来、南米のアンデス地域で年輪と過去の気候を研究してきた。２０１６年、メンドーサで開催されたアメリカ年輪年代学会議（Ameridendro）で、彼は南アメリカの年輪データベースを使って南半球の熱帯域の縁辺部の動きを復元するアイデアを発表した。その日、聴衆の中にいた私はリカルドのアイデアを聞いてひらめいた。北半球で同じことができないか、北半球の年輪データのデータベースを使って北半球の熱帯域の縁辺部の過去の動きを復元できないか考えてみるように私の研究室の博士研究員、ラクエル・アルファロ・サンチェスにアドバイスした。ラクエルは、熱帯域の縁辺部のすぐ北、北緯35度から45度の緯度帯から得られた適切な年輪記録を求めて、国際年輪データバンクを詳しく調べた。熱帯域の縁辺部が通常よりもずっと北上した年、言わば熱帯の胴回りが膨れると、こ

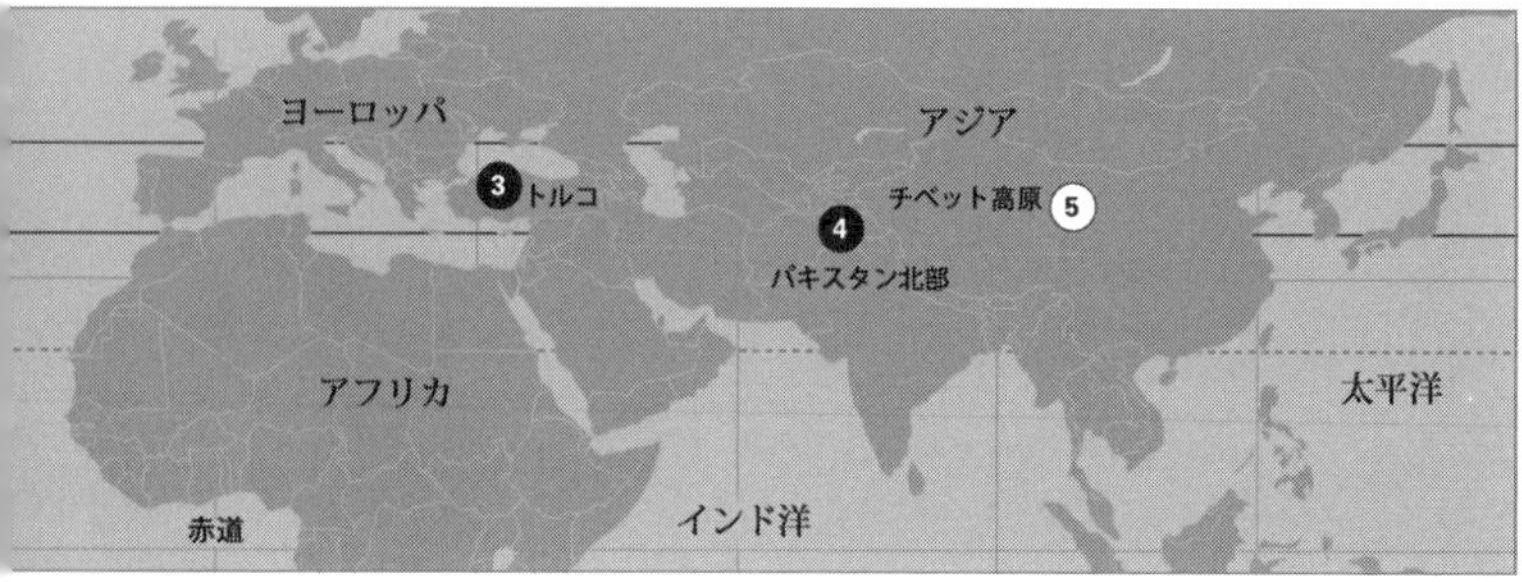

の緯度帯は亜熱帯域の影響下に置かれ、旱魃に見舞われるだろう。熱帯域の縁辺部が通常よりもずっと南下した年、熱帯縁辺部には北から湿った空気が大量に流れ込んでくるだろう。私たちはこの緯度帯の旱魃に敏感な樹木の年輪のデータが、熱帯の縁辺部の北上または南進を記録しているのではないかという仮説を提案した。ラクエルは5つの地域、アメリカ合衆国西部*、同中部†、トルコ、パキスタン北部、チベット高原（図22Ａ）の年輪データをまとめた。これらの互いに独立な関係にある5つの地域の年輪年代を組み合わせて、１２０３年に遡って彼女は、北半球の熱帯域の縁辺部の動きを復元した（図22Ｂ）。

*カリフォルニア、アリゾナ、ニューメキシコ、コロラド、ユタの年輪年代。
†アーカンソー、ミズーリ、ケンタッキーの年輪年代。

８００年間すべてに及ぶ復元結果を見ると、まず目につくのは16世紀後半と17世紀前半に見られる60年の間を空けて起きた熱帯域の拡大だ（１５５８年〜１６３４年）。12世紀後半の熱帯域の拡大とは違って、16世紀の拡大は、複雑に錯綜した気候システムによって発生したようだ。私たちが知る限り、16世紀後半にはオゾンホールはまだ出現していなかったし、温室効果ガスや煤煙の放出を伴う産業革命もまだ始まっていな

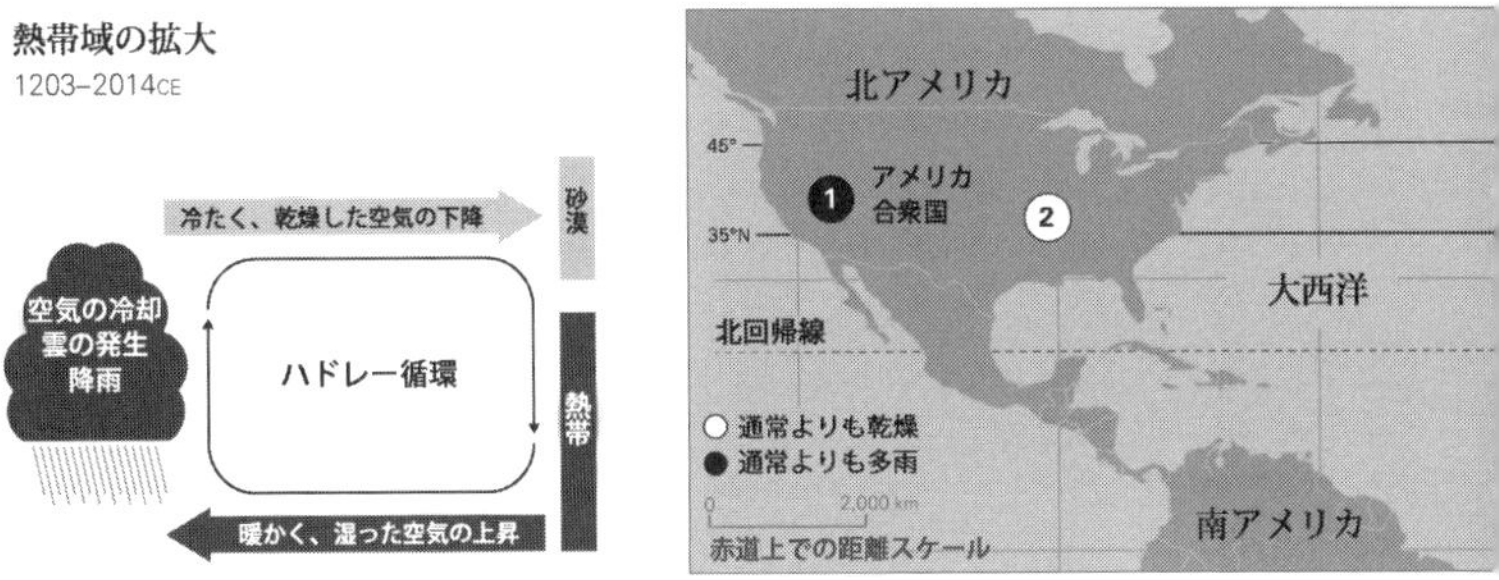

図22Ａ　北緯約35度と45度の間にある地域は、熱帯域の縁辺部の動きによって気候が影響される。縁辺部が通常よりも北上すると、旱魃に見舞われる地域もあるが、一方で降水量が増える地域もある。縁辺部が通常よりも南下している場合にはその逆が発生する。私たちはこの緯度帯にある5つの地域の年輪年代データを収集した。アメリカ合衆国西部（1)、同中部（2)、トルコ（3)、パキスタン北部（4)、チベット高原（5)。

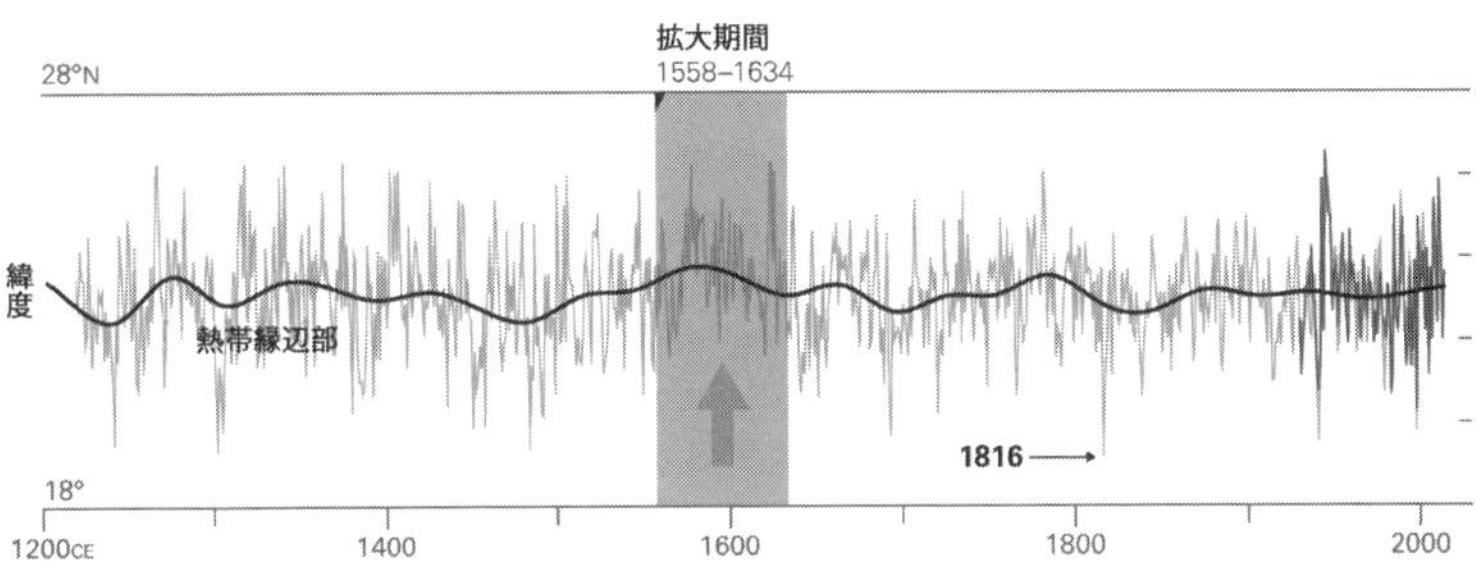

図22Ｂ　年輪年代データ5つを組み合わせると、1203年に遡って北半球での熱帯縁辺部の動きを復元できる。1815年のタンボラ火山の噴火に続く、「いまだ夏は来ず」といわれた1816年の熱帯域の縮小が最も大きかったことがわかる。また、北半球での旱魃と社会の激動を伴った16世紀後半と17世紀前半の60年周期の熱帯域の拡大も見て取れる。

かった。しかし、たとえその原因がわからないとしても、16世紀後半の熱帯域の拡大とそれに伴って起きた旱魃は、35度の緯度線で社会的な大混乱を発生させ（中国、トルコ、北アメリカ）、熱帯域の縁辺部が極方向へ移動することで起こりうる将来の社会が受ける影響への警告を発している。

中国は、熱帯域拡大の期間にかつてない旱魃の被害に見舞われた。1586年～1589年の4年にわたる旱魃は、アリゾナ、ニューメキシコ、ネバダの各州を合わせた面積よりも大きい、中国東部の約91万平方キロに被害を与えた。旱魃の最後の年には、中国で3番目に大きな淡水湖である太湖が干上がってしまった。1627年には別の過酷な旱魃が北京の西、山西省を襲い、広範囲に及ぶ飢饉と中国史上最大の農民の反乱が続いた。しかし、これら2度の旱魃の被害も、1638年～1641年の巨大旱魃による被害の足下にも及ばない。北緯33度～35度の河南省東部の歴史文書には、この旱魃の時期のぞっとするような状況が記録されている。例えば1639年、「春と夏の大旱魃ではあらゆる草と作物が枯れてしまい、収穫はなく、黄河も干上がってしまった。春から夏の過酷な飢饉ではバッタの大群が空を飛んで陽の光を遮った。人びとは12ヶ月間互いを食い合った」*と述べている。3度の旱魃と同時に、経済的苦境、政治的混乱、天然痘の流行、そして満州族の侵入が起きた。不幸なことが重なった結果、人口の40％が失われてしまった。3世紀近く中国を支配し、強勢を誇った明王朝が滅亡したのはそのあとすぐだった。

*Fang, Jin-Qi, 1992,「古代中国の歴史文書にみられる気象災害と気象異常の記録によるデータバンクの開発」。『国際気候学雑誌』、12巻、5号、499-515頁。

同じような出来事が現在のトルコにあたるオスマン帝国でも同時期に発生した。１５９０年のひどい旱魃で収穫が激減し、飢饉と感染症の大発生を招いた。何度も見てきたように、社会・政治的な政策が農業を疲弊させる結果となった。１５９３年、オスマン帝国は、すでに疲弊状態にあった農村地帯から首都イスタンブールへの資源の増援を求めて墺土戦争（訳註：オーストリアとオスマン帝国の戦争）を始めた。やがてインフレが農村の飢餓に拍車をかけ、自暴自棄になった農民が反乱軍を結成し、暴動となった。ジェラーリーの反乱は、17世紀初期のオスマン帝国危機を特徴付ける農民の集団離散と社会・政治的不安定を招いた。第１次世界大戦前のオスマン帝国の歴史上、最も過酷な事態といわれるこの危機で人口の３分の１近くが失われた。

北アメリカでは、16世紀後半の熱帯域拡大が旱魃を発生させたが、厳しさの点では中世の巨大旱魃に匹敵し、また20世紀と21世紀の旱魃をはるかに上回った。旱魃によってアメリカ南西部の古代プエブロ人の居住地の多くが永遠に遺棄されてしまった。旱魃は、シエラ・マドレ・オクシデンタル山地、ロッキー山脈、ミシシッピ川流域、アメリカ南西部にも拡大した。メキシコでは、最も長く、最も大きな代償を払うことになった、ヨーロッパ人移民と原住民との間での40年にわたるチチメカ戦争（１５５０年～１５９０年）が巨大旱魃と同時に起きた。１５７６年のココリッツトリの感染拡大で大規模に人口が減少したのは16世紀から17世紀の熱帯域拡大期で起きたことだった。

アメリカの歴史に記されている旱魃が引き起こしたこの時期のすべての惨事の中で、最も有名なものはアメリカ東海岸での初期のイギリス人入植地での不作だ。１５８７年、開拓者１１５人のイギリスの入植地が、現在のノースカロライナ州にあるロアノーク島に設置された。入植地は、スペインの財宝艦隊を襲撃する私掠船のための基地を建設する勅許を女王エリザベス１世から得てつくられたものだった。

3年後の1590年、イギリスの探検隊が補給のためにロアノーク島に立ち寄ったとき、探検隊が発見したのは完全に無人の「ロストコロニー」(消えた入植地)だった。最初の115人の入植者の姿はなく、また戦いの跡もなかった。ロアノーク島の入植者は、環境の耐えがたい状況に苦しみ、先住民のクロアトアン族とともに移動することを余儀なくされた。1607年、イギリスがアメリカで永久的な居住地――バージニア州ジェームズタウン――の建設に成功するには、さらに17年が必要だった。しかしジェームズタウンの居住地もまた過酷な運命と悲惨な大量死に耐えなければならなかった。最初の入植者の80%以上が、1609年から1610年に起きた飢餓で死んでしまった。初期のイギリス人入植者の集団失踪は、複雑な事情を持った歴史上の謎だったが、年輪が謎の解決を助けた。アーカンソー大学のデーブ・ステールは、落羽松の年輪データを使って、旱魃の状態を1185年に遡って復元して、ロアノーク島の集団失踪がアメリカ東部の800年間で最悪だった3年に及ぶ旱魃のあとに起きていたことを発見した。同様にジェームズタウンの飢餓は、770年間で最も乾燥していた7年間(1606年~1612年)に起きていたのだ。もし入植しようとするなら、イギリスが新世界への入植にふさわしくない時期を選ぶはずがなかったのだが。

エルニーニョとラニーニャの変動

熱帯域縁辺部拡大の復元のために、ラクエルは、縁辺部のすぐ北の北半球の年輪のデータベースを利用した。同じように、多雨の熱帯地域の年輪記録のデータベースは、地球の気候変動に対する最も強力な原因になるエルニーニョ・南方振動(ENSO)システムの復元にも使える。ENSOは、ペルー人漁師がクリスマスの頃になると太平洋の漁場の水温が上がる年があることに気づいて、1800年代後半にこの現象に名前がつけられた。エルニーニョとは、神の子を意味する。太平洋熱帯海域東部の水温上昇は、通常の年なら、温められた海水と湿った空気を南米沖からアジアの熱帯太平洋に輸送する貿易風の東風が弱まることによって起きる。2年から7年ごとにこの東風が弱まると、水温の高い巨大な水塊が南アメリカの太平洋沿岸の沖に留まって、熱帯性の暴風雨や洪水を引き起こす。同時に、太平洋の反対側のアジアやオーストラリアでは平年よりも空気がずっと乾燥し、広い範囲で旱魃や森林火災が発生する。ＥＮＳＯのこの状態がエルニーニョ現象とよばれている。エルニーニョ現象が発生する年のあとには、逆の現象が起きるラニーニャ現象の年が続くのが一般的だ。貿易風が通常よりも強くなり、雲と降雨を伴って、水温が高い水塊がアジアやオーストラリアに近い西太平洋に蓄積される。つまり、ラニーニャ現象の年には、アジアやオーストラリアは洪水が、一方、南アメリカでは旱魃が発生する。

ＥＮＳＯシステムは、太平洋の水温の高い水塊の移動を招き、熱帯太平洋を取り巻く広い地域に対して水文気候学的な影響を与える。またＥＮＳＯシステムは遠隔相関、すなわち互いに隔たった地域の気象現象どうしを結びつけて、ずっと遠く隔たった地域の水文気候にも影響する。例えば、カリブ海では、エルニーニョの年よりもラニーニャの年に、より多くのハリケーンが発生するのがふつうだ。そしてアメリカでスキーができる最南限、ツーソン近くのレモン山地でスノーボードをするのに最適なのは、エルニーニョ現象が大雨と大雪をアメリカ南西部に降らせた年だ。さらにもっと離れた場所で影響が現れたのは、鉄道の線路を押し流して、クリストフと私にキゴマへの3日間のバス移動（第2章参照）を余儀なくさせたタンザニアでの洪水だ。その最大の影響が現れるのは太平洋地域なのだが、遠隔相関のためにＥＮＳＯはほぼ全球的に影響を及ぼし、その「気分の揺らぎ」をよりよく理解することは世界の水資源管理者には必要不可欠なことなのだ。ＥＮＳＯは主として冬に発生するが、その水文気候的影響が次の夏まで残ることもたびたびあるので、この知識は重要だ。これはもっと正確なＥＮＳＯ発生予報ができれば、水資源管理者は次に起きる旱魃や洪水に備えて６ヶ月の間に対策を講じる時間の余裕ができることを意味しているからだ。

ＥＮＳＯとその遠隔相関の数世紀に及ぶ記録をつくり上げたことによって、年輪年代学研究者は、熱帯太平洋での気候変化のテンポについての理解を大きく改善することができた。例えば、香港大学のリー・ジャンバオとその共同研究者は、強い遠隔相関の関係があるアジアの太平洋熱帯域と南アメリカ、南北両半球の中緯度の５ヶ所から得た２０００以上の年輪記録をまとめて、７００年間にわたるＥＮＳＯの変動（１３０１年〜２００５年）を復元した。リーの年輪データに基づいたＥＮＳＯの復元結果は、19世紀以後のエルニーニョ現象と、ラニーニャ現象を反映する中部太平洋2地点でのサンゴの記録*にきわめてよく合致する。年輪と同じように、サンゴも周囲の海水温と化学的性質を反映する年縞を年ごとに形成するので、ＥＮＳＯの変動の代替指標として使えるのだ。ＥＮＳＯの影響が広範囲に及ぶものであるため、中部太平洋のサンゴと、アジア、南北アメリカ、ニュージーランドの年輪のすべてがＥＮＳＯの変動に応答する。

＊マリアナ環礁とパルミラ島からそれぞれ一地点ずつ。

リーによるＥＮＳＯの復元結果とラクエルによる熱帯域縁辺部の移動を比べると、７００年間、北半球の熱帯域はエルニーニョの年に縮小し、ラニーニャの年に拡大していたことがわかった。例えば、ロストコロニーの集団失踪、明王朝の滅亡、オスマン帝国危機の一因になった16世紀後半の熱帯域拡大の時期は、ラニーニャ現象の影響が続いていた時期に一致する。ＥＮＳＯと熱帯分布域変動の復元結果には、共通する他の何かが含まれている。これら2つはともに、過去の火山噴火とそれによって放出されたエアロゾルと明確な気候学的な対応関係を持っている。氷床コア記録に見つけ出せるような熱帯域での巨大噴火の後には、北半球の熱帯域が縮小するエルニーニョの年が続くのがふつうだ。

　火山噴火と熱帯域の縮小の関連性は、過去の気候変動の理解に役立つだけではなく、私たちの将来に警告を発するものでもある。火山噴火による寒冷化効果をヒントにして、現在進行中、また予想される地球温暖化に対する有望な一時的解決策として、大規模な操作を意図的に行って人為的気候変動を緩和させる気候工学が太陽放射管理（ＳＲＭ）を提案した。このＳＲＭ計画は、航空機または気球からエアロゾルを対流圏に散布して人工的に火山噴火の寒冷化効果をつくり出そうとするものだ。宇宙空間に太陽光を弱めるような反射板をつくるという他の気候工学的な解決策に比べてＳＲＭは、比較的低価格で簡単な手段であるが、*温室効果ガスの放出増加による他の悪影響、海洋酸性化などには対処できないだろう。年輪などの古気候代替指標によって火山噴火の影響の理解が進めば、ＳＲＭに伴う重大なリスクはきわめてはっきりしたものになるだろう。ＥＮＳＯと熱帯域分布の変化の復元結果は、火山から放出された対流圏エアロゾルが地球表面に寒冷化をもたらすだけではなく、対流圏の大気循環を妨げ、降水と風のシステムをも改変しうることを明らかにしている。過去の火山噴火のあとに続いて起きた熱帯域の縮小は、人工的なエアロゾルの散布が有害な影響、とくに水文気候の変動をすでに受けやすくなっている中東やサヘル地域への悪影響が現れることを意味している。時間が経過するにつれて地球温暖化は進行するので、温暖化効果ガス放出の抑制と炭素の回収・貯留によって、私たちは、大気の温室効果ガス濃度を低下させるまでの一時的解決策として、気候工学的対処策をさらにもっと真剣に考慮しなければならない。しかし、一方では16世紀後半の熱帯域の拡大で明らかになったように、気温だけではなく、降水パターンの変化にも関係するので、気候工学的対処策による社会的リスクは計り知れないものになる。

＊ＳＲＭに要する費用は小さな国、大きな企業、富裕な個人の手が届く範囲内にある。

第15章　アメリカの森林火災史と旱魃

カリフォルニア州の森林火災

２０１８年11月8日、日が昇る少し前の午前6時頃、カリフォルニアのパシフィック・ガス・アンド・エレクトリック社（ＰＧ＆Ｅ）の労働者は、カリフォルニア北部ビュート郡の送電線の下で火が燃えているのに気づいた。その日の朝は、風速80キロで風が吹き、空気は乾燥していた。そして火はたちまち燃え広がって制御不能になった。午前8時、火は推定人口2万６８００人の山麓の町、パラダイスに達した。町はわずか4時間の間に地図から消滅した。火が急速に燃え広がったため、パラダイスの多くの住民は避難することもできなかった。少なくとも86人が亡くなり、1万４０００人の住民が負傷した。鎮火するまで27日間にわたって燃えさかった「キャンプ・ファイア」と名付けられたこの森林火災は、カリフォルニアの歴史の中で最も悲惨で、壊滅的な火災となった。現在、パラダイスの人口は２０００人で、火災発生前の10％以下でしかない。２０１８年のカリフォルニアの森林火災シーズンでは、８５００件以上の森林火災が発生し、４８００平方キロの市街地、森林、灌木地帯が焼失し、公金35億ドルの半分が火災の鎮圧に使われた。

２０１８年のカリフォルニア州の森林火災シーズンは、アメリカ西部の森林火災の破壊力、規模、経済的影響の憂慮すべき傾向を示すものだ。カリフォルニアでは、最も燃え広がった森林火災の記録15件のうち12件が2000年以降に発生している。アメリカ合衆国西部全体では、火災シーズンが長くなり、さらに毎年大規模火災7件が加わって、焼失面積は前年度を上回る364平方キロ以上に達し、大規模森林火災（焼失面積約4平方キロ以上の山火事）の発生が1980年代以降、増加しつつある。過去40年のアメリカ西部での森林火災発生の増加傾向の一因となっている気候変動や森林管理のありかたなど、複合化した発生原因を明らかにするためには、西部の森林火災の歴史が人間の歴史と気候の変化にどう関わるのかを理解する必要がある。それには、私たちの年輪年代学研究が中心的な役割を果たすのだ。

年輪が記録する森林火災

乾燥していて、標高が低いところと中ほどのところにあるアメリカ西部の森林では、自然発火による火災は、それほど大きくない地表火によるものである。地表火が成熟木の幹に残す火傷痕からそれがわかる。地表火は地表近くで発生し、林冠に及ばないのが一般的だ。地表火は、樹木に火傷痕を残す他にも、延焼誘導植生（下生え）のほとんど——草、低木、実生の苗、若木などの可燃物——を焼いてしまうが、背が高い成熟木にはほとんど被害が及ばない。事実、古樹は地表火の中でも生き残れる。地表火は、古樹にとっての水や栄養分の争奪競争相手を一掃し、また、樹高の高い樹木をも燃やし尽くす樹冠に届くような火災を引き起こす、林床部に蓄積した可燃物——火の通り道（フューエル・ラダー）——を取り除いてくれる。

アメリカ南西部とカリフォルニアの森林の多くは、おそらく5年か10年に1度、かつてさかんに発生した地表火の生き証人だ。西部の樹木の火傷痕には何世紀分もの森林火災のデータが記録されている。1本の木に20ヶ所もの火傷痕が見られることもある。私もカリフォルニア、トラッキー近くのドッグ・

バレーの切り株にたくさんの火傷痕が残っているのを見つけたことがある。ドッグ・バレーでの年輪年代の決定結果から、その切り株は１８５４年に伐採された樹木の残りだった。３００年の樹齢の中で、その木には33ヶ所にも達する火傷痕があった。

針葉、枝、そして丸太が集積する上り斜面に生えている樹木の根元には、火傷痕が多く見つかる。地表火が、森林の中を斜面沿いにはい上がって、上り斜面で長く燃え、まわりの樹木に燃え移って局地的に火の手が強まる。地表火は樹皮を燃やしてしまうことがあり、キャットフェイス*といわれる三角形の火傷痕を残す。人間と違って、樹木には火傷を癒やす機能はない。樹木が火傷を負った場合、樹木ができる最善の方法は、徐々に損傷部を覆って成長し、最終的にはそこを塞ぐように木部と樹皮を損傷部の両側から新たに形成することだ。

しかし、森林火災が5年から10年ごとに発生すると、次の火災が襲ってくる前に損傷した部分を完全に塞ぐ時間がない。樹木に残った最初の火傷痕の場所は、火傷痕への樹皮の保護がなく、また損傷した細胞から大量の樹液がにじみ出るため、続いて起きる火災や損傷にはたいへん弱い。次の森林火災が襲ってくると、樹幹の同じ場所が損傷を受けることが多い。続いて起きた火災でキャットフェイスが拡がってしまい、樹木が損傷部を塞いで成長するのがさらに難しい2番目の火傷痕が残る。3度目の火災が数年後に起きると、さらに火傷痕ができ、キャットフェイスは開いて、深くなり、火傷痕に火傷痕が重なっていくパターンが続く。次々に起きる森林火災によって樹木が燃えるときはいつでも、年輪年代が測定可能な新しい火傷痕ができる。それぞれの火傷痕はある特定の年輪の中に残される。その地域の参考年輪年代に対して試料の年輪をクロスデーティングすると、それぞれの火傷痕について森林火災が発生した正確な暦年を決定できる（図23）。さらによいことには、火傷痕の年輪内での位置――つまり火

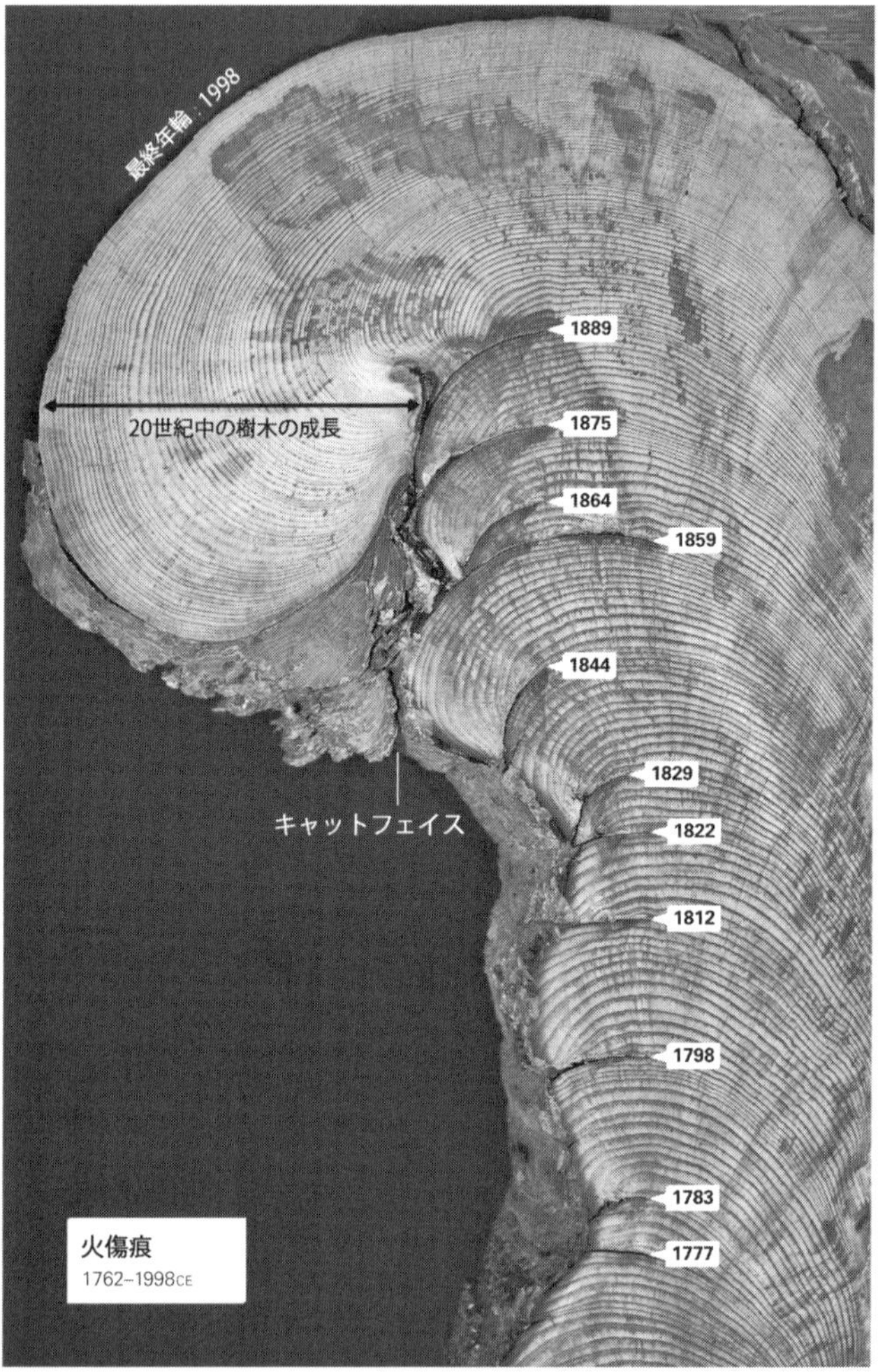

図23　森林火災で樹木には火傷痕が残る。カリフォルニア北部のジェフリー・パイン（*Pinus jeffreyi*）の年輪を参考年輪年代に対してクロスデーティングすると、それぞれの火傷痕の年代を森林火災が発生した正確な暦年として決めることができる。1800年代には、地表火が頻繁に起きていた。1905年に設立されたアメリカ林野局の防火キャンペーンが功を奏して、20世紀は森林火災がほとんど起きなかった。

傷痕が早材内部、晩材内部、またはその境界にあるか？　などを観察すると――森林火災が発生した季節（春か、夏か、秋か）もわかる。

＊この名前が何に由来するのかはっきりしない。火傷痕はネコの顔のようには見えない。

多くの場合、火傷痕がついた樹木に対しては、チェーンソーを使って試料を採集する。プランジカット法で作業を始め、熟練したチェーンソーの使い手なら、生育中の樹木から樹幹表面の10～20％以下のくさび形の部分を切り取って、すでに火災でひどく損傷を受けた部分を切り外すのだ。この採集方法は見てくれはよくないが、樹木をひどく傷めるものではない。損傷した樹木から流れ出す樹液によってキャットフェイスが最もよく残されている切り株と倒木に対しては、樹木が生きているかどうかを気にする必要はなく、ただチェーンソーで切断すればよいだけなので、採集はずっと簡単になるのだ。火傷痕の試料を現地から運び出して研究室に持って帰るのは、束にした樹芯試料をバックパックに入れて運び下ろすのと比べて骨が折れる作業だ。重いくさび形の試料やクッキーを大量に現場から搬出することになり、その次には大陸をまたいで何百キロもの木材試料を発送するのに物流上の問題が発生することもあるのだ。

アメリカ林野局設立とスモーキーベアの功罪

ＬＴＲＲの前所長、トム・スウェットナムは年輪に基づく火災史を地図の上で示した科学者だ。最初にトムと会ったのは、アリゾナ大学からのオファーを了承した後、彼が私のために自宅で歓迎バーベキユーパーティーを開いてくれたときだった。パーティーの後片付けの間、トムは家中に響き渡る大音量でニール・ヤングの曲を流していた。これですぐに彼を好きになった。トムと、長期間に及ぶ彼の主な共同研究者、クリス・ベイサンと彼らのチームは、1970年代後半からアメリカ南西部で火傷痕試料の採集を始めた。それ以来、彼らは900ヶ所以上の産地を含む、北アメリカ西部の広い範囲の火傷痕試料のデータベースを立ち上げた。火傷痕試料の年代研究の多くは集約され、国際年輪データバンクと類似してはいるがこれとは別の、複合間接指標に基づく古森林火災国際データベースとして公開されており、利用が可能だ。データベースで最古の記録は、ヨセミテ国立公園とセコイア・キングスキャニオン国立公園のジャイアント・セコイア（訳註：*Sequoiadendron giganteum*。セコイアオスギともよばれるヒノキ科の巨木）に基づいたものだ。ジャイアント・セコイアの巨大な切り株を採集するために、トムとクリスは巨大なキャットフェイスの内側深くまで届く部分的な断面を500以上もチェーンソーで切り出さなければならなかった。この方法で彼らが回収した最古の火傷痕試料は共通紀元1125年に遡るものだった。

しかしアメリカ西部の火傷痕の話となると、興味深いのは3000年前の火傷痕だけでない。いちばん最近の火傷痕も興味深いのだ。アメリカ西部地域の森林火災研究者にとっては、20世紀か21世紀にできたものだと時期が確定できる火傷痕を見つけるのは難しい。その理由のひとつは、年輪年代学が年代を確定しようとする火傷痕の多くが、ヨーロッパ人入植のピークだった19世紀後半に伐採された樹木の切り株から得られることにある。しかし、生育中の樹木の大多数でも、最も新しい火傷痕は19世紀後半にできているのがふつうで、それは1世紀以上も樹木が森林火災の被害に遭っていないという事実を示している（図23参照）。火傷痕ができなかった1世紀という期間は、アメリカ西部の森林火災の歴史から見ると驚くべきものだ。20世紀に入る前は、森林火災発生間隔は短く、ドッグ・バレーでの検討からわかったように、300年に33回、つまりざっと10年に1回の割合で頻繁に森林火災が起きていた。

20世紀に森林火災による火傷痕ができていないことの謎は、アメリカの林野事業の歴史を見ればむしろ簡単に解ける。1905年、セオドア・ルーズベルト大統領はアメリカ林野局を設立し、総面積78万平方キロの国有林の保全、保護、管理の責任を課した。国有林の多くはミシシッピ渓谷の西にあって、ルーズベルトの森林保護政策は、当初、国有林の無制限の利用を望んだ西部の林業、鉄道、鉱山関連の企業の強い反発を受けた。しかし、1910年の大森林火災以後、ルーズベルトの森林保護政策への抵抗は鳴りをひそめてしまった。大森林火災によって、ロッキー山脈北部の1万2000平方キロ*以上の森林が2日間で焼失し、100人以上が死亡した。死者の多くは林野局の消火士だった。1910年の大火の後、大火に立ち向かう林野局の消火士は国民的ヒーローになり、森林火災撲滅は国家的な課題になった。

*コネチカット州の面積にほぼ匹敵。

林野局が20世紀の間、きわめてうまく森林火災を制圧したので、20世紀の森林火災の証拠を見つけるのはたいへん難しくなった。19世紀の森林火災の頻発から20世紀での森林火災がほぼ消滅した状態への急速な変化は、森林火災史研究者の間ではスモーキーベア効果として知られている。防火活動キャンペーンのこのマスコットは、1940年代までは防火活動の現場に現れることはなかったので、この愛称は懐古趣味的だ。一般によく知られたスローガン、「キミだけが山火事を防ぐことができる」とともに、スモーキーベアはビルボード誌、ラジオ番組、漫画にも登場し、森林火災がいかに壊滅的であるか、そしてどんなに費用がかかるとしても発生を防止し、撲滅すべきであるかをアピールした。トム・スウェットナムは数十年間、初期からのスモーキーベアのポスターを集め、LTRRの火災生態学研究室に飾っている。研究室に入るとどこを見ても、スモーキーベアは皮肉っぽくあなたを指さすのだ。

数十年に及ぶアメリカ西部各地の森林火災史の研究から、たびたび起きる地表火は、そこにある乾燥した森林にとっては実はそれほど悪いことではないことを私たちは学んできた。むしろ、地表火は、森林を健全で活力あるものにし、森林の延焼誘導植生という可燃物が繁茂するのを食い止め続けるには必要なのだ。一方で、1世紀にわたる森林火災の無発生、いわば組織的に制御された火災発生の抑制の結果、延焼誘導植生の不自然な繁茂を招いてしまった。20世紀のスモーキーベア効果による延焼誘導植生の生育密度と構造の劇的な変化によって、西部の多くの森林火災が、小規模な地表火から、林冠が燃えるような大規模な火災に変化してしまった。現在私たちは、1世紀にわたる森林での徹底的な防火活動の危険なマイナス効果を経験しつつある。アメリカ西部での大規模で、壊滅的な森林火災の過去40年間の増加傾向の少なくとも一部は、頻繁に起きるが、必要でもあった地表火を撲滅してしまった1世紀にわたる「極端に不寛容」な森林火災管理の実践に原因がある。

しかし話はこれだけではない。例えば、2018年11月の「キャンプ・ファイア」と、2017年のトーマス大火は、21世紀のカリフォルニアでは森林火災シーズンが長く続くことを実証した。歴史的に見ると暑くて乾燥した夏と秋がカリフォルニアの本来の森林火災発生シーズンで、湿度が高い地中海性気候の冬には火災はほとんど起きない。森林火災発生シーズンが長引くようになったことは、最近の森林火災の発生状況が、単に1世紀の間の防火キャンペーンの結果ではなく、また単に、「可燃物となる延焼誘導植生をかき集めて除去すること」だけでは防火対策として不十分だということも意味している。森林火災のいっそうの巨大化は、全球的な気温上昇と旱魃の増加とに同期して起きているのだ。気温上昇は、融雪時期を早め、火災シーズンの長期化を招く。また気温上昇は、延焼誘導植生をさらに燃えやすくする高温状態下での渇水を発生させることになる。長期にわたる厳しい渇水で樹木が枯れ、そのため西部の森林ではすでに平均以上に積み重なっている灌木や枯れ枝などに、可燃物をさらに追加することになるのだ。この厳しい状況から私たちが脱するには、森林と人命の保護のためだけではなく、もっと強力な火災発生の防止対策として、山焼き、つまり計画的な森林火災と、森林火災の拡大を食い止める間伐などによる延焼誘導植生除去のための連邦政府補助金の増額が必要だろう。

スモーキーベア効果による20世紀の森林火災発生件数の大幅な減少は、アメリカ西部の森林火災の研究を難しくしてしまっている。もし火傷痕の年代検討がなければ、過去の「正常な状態」での西部の乾燥した森林が、じつは小規模な地表火が多発する地域だったことすらもわからなかっただろう。スモーキーベア登場前の数世紀にわたる詳しい森林火災発生の歴史なしでは、気候が火災に及ぼす影響を検討すること、防火活動の効果を現在の森林火災発生に対する人為的な気候変動の影響から識別すること、そして気温が上昇し続けると、次の数十年間に何が起きるのか予測することも難しいだろう。幸いなことに、検討地域が明確で、データが何世紀にも及ぶアメリカ西部の古森林火災国際データベースは私たちが必要としているものだ。例えば、年輪年代学から見た森林火災史の記録と、北アメリカ旱魃アトラスなどのまったく独立した旱魃記録とを比較すると、旱魃が西部の森林火災発生の大きな原因になっていることが見て取れる。アメリカ南西部、ロッキー山脈、カリフォルニア、太平洋沿岸地域北西部のどこでも、過去500年間の巨大森林火災は、夏が最も乾燥していた年に発生していたのだ。古森林火災国際データベースに見られる、多くの樹木に火傷痕が残された年とは、落雷などの発火要因の増加よりも、巨大森林火災を招きやすい乾燥状態だったことを示している。どんなにたくさんのマッチ（発火要因の一例として）を湿った森林に投げ込んでも、たいした火災にはならない。しかし、夏の乾燥した日に、たった1本のマッチでも火をつければ、巨大森林火災が発生する可能性はずっと大きくなるのだ。アメリカ西部の森林火災が常に乾燥した年に発生しているのは何の驚きでもない。しかし、全体像はもう少し込み入っているのだ。

アメリカ南西部はほとんどの年で乾燥しているが、どの年でも大規模な森林火災が起きているわけではない。南西部の森林では春と夏が乾燥しているからと言って、必ずしもその年が大火発生の年になるわけではない。森林火災の発生には延焼誘導植生という可燃物も必要になる。そして延焼誘導植生の繁茂を促進するには、大火が発生する前の年が乾燥しているのではなく、平年よりも湿潤であることが必要だ。森林火災史の研究によって、トム・スウェットナムは、2〜3年間の異常に湿潤な年のあとに異常乾燥した年が続くと、アメリカ南西部で過去最大の森林火災が発生した年となることに気づいた。これらはまさしくアメリカ南西部でＥＮＳＯがつくり出す状況だ。平年よりも湿潤で、可燃物になる延焼誘導植生がいっそう繁茂するエルニーニョの年のあとには、森林火災が発生する乾燥したラニーニャの年が続くのだ。

トムは、古環境と古気候の研究者で、友人でもあるアメリカ地質調査所のジュリオ・ベタンコートと彼の自宅の玄関先でビール6缶入りのパッケージを開けようとしていたとき、森林火災とＥＮＳＯの関係に初めて気づいた。* ジュリオはその頃、過去のＥＮＳＯの活動状況を研究しており、南西部での火傷痕の記録の中で大規模森林火災が起きた年——1893年、1879年、1870年、1861年、1

851年――をトムが並べ始めると、自身の研究から、これらの年の多くはラニーニャが起きていた年だと気づいた。火傷痕がごく少ないかまったくない年――1891年、1877年、1869年、1846年――をトムが並べたとき、トムとジュリオは何かを理解し合った。ジュリオはこれらがエルニーニョの起きた年だったと気がついた。彼らは、熱帯太平洋でのENSOシステムがアメリカ南西部の森林火災を発生させる重要な原因だと発見したのだった。それは、過去の森林火災と気候の関係を理解する上での重要な発見で、彼らは1990年にサイエンス誌に論文を発表した。

＊過去のハリケーン発生状況の研究に海難事故発生件数を用いるというアイデアをどのようにして私たちが最初に思いついたのかの経緯にいくぶん似たところがある。

伝道所開設と先住民の大量死

私がその15年後に森林火災史の研究を始めたとき、スウェットナムとベタンコートの論文は伝説に残るほど有名なものになっていた。その論文は、カリフォルニアのシエラネバダ山地での過去の森林火災発生と気候的な原因を探ろうと、ペンシルベニア州立大学のアラン・テーラーが構想を練って私が進めた研究計画など、他の研究計画の指針になるような偉大な業績だった。カリフォルニア生まれのアランには、カリフォルニアのシエラネバダ山地の気候にENSOが強い影響を及ぼさないことがわかっていた。では、シエラネバダ山地の過去の気候変動は何によってもたらされたのか？　私たちが突きとめようとしたのはこれだった。研究計画での私の最初の仕事は、8週間にわたるシエラネバダ山地での火傷痕試料の採集だった。アランが火傷痕試料と切り株の見つけ方と採集方法を教えてくれた1週間の準備期間の後、人が多く、おしゃれなヨーロッパの都市からやってきたばかりの都会育ちの私は羽を拡げて、大きく、広々とした空間に飛び込んでいった。私はレンタカーを借りて、食料品とクマ除けスプレーを買い込んで、国有林で試料採集をしながら、林野局の粗末な小屋で寝て、夏の残りの期間をシエラネバダ山地のあちこちをひとりで旅行するのに費やした。私たちと同じように、林野局は森林火災史をさらに学ぶことに関心を示し、行く先々ごとに消火士たちは喜んで私を支援してくれた。

人口過密のベルギーにはありえない「手つかずの大自然」に触れ、シエラネバダ山地の森を旅行しながら初めてのアメリカの夏を過ごすのが私の夢だった。消火士たちは、ヨーロッパから来た、聞いたこともないことを研究する学者に優しく接してくれた。――「デンマークから？ ブルガリアから？ 出身はどこ？」――ある夜、プラマス国有林内の森の奥にある林野局の粗末な小屋で2人の消火士と相部屋になった。夕食の後、彼らはあたりに置いてあったDVDを見ないかと誘ってくれた。DVDは、森の奥深くまでハイキングに行って消息を絶ってしまう3人のアマチュア映画製作者を題材にしたホラー映画、「ブレア・ウィッチ・プロジェクト」だった。映画をそれほど見たいと思っていなかった2人のために、こんな映画は森の奥深くでたったひとりでは見たくもないでしょうとだけ言った。勤務中の消火士グループとチームを組んだのは試料採集には得策だった。新しく調査する森では、キャットフェイスに最もよく保存された火傷痕がある「最高の」切り株を探し出すために2日間を費やした。翌日私は消火用エンジンその他を持ってきて、チェーンソーで試料採集を手伝ってくれる消火士たちと切り株がある場所を再び訪れた。これは持ちつ持たれつの状況だった。私は熟練した消火士が手伝ってくれたおかげで試料*を傷めずに採集できたし、次に森林火災が発生した際に備えて待機している間に、消火士たちはチェーンソー操作†を練習することができた。

＊経験の浅い人がチェーンソーを乱暴に使うと繊細な火傷痕は簡単にわからなくなってしまう。
†火災発生域から樹幹などの可燃物すべてを除去することによって、延焼を防止する防火帯を掘る場合に役立つ技術。

その夏、北はラッセン国有林から南のセコイア国有林に及ぶ29地点から３００以上の火傷痕試料を採集した。試料のクロスデーティングと分析の後、その結果と、アランが彼の学生と共同研究者と一緒に採集した火傷痕試料の膨大なバックカタログ（既刊目録）を組み合わせてみた。これにより、私たちはシエラネバダ山地の２０００点に近いデータを手に入れ、カリフォルニアの火災発生に気候が及ぼす影響を明らかにしようとする研究では、年代決定済み試料の数が２万点にのぼることになった。この膨大なデータが語ったのは、シエラネバダ山地での過去の森林火災を起こしたものは……、そう、旱魃だということだった。私たちは２０００点の試料を収集し、私自身は２万点の火傷痕試料を２年間かけて分析した。そして、シエラネバダ山地が乾燥していたときに森林が燃えたのだということを発見した。それは当然の結果だった。もう少し楽をして不完全なデータを使ったとしてもこの結果を全部出せたのではないだろうか。

シエラネバダ山地の１６００年～１９０７年の森林火災の復元記録から、旱魃と関連しない、別の情報を引き出すにはしばらく時間がかかった。私たちの森林火災記録と、20世紀の焼失面積の時間変化をつきあわせてみたところ、森林火災史での３つの明確な変化に気がついた。はっきりした３度の境界の年――１７７６年、１８６５年、１９０４年――で、森林火災の特徴が劇的に変わっていたのだ（図

シエラネバダ山地での４つの森林火災発生状況
1600– 現在

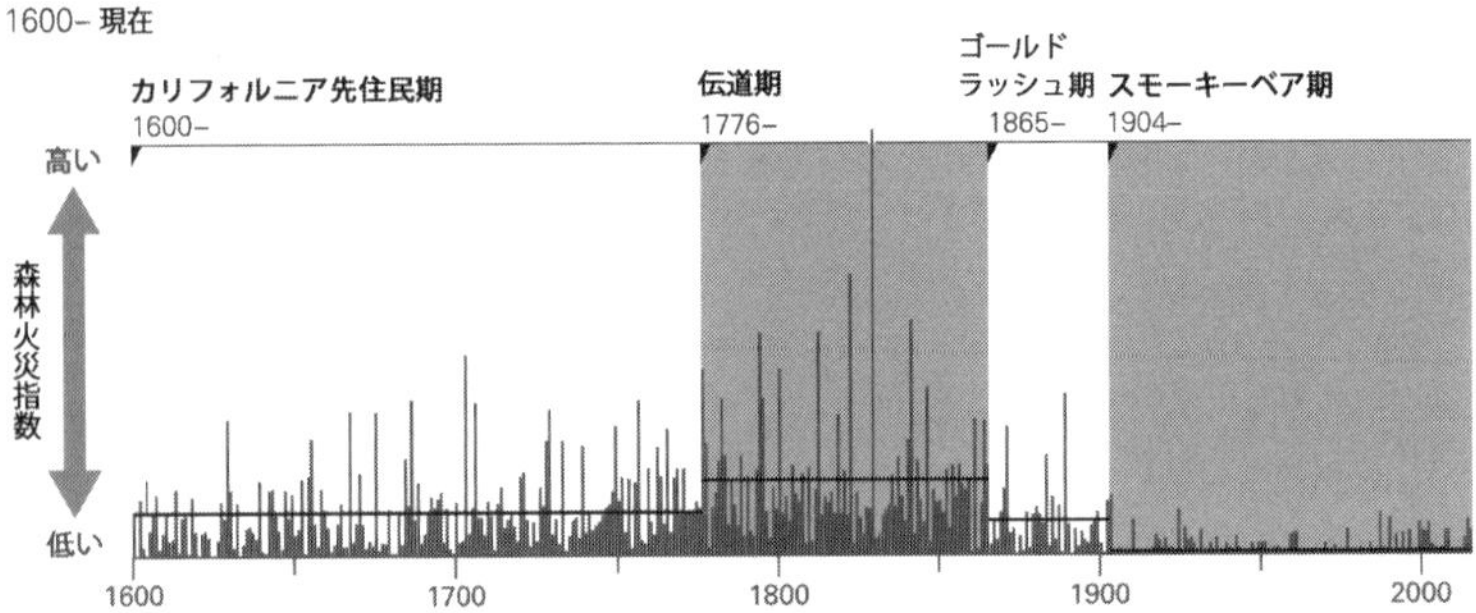

図24　カリフォルニアのシエラネバダ山地の火傷痕のデータ3世紀分を、20世紀の年間森林焼失面積の推移と組み合わせると、４つの特徴的な森林火災発生時期があることがわかる。1776年以前、カリフォルニアの先住民は、農業と狩猟のために小規模な山焼きを行っていた。ヨーロッパ人が北アメリカに定住し、感染症によって先住民の人口が大きく減少したため、大規模で広範囲に及ぶ森林火災の発生頻度が増加した。ゴールドラッシュ後のカリフォルニアへの家畜の流入とともに、森林火災の発生は再び減少に転じた。最終的には1904年以後、広域での防火キャンペーンによって、前例がないほどにまで森林火災の発生が低下したのだ。

24）。私たちの記録の最初の175年間、森林火災発生状況は安定していた。平均するとデータベースに存在する地点の22％で火災が毎年発生していた。次に1776年には変化があり、次の1世紀の間、シエラネバダ山地の森林火災は、もっと猛烈なものになり、発生頻度もますます増え、大規模でより広範囲にわたるようになっていた。1776年～1865年の間では、どの年でも平均して38％の地点で火災が発生していた。1865年以後は、平均20％の地点で火災が発生し、森林火災の規模は中程度になり、いちばん最初の状態に戻った。1904年以後、シエラネバダ山地の火災発生は、400年の記録の中で最少レベルに下がった。このような移り変わりは、私たちが検討してきた気候変動――気温、旱魃、ENSOの変化――の中では見られない。もし気候変動が原因でなければ、1776年、1865年、1904年の火災状況の変化は何によるものなのかという疑問が残った。

3度の変化が見られた年の中でいちばん最近の、1904年を境とした変化はかなり説明しやすいものだった。1905年には、ルーズベルト大統領による林野局設置と国有林での森林火災防止キャンペーンの発足が同時に行われた。また、この変化に先立って、火災発生回数が非常に多い状況から中程度への変化が見られた1865年頃の背景を説明するのに、過去を考慮する必要はそれほどなかった。シエラネバダ山地の火傷痕試料の多くは、その当時——カリフォルニアのゴールドラッシュの時期——に伐採された樹木の切り株から採集したものだった。1848年、コロマでの金の発見に続く10年、推定30万人がアメリカ国内の他地域や海外からカリフォルニアに移住してきた。多くの採掘者の需要に応えるために、州当局は物資と家畜を迅速かつ大量に手配した。1862年、カリフォルニアには300万頭の羊がいた。1876年には羊の数は倍増した。19世紀後半、夏になると、羊の大群が森を通って、将来、森林火災の可燃物になる可能性がある草や灌木を食べて山の牧草地に移動していった。家畜放牧の増加は草や灌木などの延焼誘導植生繁茂地を分散し、孤立させた。これによって、1865年の高い火災発生件数の中程度の発生様式への変化、つまり1865年以前の大規模で広範囲にわたる火災の頻発から、発生件数の減少へと変化したのだ。広範囲にわたる樹木伐採は、ゴールドラッシュ期に鉱山、家屋、鉄道に木材を供給するためで、1865年の森林火災発生様式の変化の一因にもなったのだ。私たちはシエラネバダ山地で、最もアクセスの悪い地区からもこの時期に伐採された切り株を見つけた。それは、伐採作業が広範囲に及んでおり、町や鉄道輸送沿線だけに限定されなかったことを意味している。

1904年のスモーキーベア効果による変化と1865年のゴールドラッシュでの変化はともに、人間による土地利用方法の変化に関係しており、１７７６年の1番目の火災発生状況の変化に対する説明のひとつとして、土地利用の変化に着目した。１７７６年までは、シエラネバダ山地での森林火災は中程度であって、年による変化はあまりなく、ほぼ一定していた。１７７６年以後、シエラネバダ山地での森林火災は多発し、火災発生が同時発生的になり、焼失した地点の数は年間に22％～38％へと2倍近くに増えた。私が試料を採集したシエラネバダ山地の29地点で火災が発生しなかったのは、１７７６年～１８６５年の90年間に1ヶ所としてなかった。最大の森林火災が起きたのは１８２９年で、この29地点中の25地点――南のセコイア・キングスキャニオンから北はラッセン国有林までずっと――で火災が発生している。しかし、１７７６年の前後、何が起きて、前触れなく突然、シエラネバダ山地の森林火災発生が頻繁なものになり、同時発生的なものになったのだろうか？　私たちの研究について講演して、１７７６年に何が起きたのかと聴衆に訊ねると、よく返ってくる最初の答えはアメリカ独立宣言だ。それがこの年に発布されたのは確かだが、カリフォルニアの森林火災にはほとんど関係がない。場合によっては、カリフォルニアの歴史に詳しい聴衆なら、検討に値するとして、当時のカトリック教会による布教活動の開始を考えるかもしれない。

１７６９年～１８３３年、フランシスコ会は、当時５００～６００の部族に分かれていた州内の先住民をキリスト教に帰依させるため、カリフォルニアに21ヶ所の伝道所を開設した。スペインの宣教師は、聖書だけではなく、先住民が免疫を持っていなかった天然痘などの多くのヨーロッパの感染症もカリフォルニアに持ち込んだ。この感染症の拡大は、伝道所の開設の後、時を移さずすぐに始まった。伝道所がカリフォルニアの海岸地域に限って設置されたにもかかわらず、広域にわたる部族間交易網を通って、感染症はセントラルバレー地域やシエラネバダ山地の山麓に拡大していった。１８５５年、カリフォルニアの先住民の85%が爆発的感染で死亡した。このような急速な人口の大量減少は、森林火災発生地域などのカリフォルニアの自然景観に大きな影響を及ぼした。伝道所開設前、先住民たちは高度な道具で火を燃やして、樹木、作物、牧草の生産性と狩猟の効率を高めていた。例えば、西部のモノ族はブルーオークの森の延焼誘導植生を燃やして、食用にできる種が実る多年生の植物、ホールのラバの耳（*Wyethia elata*）の成長を促進させた。シエラ地域の部族が発生させた森林火災を見て、ジョン・ミューアは、1894年の日記に、「インディアンはシカの狩猟に都合がよい森の中心部に火を放つのだ」と記している。カリフォルニアの先住民は、小規模な山焼きをたくさん発生させて、森の延焼誘導植生とその連続性を減少させ、森と燃やした土地がつぎはぎになったモザイク状の景観をつくり出した。山焼きによるつぎはぎ状の景観は、今日の防火帯と同じ働きがあった。つまり火災の拡大を防ぐのだ。1769年以後、カリフォルニアの先住民の人口は急速に減少し、森林火災の管理がおろそかになり、小規模の山焼きも行われなくなった。その結果、延焼誘導植生がさらに繁茂し続け、シエラネバダ山地を襲う大規模な森林火災の発生可能性が大きくなった。トム・スウェットナムと共同研究者は、ニューメキシコのジェメズ山地の森林火災に対して先住民の人口減少が原因となった同様の影響を見出した。この地域では、スペインの伝道所はかなり前から、1598年に設置されている。20年後、シエラネバダ地域と同じく、伝道の拡大がジェメズ地域の大規模な過疎化とともに、森林火災の規模拡大、同時発生的な火災発生様式に推移していくという結果を招いた。

火災発生様式が異なる4つの期間――カリフォルニア先住民期（1600年～1775年）、伝道期（1776年～1865年）、ゴールドラッシュ期（1865年～1903年）、スモーキーベア期（1904年から現在まで）を通じて、シエラネバダ山地では気温が高く、乾燥しているときに森林火災が発生していた。しかし、森林火災－旱魃の関係は、人間の土地利用方法の変化によって緩和されたり、強化されたりもした。森林火災に対する旱魃の影響は、先住民による小規模な山焼きの衰退のあと、ゴールドラッシュ期での延焼誘導植生繁茂地の分断と分散の開始の前にあたる伝道期で最も大きい。伝道所設置開始に続くほぼ1世紀に近いこの期間、シエラネバダ山地の森林はほとんど手が入っていないいまだった。先住民の山焼きによる火災管理、または羊による延焼誘導植生の除去のどちらかがつくり出したモザイク状の景観が見られなくなった状況で、気候は森林火災が発生する場所と時間を自由に左右したのだ。現在の西部での森林火災をどのようにして制御するかについて、私はここから学ぶべき教訓があると信じる。次の世紀には、カリフォルニアの気候は、ますます暑くなって、さらに乾燥し、激甚な森林火災の発生の原因になることは疑いない。しかし、私たちの検討結果からは、過去には土地利用方法の変化によって、森林火災と気候の関係が変わってしまったことがあったのがわかる。もし、間伐や山焼きによって延焼誘導植生の連続分布を減少させて、森林のモザイク状の景観をなんとかしてつくり出せれば、可燃物としての森林の負荷を軽減できる可能性がある。そうすることによって、将来の森林火災の強さと規模を抑えることができるのだ。

シベリア、サハ共和国での苛酷な野外調査

完備されたアメリカ西部の古森林火災国際データベースのおかげで、私たちは、複雑で微妙な違いを含む森林火災史の謎の数々をひとつにまとめることができた。世界の他の地域に対しては、私たちの森林火災史の知識はずっと限られたものであり、研究は始まったばかりにすぎない。２０１０年、アメリカ西部の森林火災発生状況の復元作業に年輪が使われ始めて30年近くが過ぎた後、トム・スウェットナ

ムはシベリアのタイガでの森林火災史の研究でNASAからの補助金を受けた。その数ヶ月後、私がLTRRに着任すると、トムはヤクーチア（註：ロシアのサハ共和国の別名）の野外調査に私を誘ってくれた。そのときまで、戦略ボードゲームで奪い合う領土として、ヤクーチアという言葉を聞いたことがあっただけだ。私が、ちょうどカムチャッカの西、ボードゲームの北東部に不気味に立ちはだかるシベリアの最果ての地に行きたいと思ったことがなかったのは確かだった。「どんなことでも1度は試してみる」という自分のモットーにしたがって、私はじっくりと考えることもなく、野外調査への参加に同意したのだった。

サハ共和国ともいわれるヤクーチアはあらゆるものが桁外れに巨大だ。その面積は328万平方キロ以上――インドの面積にほぼ匹敵――、人口は100万人以下だ。* トムは、火傷痕試料を採集するヤクーチアの野外調査のために、LTRRの研究者5人とロシア側の研究協力者5人のチームを組織した。私たちはレナ川が流れるサハ共和国の首都、ヤクーツクから、ロシア人協力者であるイェゴルの出身地、ボトゥルまでの720キロを車で移動し、その帰途に試料を採集しようという10日間の野外調査旅行を計画した。10日間程度の調査では広大なシベリアのごく一部にしか調査が及ばないことは承知していたが、私たちが選んだ720キロの横断ルートを走破することさえもじつは非常に困難な目標だったとはそのときには思いもしなかった。

＊2010年の国勢調査による。2010年当時、インドの人口は13億人以上だった。

調査旅行は、ツーソンからヤクーツクへの30時間超の飛行機移動で始まった。私たちはヤクーツクで

2日間の休息時間をとって、車移動を始める前に非常食を買い、マンモス象の博物館を訪れた。ヤクーツクでは気温が35℃、最低湿度が70%あって、暑く、ムッとしていた。出発時間になってホテルの前に現れた野外調査用の車2台は、ジープでもＳＵＶ（訳註：スポーツ・ユーティリティ・ビークルの略で、アウトドア仕様に設計された車）でもなく、旧式の4輪駆動仕様で、エアコンの装備もないソビエト時代のバンだった。ヤクーツクから人口８１５人のボトゥルまでのルートをグーグルマップで調べると、こんなメッセージが現れるだろう。「申し訳ありません。あなたがお探しのドライブルートは私たちの最新の地図でも表示できません」。それはほぼ間違いないようだ。ヤクーツクからボトゥルまでの道路は、まっすぐだったが、未舗装で、道路の両側には鬱蒼としたカラマツとマツの森があった。その道路は、凍結して通行可能になる冬場に主に使われているものだ。つまり、私たちは、夏場、この道路が1、2メートルもの深さに腐植土がたまって、巨大な泥風呂のようなぬかるみになっていることにすぐに気づいた*。試料採集のために一時停止することはなかったのに、ヤクーツクからボトゥルまで4日かかった。そのほとんどの時間、バンの外にいた。それは（1）バンがぬかるみに沈まない、または轍に車輪がはまらないように、バンの重さを減らすため、（2）バンをぬかるみから押し出すため、（3）ドライバーが、ぬかるみのいちばん深い箇所を覆う仮設の木の通路をつくり終えるのを待つためだった。バンのどちらかが故障すると必然的に移動がさらに2日間延びるのだった。近くの村で予備の部品を待っている間、ロシア調査旅行のリーダー、イェゴルは彼の口癖、「昔は道なんてなかったものだ。行先表示だけだった」を繰り返し、私たちを元気づけようとした。正直なところ、泥まみれ汗まみれの4日間のあと、私はいま置かれている状況よりもいっそ「道がない」ほうがましではないかと思い始めた。

＊ＬＴＲＲの野外調査メンバーのひとり、タイソン・スウェットナムは私たちのヤクーチアの野外調査を記録したビデオをYouTubeに投稿した。それは私たちの野外調査が本当にどんなものだったかを知るにはいちばんよい方法だ。https://www.youtube.com/watch?v=9n_fElk6mTo

ボトゥルへの長い移動を考えると、７２０キロの移動の中で私たちがなんとかして３００本の樹木を採集したのは立派なことだ。耐えがたいほどに長い作業時間は、採集効率向上に役立ったに違いない。北緯62度の６月、昼間の19時間に加えて、夕暮れと明け方の薄明かり時の２時間を作業にあてた。試料採集作業で最も遅くなったのは、ＧＰＳの時計の記録をみると午後11時54分だった。夜空を見上げたことも、10日間の夜の間に星を見たことさえも覚えていない。午前６時に起床、朝食をとって、テントをたたんで、車で移動（または車を押すか、待つか、歩くか）を始める。昼食休憩を午後４時から６時にとり、まだ外は明るいが深夜近くになってようやく車での移動をやめる。テントを張って、夕食をとり、お決まりのウォッカを飲むと、就寝時間が午前２時から３時になるのだった。翌日も同じようなスケジュールで作業が進んだ。ロシア人研究協力者はあらゆる点で信じられないほど礼儀正しかった。彼らは私たちよりも早く起きて、コーヒーを用意し、食事の支度をしてくれたし、夕食後の後片付けが済むまで起きていた。彼らは寝ているのかと私は不思議に思った。さらに、彼らはキャンプ時のシャワー用テントを携えてきており、毎晩、細心の注意を払って設営し、シャワーのために10リットル近くの水を沸かしたのだった。それはシベリアのタイガではかなり優雅なことだったが、非人間的なスケジュールの中で時間を割いてシャワーを楽しんでいるのは、チームでただひとりの女性だった私だけではないかということに気づいた。こうした短いけれど快楽の時間があったにもかかわらず、私は体調を崩しつつあった。私たちが無事野外調査を終えてツーソンに帰ったずっとあと、トムがヤクーチアの野外調査は経験した中では最も厳しいもののひとつだったと言っているのを聞いて安心した。30年以上の野外調査経験のある年輪年代学研究者がヤクーチアの調査がたいへん困難なものだったとわかってくれていたのなら、たぶん私の体調不良も無理からぬことだとわかってくれたはずだ。

この野外調査がたいへん厳しいものになったのは、多くの出来事が重なったためだった。発熱、大量発生する蚊とアブ、会話も聞こえないほどガタガタというバンの走行音、泥。イライラするほどのバンの進み具合の遅さ、果てしなく続く作業の日々、9人の男性の中でたったひとりの女性であったことなどが重なったのだ。肉体的に辛い作業と自然の中での汗まみれの10日間のキャンプ生活の中でシャワーを浴びることのありがたさを、どうも男性たちは誰ひとりとして感じなかったようだった。しかし他のみんなを困らせた要素のひとつは私の低血糖症だった。血糖値が低くなると、空腹感を感じて、体がうまく機能しなくなり、それらの症状は体調がよいときでも不快なのだ。野外調査では、ロシア人研究協力者たちがいっさいの食事の世話をした。彼らは食料品の買い物をし、食事の準備をして、何をいつ食べるかも決めてくれていた。用意された食事は美味しかったが、食事のスケジュールはひどいものだった。朝食を朝6時にとった後、夕方4時の「昼食」まで私たちは何も口にせず、そのあと深夜の「夕食」まで何も食事をとらなかった。8時間ぶりの食事では、低血糖症に良くない。それに、食事までの時間が8時間もあると、その間にバンをぬかるみから押し出す、何キロも森を歩いて樹木を抜き取り採集し、材木をチェーンソーで採集するなどの作業が連続する。初日の状況を反省し、――頭の片隅にあったピレネー山地での昔の経験もあって――男性の共同研究者たちは空腹だと言う以上に空腹を抱えていることがわかったので、2日目の昼、私はおやつがほしいと言った。イェゴルは渋々、私たちひとりひとりにリンゴを用意してくれた。翌日、同じ要求をしてみたところ、リンゴはもうなかった。10人で10日間の調査旅行をするのに用意していたのは、10個のリンゴだけだったのだ。

低血糖症の持病があるフィールドワーカーである私が準備に怠りなかったのは幸運だった。私は、ブリュッセルに立ち寄ったときに個包装されたベルギーのチョコレートワッフル10個を買い込んで、荷物に入れておいたのだ。リンゴがなくなり、私の血糖値が激しく下がって、回復しそうになかったとき、バンで移動中に私は最初のワッフルをちぎっていた。約8センチ角のチョコレートを載せた至福を血液に注ぎ込むのが待ちきれなかった。しかし私は顔を上げて、彼らと目を合わせるというミスを犯してしまった。おなかを空かせた5人の視線は、私が持っていたワッフルに突き刺さった。5人の餓えた人たちに小さなワッフルを分けてあげる他なかった。リンゴの件での大失敗に懲りて、私は持っていたワッフルをみんなに分けることにした。調査旅行の残りの期間中、私は1日にワッフルひとつをバンに同乗していた5人と分けて食べたのだった。低血糖症を食い止めるには十分とはいえなかったが、ベルギーワッフルとチョコレートでどれほどやる気が高まるのか強く印象付けられた。6年以上が過ぎた今日まで、ヤクーチアの野外調査旅行の同行者たちはベルギーワッフルの素晴らしさを称える電子メールを定期的に送ってくれる。

私たちは、火傷痕がついた樹木をヤクーチアの森のいたるところで見つけることができ、ヤクーチア－ボトゥル横断ルートの32地点で試料採集を完遂した。私たちが採集したキャットフェイスのマツとカラマツは、樹齢２００年～３００年で、２ヶ所から16ヶ所の火傷痕がついていた。倒木で見つけた最も古い火傷痕は１３０４年に遡るものだった。最も新しい火傷痕は２０１０年の森林火災によるものだった。個々の地点での火傷痕の年代を組み合わせた結果、各地点での森林火災の再発時間、つまり、森林火災がどのくらいの頻度で起きているかについて面白いアイデアが浮かんだ。組み合わせてみた地点での火傷痕を並べてみると、その地域全体としてどのくらいの頻度で森林火災が発生していたのか、また大きな森林火災が発生した年がいつだったのかを示すことができた。徐々にではあるが、シベリア全体の火傷痕が見つかる地点についてのデータベースを構築しつつある。共同研究を通して、データベース構築はモンゴルと中国に拡大していった。しかし、アジアの森林火災史データベースの拡充はゆっくりとしたもので、骨の折れる野外調査旅行がさらに必要だ。データベースを使ってシベリアでの現在の森林火災発生の原因を、アメリカ西部で私たちが行ってきたような歴史的視点に組み込めるようになるにはもう少し時間がかかることだろう。

第16章　これからの地球環境と年輪年代研究

1995年、ドイツ東部のシェーニンゲン炭田の露天掘り炭鉱に露出する堆積層での12年間の粘り強い発掘作業の結果、考古学者ハルトムート・ティーメと彼の研究チーム*は厚い泥層中から発見した古代の木製の槍4本を見つめていた。

*ニーデルザクセン州遺跡事務所のチーム。

ホモ・ハイデルベルゲンシスがつくった木製槍

バランスが取れていて、丁寧につくられた3本の槍は約1・8メートルの長さの投げ槍に見えたが、もう1本の短い槍は両端が尖っており、突き刺すために用いられたようだった。この特別な泥層に埋もれていた槍は、解体されたことが痕跡からはっきりわかる20頭以上の馬の骨の破片と同時に出土した。かつて湖畔地域だったため、シェーニンゲン遺跡は水浸しだった。そのため木製の槍や馬の骨などの有機物がひときわよく保存されるのだ。

「馬の屠殺場」、または「槍出土層」として知られるようになったこの遺跡は、たいへん重要なものと思われたので、ティーメは遺跡の訪問と現地見学のために25人ほどの研究者仲間を誘った。1995年の遺跡見学の後、アメリカの先史学者、ニコラス・コナードは次のように述べている。「処理解体されたモースバッハの大型の馬、保存状態が完全な数本の槍、多彩な暖炉、石器、考古遺物を密接に伴った多くの発見したというティーメの主張は、良識ある考古学者が十分にありうることだと思ったものをはるかに上回っている。11月1日、私はチュービンゲンからシェーニンゲンへ列車で長旅をしたが、ティーメの主張が本当だとは思わなかった。しかし、考古学史上、並ぶものがない発見を目の当たりにしているのだと参加者一同すぐに実感したので、その日の雰囲気は高揚したものだったとしか言いようがない」[*]

遺跡の有機物が古すぎたため、放射性炭素同位体年代測定法や年輪年代では年代を決定できなかったが、[†]熱ルミネッセンス法などの他の手法を使って遺跡の上位と下位の堆積物層を検討して、木製槍のかなり正確な年代[‡]を測定することができた。結論からいうと、槍は33万7000年〜30万年前の年代で、人類最古の木製品だったのだ。ネアンデルタール人の出現前にさえ遡るもので、ホモ・サピエンスと、さらに100万年前に地上を闊歩していた私たちの遠い祖先、ホモ・エレクトスの両方の特徴を持つ旧人類の一種、ホモ・ハイデルベルゲンシスが槍をつくった可能性が出てきた。シェーニンゲン遺跡の発掘調査の結果、ヒト上科と人類の行動様式と、人類進化に関する急激なパラダイムシフトを招いた旧石器時代の木製槍は、シェーニンゲン遺跡のホモ・ハイデルベルゲンシスが精巧な武器や道具を使い、食物連鎖の頂点に立つ腕のよい狩人だったことを示している。これには、現代の人類だけに備わっており、ネアンデルタール人以前のヒト科にはない特徴だとかつては考えられていた、ある水準以上の計画性、社会的な調整力、コミュニケーション能力が必要となる。

＊コナード・N・J、セランジェリ・J、ベーナー・U、スターコビッチ・B・M、ミラー・C・E、アーバン・B、ヴァ

ン・コルフショーテン・T、「シェーニンゲン遺跡の発掘と人類進化に関するパラダイムシフト」、『人類進化学雑誌』、89巻（２０１５年）、1–17頁。

†すなわち、測定結果は5万年以上の古さだった。

‡シェーニンゲン遺跡から出土したフリントの破片のような物質には長期間にわたってエネルギーが蓄積されている。そのような物質を前処理し、加熱すると、蛍光（ルミネッセンス）を放射する。放射されたルミネッセンスの量は物質の年代によって変化するので、物質の年代を決定することができる。

シェーニンゲン遺跡の木製槍は、高度な木材利用が25万年前というはるか古代に遡る人類進化の初期以来、木材の利用が人類の文化の一部になっていたことも雄弁に物語っている。これは理にかなったことだ。初期の人類が木材を資源として利用したのは使い途が広く、入手が簡単で、加工に高度な道具が必要ではなかったからだろう。木材の利用によって、それ以来ずっと人類は必要不可欠な食料、住居、エネルギーを賄うことができたのだ。何千年かの間に、石斧に取って代わって耐久性に優れた銅、青銅、鉄の道具が木材製品の加工に使われるようになって木工技術が着実に進歩し、木材利用が普遍的なものになった。やがて先史時代と有史時代には幅広い場面で木材が利用されるようになって、年輪年代学研究者は、木製品の正確な年代測定、全世界にわたる考古学的な出土品の分析ができるようになった。

年輪年代学研究者と歴史を学んでいる学生にとって幸運だったのは、直感で考える以上に、建築への木材利用は歴史が長く、広範囲に及んでいたことだ。人類がつくった最古の木造建築物の記録は、およそ共通紀元前９０００年の中石器時代に遡り、遺跡はイギリスのヨークシャー州北部、スターカーで発見されている。スターカーの考古学者は実際に木造建築物を発見したわけではなく、３・９メートル幅で円環状に並んだ、かつて円形の小屋があったことを示す18の柱穴を発見した。スターカーの柱穴は、古代の地表木造建築物の小さな遺跡にすぎないことから、過去の文化では現在に比べて、木材への依存度がそれほど大きくなかったという印象を与えがちだ。例えばローマ人たちは、建築用のレンガ製造の型、あるいはローマ皇帝の退廃ぶりにふさわしく、虚勢を張るためだけの構造物の建設に使う木製クレーンなどに木材をふんだんに使った。しかし、多くのローマ時代の木造建築物のうち、残っているのは、井戸の枠組に使われ、水浸しになっていた木材だけだ。そのような水浸しの嫌気性環境の中では、木材がよく保存されるので、私たちは木材利用と木工職人の技術の歴史を垣間見ることができる。木材が水中で保存されていたことで、シェーニンゲン遺跡の木製槍、ムルテン湖の新石器時代の杭上住居、イギリスのスイート・トラックが残されることになり、共通紀元6000年前のヨーロッパ最初の農民が同時に最初の木工職人だったということを私たちに教えてくれたのだ。中世ヨーロッパのゴシック様式の大聖堂、古代プエブロ人のグレート・ハウスやキバのようなずっと後世の建築物の木材では、地上にあっても、年代を経ていないため分解が起きておらず、年輪年代測定がしばしば可能だ。

さらに後の時代、木材は大航海時代と産業革命の中で中心的な役割を果たした。私たちがカリブ海のハリケーンの復元で検討したスペインの難破船は、広葉樹の材木で建造されていた。シエラネバダ山地の森林火災史の復元に使った火傷痕がある切り株の多くは、コムストック法の時代（1859年〜1874年）の鉱山ブームの間に伐採されたものだ。シエラネバダ山地の東斜面の鉱業権がかかった鉱山をヘンリー・コムストックが1859年に発見したことに続いて起きたシルバーラッシュでは、鉱石と、鉱山への物資の搬入と搬出に必要な馬車や鉄道の建設に加えて、鉱道、鉱山で働く人が住む仮設住宅、水車小屋の建設に大量の木材が必要になった。木材は鉱山建設のためだけではなく、採掘された鉱石を高温で精錬する燃料としても世界中で必要とされた。

考古学試料や木材の歴史的遺物——建築物、井戸、工芸品、木炭、樹木の切り株など——は、この比較にならないほど貴重な天然資源の活用例のごく一部を表しているにすぎないのだ。材木は狩猟や戦いの武器、道具、家具、スポーツ用具、印刷用木版、紙などをつくるため、そしてあなたがいま見ているまさにこの本に書かれている文字を読めるものにするためにも使われてきた。木材は、産業革命が起き、化石燃料が普及するまでは、家庭と工場の両方で最も重要なエネルギー源だった。私たちが知っている人類社会の進歩が木材に基礎を置いたものだと言っても過言ではない。

1774年、船長ジェームズ・クックは、イギリス王立協会が出資した調査船、レゾリューション号で、南アメリカの東、約3700キロ以上隔たった南太平洋の孤島の砂浜に上陸した。クックが島に近づくと、荒涼として、他には何もない景色の中で「まっすぐに立った柱」が数本、目に飛び込んできた。

1本残らず木が切られたイースター島

長い歴史を持った人類による木材利用とそれに伴う森林伐採は、景観、人間社会、地球システムにその名残を残してきた。激しい森林伐採の最も顕著な例のひとつは、人間が移住した最後の居住可能な島のひとつ、ラパ・ヌイ（イースター島）に見られた。噴火クレーターの堆積物コアの花粉のデータから、首長、ホツ・マツアが1200年頃、イースター島に最初に足を踏み入れたとき、島にはおよそ20種類の大きなヤシの木が生い茂っていた。オランダ人探検家、ヤーコプ・ロッヘフェーンが最初のヨーロッパ人としてイースター島にたどり着いた1722年には、ヤシの木はただの1本もなかった。ラパ・ヌイ族の移住から500年が過ぎた頃には、ラパ・ヌイ族の人びとは島固有の樹木をすべて絶滅に追いやって、樹木に覆われた島を丸裸にしてしまった。いまイースター島を訪れると、そこに見られる自然の植生は、草地とところどころに見える灌木だけだ。地上でいちばん遠く隔たった島まで飛行機で旅をしても、自然の植物は楽しめそうにはない。たぶん、ラパ・ヌイ族の巨大石像――モアイ像――があなたを楽しませてくれるだろう。900体以上のモアイ像はおよそ1400年~1680年の間にラパ・ヌイ族が凝灰岩（火山灰が固まってできた岩石）を彫ってつくったものだ。高さ9メートル以上、重さ80トン以上、最大の立像である900体もの巨大な石像彫刻が面積427平方キロ以下の狭い島に林立している。すべてのモアイ像を運搬し、設置するために、ラパ・ヌイ族は木材と樹皮からつくった大量のロープを必要とした。彼らは海を渡る丸木舟をつくるのに、そして住居と火の利用のため、さらに木材を必要とした。こうした目的すべてのために、彼らは、イースター島への移住後すぐに島の森林をすっかり伐採してしまった。森林伐採は1400年代に最盛期を迎えた。1600年代には、イースター島の風景はヤーコプ・ロッヘフェーンやクック船長が18世紀に目の当たりにし、現在もなおそのままの、荒廃したものになってしまった。

第8章では、イースター島から見て地球の裏側、アイスランドがどのようにして同じ運命をたどってきたかを見てきた。874年、ノルウェー人が現れたとき、アイスランドの4分の1は森林で覆われていた。しかし、わずか3世紀もしない間に、ノルウェー人入植者は燃料、材木、農作業のためにアイスランドの森林のほぼすべてを伐採してしまった。ごく早い段階から、ノルウェー人入植者はスカンディナビア半島の本国から木材を輸入しなければならなかったのだ。アイスランド国立博物館は、アイスランドとノルウェーの歴史に関わる木製工芸品を数多く展示しているが、13世紀の十字架上のキリスト像を例外として、すべての展示物は輸入木材でつくられている。徹底的な森林再生の努力にもかかわらず、21世紀初頭の段階では、アイスランドの国土の約１％が森林で覆われているにすぎない。そのためアイスランドは、世界の年輪地図の上では空白地域になっている。

歴史上の森林伐採すべてが、もとの森林がまるまる伐採され、再生もされなかったアイスランドやイースター島でのように度を越えたものというわけではなかった。しかし、森林の枯渇と伐採の歴史は長い。実際、実在する史上最古の文学作品の中でも森林伐採について触れられている。それは「誘いの森」と題された物語を含む共通紀元前３０００年のギルガメシュ叙事詩だ。ギルガメシュは、現在のイラクにあったメソポタミアの都市国家、ウルクの王だった。確実に自分の名前を歴史に残そうと、ギルガメシュは、大量の木材を必要とする寺院、王宮、都市の城壁の建設を決めた。彼にとって幸運だったのは、５０００年前のメソポタミアの山がスギの森で広く覆われていたことだ。「誘いの森」の中で、ギルガメシュは古代のスギの森の旅に出発したのだ。最初、彼は、人間の欲望から森を守るようにメソポタミアの神から命じられた怪人で、スギの森の番人、フンババと戦ってこれを退治する。フンババとの遭遇に動じることなく、ギルガメシュは、背が高く神聖なものとされていたスギをはじめ、スギの森すべてを伐採するのだった。スギの木でつくった筏をユーフラテス川に浮かべ、神聖なスギの木材でウルクの町の城門を建設したのだ。

ギルガメシュ叙事詩は神話上の詩で、ギルガメシュは創作された王だが、「誘いの森」は、１０００年に及ぶ文明の発達と、木材の利用で破壊された中東地域のスギの森の運命を象徴している。ギルガメシュの時代以後、世界の人口は指数関数的に増加し、それとともに森林の必要性も増加してきた。材木や燃料資源を供給するだけではなく、増加する世界の人口への食糧を供給する農業用地拡張のためにも、世界中で森林が伐採されている。私たちは歴史に残る森林伐採の事例を世界各地で見つけ出せるが、そのような伐採については、人口密度が高かったヨーロッパでよく記録が残っている。ローマ時代のイタリアでは、ローマ帝国の材木と木炭の需要がうなぎ上りに上がった結果、森が丸裸になってしまった。15世紀~16世紀、現在のスペインの前身が大西洋をはさんで帝国をつくり上げ、南・北アメリカとヨーロッパの間を航行する船隊をつくるための材木が必要になったため、イベリア半島は先例にならってしまった。スペイン北西部、アラゴンのモネグロス砂漠は激しい森林破壊の結果だ。1580年代、フェリペ2世はアラゴン地方の森を完全に伐採して、1588年にイギリスを攻撃した無敵艦隊を建造した。イギリス侵攻は失敗に終わり、スペインの大部分の森林が伐採されたまま放置され、国家の制海権を維持する資源も失ってしまった。強力な無敵艦隊をつくった森林があった場所は、モネグロス・デザートフェスティバルに行く電子音楽ファンが年に1度集うときだけ生命感にあふれるが、いまでは草木も生えていない丸裸の大地と化している。

森林資源の枯渇を緩和し、それを改善しようとした努力もヨーロッパの歴史によく記録されている。木材産地推定法からは、北海を囲む国々——イギリス、フランス、ベルギー、オランダ——が、1200年代にはバルト海地域から木材輸入を始めていたことがわかっている。15世紀以後ずっと、ベネチア共和国は船舶の建造と、広域にわたる堤防システムの維持のために、木材供給を確保するための国有地での持続可能で巧みな森林保全政策を実施していた。ベニスは、州の保護の下での広大な森林保全の点では時代のずっと先を行っていた。その森林がいまなお残っている。またベルギーでは、ローマ帝国の絶え間ない木材需要や、中世の都市の構築、近世の庶民と貴族階級が、シルウァ・カルボナリア（木炭の森）とアルドゥエンナ・シルウァ（アルドゥエンナの森）とよばれるガリアの森を枯渇させた。19世紀の産業革命でのエネルギー需要に応じるために、ベルギー南部の大半の地域——アルデンヌ丘陵地域——では、成長の速いトウヒを植林して森林が再生された。そこは、150年後、私が育った場所でもあり、この比較的新しく、単調な風景の中から森林についての私の考えが形成されたのだ。イギリスでは、産業革命に伴う森林資源とエネルギー不足は、石炭を使うという別の方法で対処された。イギリス諸島でとれる国内産の燃料として中世以来、石炭（無煙炭）を使用していたが、イギリスの産業が主要エネルギー源を木炭から石炭に転換させると、大規模な採炭が18世紀半ばに始まった。イギリスの産業界は、鉄の精錬すなわち製鉄に用いることができて、有害物質を生じないエネルギーとして精製した石炭——コークス——を開発した。エネルギー源としての石炭と建設資材としての鉄を組み合わせることで、イギリスの産業革命の舞台が整い、他の国々はすぐさまイギリスの例にならった。

産業革命後の炭素循環の劇的変化

産業革命が進んでいくにつれて、次第に石炭は別の2種類の化石燃料に取って代わられるようになった。石油と天然ガスだ。これらの化石燃料は多量に炭素が含まれている有機物——主としてプランクトン——に由来している。それらは自然状態の地球で、炭素が大気、堆積物、海洋の間で交換されていく炭素循環の中でゆっくりと形成された100万年スケールの炭素貯留体だ。生物–大気の炭素循環は、もっと速度の早い2つの重要な作用で進行する。それは呼吸と光合成だ。動物（人間を含めて）は二酸化炭素を大気に放出し、次に二酸化炭素は大気から光合成によって植物に取り込まれる。植物は、大気から吸収した炭素を利用して葉、根、木部を成長させる。植物が枯死して分解されると、その炭素は土壌に取り込まれ、やがて土壌微生物が呼吸をして二酸化炭素として大気に放出する。数百万年単位の長い時間スケールで、主に海生の動物性プランクトン（と藻類）が起源となった炭素が、地中深くの堆積物に石油や天然ガスとなって埋没される。均衡がとれた自然の炭素循環では、堆積物に固定された炭素は風化作用と変成作用を通して、同じくゆっくりとした速度で大気中に放出されていく。*

*熱、圧力、化学変化のすべてまたはどれかひとつによって、岩石を構成する鉱物の中で起きるゆっくりとした変化。

化石燃料を燃焼させて、私たちは炭素循環の進行を劇的に加速させてしまい、均衡状態を崩してしまった。工業化社会の始まりから２００年もしないうちに、私たちは何百万年分もの化石燃料の炭素を大気中に排出したのだ。そうすることによって、稲妻のような速さ（たとえていえば）で大気に炭素を排出してしまい、その結果、自然の炭素循環のバランスが変調をきたしてしまったのだ。大気中の温室効果ガス濃度の上昇の影響はよく知られており、とっくに進行している。全球的な気温上昇、氷山や氷床の融解、海水面の上昇、熱波、旱魃や洪水の激甚化、極渦、森林火災の長期化などがその結果だ。事実、地球システムへの温室効果ガス濃度上昇の影響は非常に広範囲に及び、最も新しい地質年代は、人類の活動が地球システム改変の最大の原因になり、地質記録に永久に残る痕跡を留めた時期としていまでは人新世とよばれている。例えば、私たちが生産、消費している無数のペットボトル、プラスティック製のニセモノの木は、太平洋ゴミベルトとなって姿を現すだけではなく、溶けたプラスティック、砂、玄武岩でできたプラスティグロメレートとよばれる新種の岩石もつくり出している。今日、人類が地上からいなくなっても、地球の大気圏、生命圏、水圏、大地に私たちが及ぼした影響はいまから数千年後にも残存することだろう。

１９４６年、冷戦下でのソ連との核兵器開発競争が始まった頃、太平洋熱帯域の真ん中にあるビキニ環礁でアメリカは核実験を始めている。次の12年間に、広島と長崎に投下された原子爆弾よりも１０００倍強力な15メガトンの熱核水素爆弾の核爆発に成功したブラボー実験（訳註：１９５４年、ビキニ環礁でアメリカが行った最初の高出力熱核水素爆弾の核実験。日本の漁船「第五福竜丸」が被曝した）など、核爆弾を23回もビキニ環礁で爆発させた。

地球環境への人為的影響は第２次世界大戦後、急激に加速した。国際化、工業化、人口増加すべてが同時に進み、温室効果ガスや煤煙の排出、プラスティック汚染、放射性物質がその結果として残った。そのため、人新世の始まりを第２次世界大戦の終了時とすることが多い。地上核実験開始の影響は非常に大きく、年輪や湖堆積物など生物や地層に永久の記録として検出可能な放射性物質の痕跡を残した。核実験と人新世の影響の実際の全球的な拡がりを明らかにするために、ニューサウスウェールズ大学の年輪年代学研究者、ジョナサン・パルマーとその共同研究者は、最も近いところに生えている同種の樹木から２７０キロ以上も隔たって生えている「世界一孤独な木」、シトカトウヒ（*Picea sitchensis*）を研究した。[*] それは、１９００年代初めに植えられた、ニュージーランドのずっと南の南極海にあるキャンベル島の唯一の樹木だ。トウヒの年輪の放射性炭素含有量を測定したところ、ジョナサンは、地上核実験の停止につながる部分的核実験禁止条約調印の２年後にあたる１９６５年の年輪に核実験起源の放射性炭素含有量のスパイクを発見した。ジョナサンとその共同研究者は、核実験が世界一孤独で、最も遠く離れた場所に生えている樹木にさえも痕跡を残した１９６５年に、人新世の始まりを置いている。

＊ジョナサンが樹木を掘削採集している様子のビデオは、https://theconversation.com/anthropocene-began-in-1965-according-to-signs-left-in-the-worlds-loneliest-tree-91993を参照。

地球環境を変えた人新世

しかし、人類は拭い去れない影響を長期間にわたって地球に及ぼし続け、まさしくその中心にあるのが樹木との関係だと主張する別の科学者もいる。バージニア大学の古気候学者、ウィリアム・ラディマンは、この「初期人新世」説の強力な提唱者だ。その著書、『農耕、感染病、石油』の中で、ラディマンは地球に対して人類が及ぼした回復不可能な影響、とくに1960年代以前、あるいは産業革命よりももっと前に早く始まっていた大気への影響についての考えを述べている。ラディマンは、人為的影響は最古の農耕、森林破壊とともに8000年前から始まり、産業革命までに影響が徐々に大きくなり、その後、拡大が加速していったのだと考えている。森林破壊は、光合成作用の低下と樹木への炭素固定量の減少という結果を招く。つまり、呼吸によって大気に放出される炭素の量よりも、光合成によって大気から取り除かれる炭素の量が少なくなってしまうことを意味しているのだ。

ヨーロッパ南東部の古代の農民は、共通紀元前6000年頃、作物を育てるために森の伐採をすでに始めており、自然の炭素循環システムから光合成の要素を取り除き始め、炭素循環を不安定なものにしてしまっていたのだ。その結果、農耕と森林伐採が進むにつれて、大気への二酸化炭素供給過多が着実に進行していった。ラディマンの「初期人新世」説では、森林伐採の最大の悪影響から明らかになった、上昇を続ける大気二酸化炭素濃度曲線中に見られるわずかな濃度低下にも触れている。それは、6世紀と14世紀の大陸規模での感染症の感染爆発や、ヨーロッパ人入植後の南・北アメリカでの天然痘の感染拡大によって数千万人が死亡したことを指すもので、この結果、かつての農地が数万平方キロもの広さの森林として再生した。それによって地表での光合成能力がいくらか向上し、それとともに大気中の二酸化炭素濃度が一時的ながら低下したのだ。悪くいえば、人びとが大勢亡くなるほど、森林はよい状態になるということだ。

「初期人新世」説に関しては、主に過去の農業と森林破壊の拡大の規模と速度についての見解の相違から、地球科学界では大きな論争になっている。しかし、炭素循環とこれに関連する温室効果ガスの濃度上昇をもたらす森林破壊の影響は、第一原理（訳註：近似や経験的パラメータなどを含まない、最も根本となる基本法則）に基づくものであり、議論の範囲を超えている。21世紀には、熱帯域での森林破壊が温室効果ガス濃度上昇の原因の30％を占めるといわれている。その逆もまた真だという情報もある。つまり、森林が再生されて森林の面積が拡大すると、光合成量が増え、大気からもっと炭素を取り除けることになるのだ。私たちはこれをヨーロッパで見てきた。近世（およそ１５００年～１８５０年）、アラゴンの森の木材がスペインの無敵艦隊を建造したように、農地の開発と木材利用のためにヨーロッパの森林の多くが伐採された。しかし19世紀初頭以後、産業革命で働き口のある都市に人びとが移住したことによって、西ヨーロッパ、中央ヨーロッパ、スカンディナビア半島地域の農地は放棄され、森林が復活したのだ。私の生まれ故郷のベルギー南部のように、放棄された農地の多くは周囲から森林が進出してくるか、または積極的に森林再生が行われた事例もある。そのため、１８００年代頃までのヨーロッパでは森林破壊のため炭素が大気に排出されていたが、炭素の排出は次の2世紀の間の植林（かつては森林がなかった土地での）と森林再生（かつて森林があった土地での）で逆になってしまった。しかし、仮にヨーロッパの森林面積の変化が森林破壊による炭素の排出を逆転させたとしても、それは化石燃料の燃焼による大気への膨大な炭素排出を相殺することにはならなかった。

化石燃料の燃焼による温室効果ガスの排出過多を相殺するには、私たちは現在進行中の森林破壊を最小限に食い止め、地球規模で新たな植林を行うことが求められるだろう。この戦略にはいくつか利点がある。森林は汚染を生まない。木材やエコツーリズムなど、森林からは持続可能な商品とサービスが生まれる。さらに、増大した温室効果ガスの影響自体が私たちの造林努力を逆に利用する可能性もある。全球気温が上昇すると、いまは気温が低すぎて樹木が成長できないような広大な土地でも植林できる可能性が生まれる。可能性の高い土地として、新しく森林が形成されうるだけの十分な面積があり、温暖化が全球平均よりも2~3倍も速い速度で進行する北アメリカとロシアの北極圏がよいだろう。このような高緯度地域では、気温上昇によって樹木の成長期間が長くなり、その結果、森林による炭素の吸収効果をさらに高めることになる。最終的には、大気中で増加した二酸化炭素を利用して、植物がさらに光合成を活発化させ、大気からもっと多くの炭素を吸収する二酸化炭素施肥技術を将来の可能性として検討している研究もある。二酸化炭素施肥の効果は私の愛犬、ロスコーのようなものだ。ロスコーに餌をやると、ロスコーはそれを食べて、健康を保つ。しかし、餌をたくさん与えてしまうと、それを平らげたロスコーは、まるまると太るだろう。二酸化炭素施肥理論は、ちょうどロスコーのように、森林は自制心を保つことができないということを前提にしている。

気候変動に立ち向かえ、年輪年代学研究者

不運なことには、人為的に起こされた気候変動の問題解決策は、もっと植林すればよいという簡単な

ものではない。化石燃料から排出された100万年オーダーの古さの炭素を現在の炭素循環に入れ込み、その炭素の吸収を現在と未来の森林に頼るのはリスクの大きいギャンブルのようなものだ。他にも多くの注意すべき点がある。第一には、樹木は、成長に炭素以外のものも必要としていることだ。樹木には空間、水、窒素やリンなどの栄養分が必要だ。水と栄養分が必要となるために、二酸化炭素施肥の効果が減少する可能性もある。どんなに過剰の炭素を樹木に与えようとも、水と栄養分の量が同じなら、施肥効果は限定的なものになるだろう。さらに、新しい森林には成長空間、水、食料生産に関わる栄養分の争奪競争も発生するだろう。私たちは、75億人の人間への食料供給を犠牲にしてまで、地球全体に樹木を植えることはできない。コメやジャガイモよりも樹木を育てるほうが適している地域でも、植林が予期せぬ結果を招かないとも限らない。例えば、北極を緑化すれば、雪に覆われた広大な土地が濃い緑色の大地に変わり、そのため入射してくる太陽放射エネルギーの反射率が下がって、太陽放射エネルギーの増加によって温暖化がいっそう進むだろう。次に、考慮すべき森林擾乱の問題がある。慎重に植林された森林の数十年、あるいは1世紀にも及ぶ成長とそれによる炭素の吸収効果も、ハリケーンの上陸、厳しい旱魃の発生、森林火災の発生などによって一瞬で台無しになってしまうことがある。病害は、森林火災のように森林に拡がることがあり、樹木が枯れると、同時に炭素吸収能力も失われてしまう。例えば、クリ胴枯病菌は、20世紀の初期、偶発的にアメリカに侵入した病原性菌類だが、急速に拡大して、北アメリカ東部の森林にかつてはたくさん生育していたアメリカグリ（*Castanea dentata*）に広範囲にわたって壊滅的な打撃を与えた。クリ胴枯病菌は、1940年には北アメリカのアメリカグリの成木の大半から駆除された。アメリカ西部を襲ってマツを壊滅させたマウンテン・パイン・ビートルなどの害虫の大発生によっても樹木が大量に枯死することがある。不幸なことには、気温上昇によって樹木の成長期間が延びるだけではなく、害虫が活動する期間もまた長くなるのだ。

人為的な原因による気候変動を緩和しようとする全地球的な努力の中で、森林の重要性があるとすれば、森林の炭素吸収に関連した警告と危険性をうまく把握することが必要だ。インドや中国など、陸地面積が広い国では、2015年のパリ協定などの国際合意にしたがう目的で、植林、緑化事業の推進と森林伐採の抑制が重要視されている。このような国際合意では、森林の炭素吸収能力の正確な数値目標が必要とされ、土地利用政策を、炭素吸収と気候変動の緩和に最適化できるようにする。森林が長い年月の中でどれほどの樹木を生育させてきたか——どれくらいの炭素を蓄えてきたのか——、そして降水量、気候変化、森林擾乱が樹木の成長にどう悪影響を及ぼしてきたのかを樹木に訊ねる方法がもし私たちにあれば。

年輪年代学研究者は、まさしく地球の炭素循環の謎を解くのに役立つ強力な研究手法を実際に手にしている。標本抜き取り器があれば、どれくらいの樹木が生育してきたかや、樹種、樹齢、土壌、気候も異なる樹木ごとにどれくらいの炭素を蓄えられるのかを調べることができる。成長時期が延びることによって、樹木の成長がどの程度の影響を受けるのかを検討することもできる。また渇水、激甚気象、気温上昇が樹木の成長にどれほどの影響を及ぼすのか、気候条件が変化するとそれらの影響がどのように変わっていくのか。森林火災や害虫の大発生がどのくらいの頻度で発生し、森林の成長にどのような影響をもたらしたのだろうか。かつての文明が崩壊したとき、気候変動は、文明崩壊を予告する社会環境的な状況の中でどのくらい頻繁に話題にされただろうか。独創性と適応能力に根ざした社会の回復力は、劣悪な状況が社会の一時的衰退か、全面的崩壊かをどのようにして最終的に決めるのだろうか。

この最後の段落を書いているいま、人為的気候変動は人類にとって最大の敵だ。そして、科学的発見と研究のおかげで、私たちは将来訪れる気候変動を人類史上初めて予測できるようになっている。年輪は、過去の社会が予期せぬ気候変動にどう対処したのかを理解するのに役立つばかりではない。年輪がささやきや叫びの中で語る歴史は、最悪の結末を回避し、そして人類が適応し、生存し続けるための革新的な方法を発見するひらめきを私たちに与えることだろう。新しい最先端技術を開発して、その可能性を利用するために、年輪年代学研究者には森林労働者、生態学者、地理学者、社会学者、人類学者、生化学者、大気科学者、水理学者、政策立案者との共同作業がなによりも必要になるだろう。私たちの仕事は難しい。

２０２２年、チームを招集して、ギリシャ、ピンドス山地のスモリカスの調査現場を再訪する計画がある。これまでで最長の標本抜き取り器を持って行って、なんとかしてアドニスの樹芯を採集するつもりだ。ヨーロッパ最古の樹木が茂るこの山を歩き、３０００年の文明があった地域で古樹が生き延びてきたことに思いを馳せる。人間と樹木の共存と共生関係の潜在的な力に畏怖の念を感じる。ピンドス山地の荒涼とした風景の中では、風車が回り、カーボンニュートラルで、永久に再生可能なエネルギーが生み出されている。新しく植えられた樹木が、その若々しいエネルギーに満ちた力で二酸化炭素を貪り食うようにして大気から吸収しているのがわかる。山麓のサマリナに着いたら、私たちのホテルには、前回泊まったときはなかった太陽発電パネルが屋根の上に設置されていることに気がつくはずだ。夜になったら、地元産の赤ワインを飲んで、信ずるものに乾杯しよう。よき友人たちと素晴らしい科学に、乾杯！

プレイリスト

" 風の中のマリー "
ジミ・ヘンドリックス（1967）

" ワンス・アポン・ア・タイム・イン・ザ・ウェスト "
エンニオ・モリコーネ（1968）

" アフター・ザ・ゴールド・ラッシュ "
ニール・ヤング（1970）

"Hey Hey, My My (Into the Black)"
Neil Young & Crazy Horse (1979)

" アフリカ "
TOTO（1982）

"It's the End of the World as We Know It"
REM (1987)

"Disintegration"
The Cure (1989)

"Wind of Change"
The Scorpions (1990)

"Fake Plastic Trees"
Radiohead (1995)

"99 Problems"
Jay Z (2003)

"Single Ladies (Put a Ring on It)"
Beyoncé (2008)

ポプラ	*Populus spp.*	2, 3, 13
ポンデローサマツ	*Pinus ponderosa*	1
メキシコラクウショウ	*Taxodium mucronatum*	12, 13
モンタナマツ	*Pinus uncinata*	6
ユーカリ	*Eucalyptus spp.*	3
ヨーロッパアカマツ	*Pinus sylvestris*	4, 10
ヨーロッパイチイ	*Taxus baccata*	3
ヨーロッパトウヒ	*Pinus abies*	3
ヨーロッパナラ	*Quercus robur*	4
ラオスヒノキ（フッケンヒバ）	*Fokienia hodginsii*	12
落羽松［ラクウショウ］	*Taxodium distichum*	3, 13, 14
ロッキーマウンテンブリストルコーン	*Pinus aristate*	3

樹木の和名と学名の一覧

〈和名〉	〈学名〉	〈登場する章〉
アトラススギ	*Cedrus atlantica*	3，7
アメリカグリ	*Castanea dentata*	16
アメリカクロヤマナラシ	*Populus deltoides*	3
アメリカヤマナラシ	*Populus tremuloides*	3
アラパリ	*Macrolobium acaciifolium*	4
ウェスタンジュニパー	*Junipeus occidentalis*	3
オリーブ	*Olea europaea*	3
祇連［キレン］ビャクシン	*Sabina przewalskii*	11
コースト・レッドウッド	*Sequoia sempervirens*	3
シトカトウヒ	*Picea sitchensis*	16
シベリアカラマツ	*Larix sibirica*	12
シベリアマツ	*Pinus sibirica*	10
スイスカサマツ	*Pinus cembra*	8
スギ	*Cyptomeria japonica*	10
スミミザクラ	*Prunus cerasus*	3
スラッシュパイン	*Pinus elliottii*	9
セイヨウトチノキ	*Castanea sativa*	3
セコイアオスギ	*Sequoiadendron giganteum*	1，3，15
チーク	*Tectona grandis*	4
ナンキョクブナ	*Nothofagus antarctica*	4
バオバブ	*Adansonia digitata*	3
パタゴニアヒバ	*Fitzroya cupressoides*	3
ヒノキ	*Chamaecyparis abtuse*	5
ビャクシン類（ネズ	*Juniperus spp.*	3
ヒューオンパイン	*Lagarostrobos franklinii*	3
フォックステールパイン	*Picea balfouriana*	3
フユナラ	*Quercus petraea*	4
ブリストルコーンパイン	*Pinus longaeva*	3
ブルーオーク	*Quercus douglasii*	9，15
ベイスギ	*Thuja plicata*	10
ボスニアマツ	*Pinus heldreichii*	3，14

ヒト族

現生の人類、絶滅した人類すべてと、直接の祖先が属するが、チンパンジー、ゴリラ、オランウータンなどの大型類人猿を除いた分類学的な族。(Hominin)

火の通り道

林床部から林冠部に森林火災が延焼していく植生。(Fuel ladder)

氷期

氷河が発達する時期。間氷期も見よ。(Glacial)

標本抜き取り器

成育中の樹木または木製の梁から樹木を傷つけることなく木部を採集するのに使われる特別な道具。(Increment borer)

浮動年輪年代

絶対年代が決められている参考年代との間でクロスデーティングがされておらず、確定されていない年輪年代。(Floating chronology)

放射性炭素年代測定

含まれる放射性炭素の量を測定して有機物の年代を測定する方法。(Radiocarbon dating)

【ま行】

民族移動時代

ゲルマン系民族とフン族がローマ帝国の領土内へ広範囲に移動し、西ローマ帝国の衰退の原因となった民族の大移動の時期（共通紀元250年ー410年頃）。(Völkerwanderung)

無酸素

酸素が欠乏している状態。(Anoxic)

明色年輪

平均よりもより小さく、細胞壁が厚くない晩材細胞を持った年輪。(Light rings)

モアイ像

共通紀元1400年ー1680年頃にイースター島のラパ・ヌイ族が凝灰岩でつくった巨大な彫像。(Moai)

木材産地推定法

年輪を使って、対象の製作に用いられている木材の産地を推定する手法。(Dendro-provenancing)

モレーン

氷河の前進によって押し出された土砂や岩石。(Moraine)

【や行】

山焼き（野焼き）

意図的に計画された森林や草地火事。森林への火入れともよばれる。(Controlled burn)

【ら行】

らせん状成長

ある種の（しばしば古樹）樹幹に見られる天然状態でのらせん状の成長形態。旋回木理ともよばれる。(Spiral growth)

リヒタースケール

地震波の強度に基づく地震マグニチュードの数値による区分。(Richter scale)

ローマ時代の気候最安定期

ヨーロッパと北アメリカで比較的温暖だった時期（およそ共通紀元300年ー200年)。ローマ時代の温暖気候期ともよばれる。(Roman Climate Optimum)

ローマ帝国の移行衰退期

西ローマ帝国が社会政治的に複雑な国家から残存した国家に移行した300年間にわたる期間(およそ共通紀元前250年ー550年)。(Roman Transition Period)

(Mesolithic)

長期暦

マヤなどのいろいろな先コロンブス期のメソアメリカ文明で使われていた20を基本とする非循環の暦。(Long Count calendar)

同位体

同一の元素で、質量数（原子核中の陽子と中性子の個数の合計）が異なり、化学的性質が同じもの。安定同位体（例えば、^{12}C、^{13}C）と放射性同位体(例えば、^{14}C)とがある。宇宙線生成同位体も参照せよ。(Isotopes)

導管

広葉樹の木部にある大型、管状の水輸送細胞。(Vessel)

途方もなく長寿命の高気圧

2012年ー2016年のカリフォルニアの旱魃に関係した北太平洋東部に長期間、居座り続けた高気圧の愛称。(Ridiculously Resilient Ridge)

【な行】

ナイロメーター

毎年の洪水シーズンのナイル川の水位を測るために建てられた構造物（円柱状、階段状、暗渠を伴う井戸)。(Nilometer)

二酸化炭素施肥

大気中の二酸化炭素濃度が上昇するために、大気からより多くの炭素を吸収し、植物が光合成作用を促進させる現象。(Carbon fertilization)

年輪気候学

年輪データを用いて過去の気候を研究する学問分野。(Dendroclimatology)

年輪考古学

歴史的建造物、考古試料、工芸品、楽器、美術品などの木材や木炭の年輪年代学的研究をする学問分野。(Dendroarcheology)

年輪シグナル

ある地域の年輪に見られ、明確で認識可能なひと続きの幅の狭い年輪と幅の広い年輪。(Tree-ring signature)

年輪時系列

単一の年輪試料から得られる年輪データに基づいた年代。(Tree-ring series)

年輪地形学

年輪年代学から派生した分野で、年輪を使って侵食作用や氷河の運動などの地球システムの諸過程を研究する。(Dendromorphology)

年輪年代

複数の樹木または地域から得られ、クロスデーティングされた年代に基づく年代。(Tree-ring chronology)

【は行】

煤煙

石炭の燃焼、内燃機関、森林火災、廃棄物焼却などの炭化水素の不完全燃焼に由来する不純な炭素粒子の空中浮遊粒子。ブラックカーボンともよばれる。(Soots)

ハドレー循環

温暖な空気を赤道地域から両極地域に送り込む大気循環。(Hadley circulation)

半化石

部分的な化石化。化石化するには十分な時間が経過していないか、または保存状態が完全な化石化に比べ次善である化石。(Subfossil)

板根

浅く根を張った木の側面にあって、木が倒れるのを防ぐ大型で幅広い根。根張りともいう。(Buttress)

晩材

生育シーズンの終わりに向かう、夏の後半に形成される材。(Late wood)

全球気候モデル
物理、流体の運動、化学を使って、複雑な地球の気候システムを模擬的に再現するコンピュータープログラム。大気大循環モデルまたはGCMともよばれる。(Global climate model)

先駆性樹種
発芽後の成長速度が速い遷移の初期段階で群集をつくる樹種。(Pioneer trees)

早材
年輪の中で春に形成される部分。(Early-wood)

ゾド
遊牧民が飼う家畜の大量死をもたらす豪雪を伴う厳寒(モンゴル語)。(Dzurd)

【た行】

大航海時代
15世紀初期ー18世紀後期、ヨーロッパの探検家が新たな貿易ルートを求めて世界中を旅行した。グローバリゼーションとヨーロッパの植民地主義の幕開けとなる。(Age of Discovery)

代替気候記録
過去の気候状況を記録し、気候情報源として利用できる自然の、または人工的な記録媒体。(Proxy climate record)

太陽黒点
磁気活動を示し、周囲よりも暗く見える太陽表面の温度が下がった部分。(Sunspots)

太陽フレア
地球に電磁気学的障害をもたらす太陽表面からの強大なエネルギーの噴出現象。(Solar flare)

太陽放射管理(SRM)
気候工学のひとつで、例えば成層圏に硫酸エアロゾルを人工的に注入し、火山噴火の影響をシミュレーションすることによって太陽放射が地表に到達する前にその一部を反射しようとする。気候工学も見よ。(Solar radiation management)

対流圏
地表の直上にある地球大気の層で、高度約10キロ。(Troposphere)

多雨
複数年にわたって降雨が多いこと。(Pluvial)

立ち枯れ木
枯れている立ち木。(Snag)

短冊状樹皮
古い樹木によく見られる樹木の形態で、幹の一部または帯状部にのみ樹皮の形で生きている細胞を含む。(Strip barking)

地球放射熱収支
地球が太陽から受け取るエネルギーの量と地球が宇宙空間に放射し、反射するエネルギーの量の差。(Earth's radiation budget)

地表火
地表が燃え、火災強度は小さく、破滅的なものではない森林火災。地中火災、低強度火災ともよばれる。(Surface fire)

中世温暖期
中世気候異常のもとの用語。ヨーロッパ中心主義的用語(としていまは使われる)。(Medieval Warm Period)

中世気候異常
ヨーロッパの気候史で北大西洋地域に集中して見られる比較的温暖だった時期(共通紀元900年ー1250年頃)。(Medieval Climate Anomaly)

中石器時代
旧石器時代と新石器時代の間の石器時代の中盤の時期で、ヨーロッパではおよそ共通紀元前1万3000年ー3000年頃の期間。新石器時代、旧石器時代も参照せよ。

ring)

樹冠火災

火災が樹冠部に到達し、被害が破滅的なものになる、猛烈で重大な森林火災。樹幹火災または重大火災ともいう。(Crown fire)

樹木伐採年

考古木材試料の外側年輪の生育年で、その樹木が倒れた年または伐採された年を示す。伐採年ともよばれる。(Tree-harvesting date)

小氷期

中世気候異常のあとに続き、人為的な地球温暖化に先立つ比較的寒冷だった時期（およそ共通紀元 1500 年― 1850 年)。(Little Ice Age)

植林

かつては森林がなかった土地に（天然または人工の）新しい森林が形成されること。(Afforestation)

人為的

人間がつくり出した変化。(Anthropogenic)

人新世

地球システムが第一義的には人類の活動に影響を受けている現在の地質年代。人新世の開始時期には議論があるが、しばしば第 2 次世界大戦の終結に関連しており、それ以後、地上核実験の影響がたいへん大きいため、生物学および地質学的な記録に永久的かつ検証可能な放射能の痕跡を残した。(Anthropocene)

新石器時代

共通紀元前 6000 年頃に始まった石器時代の最終で、最も新しい時期。(Neolithic)

森林火災発生間隔

2 度の火災発生間隔の平均値。(Fire return interval)

森林火災不発生

広域に及ぶ森林火災の防止活動による長期の森林火災の人為的な不発生。スモーキーベア効果も見よ。(Fire deficit)

森林再生

以前は森林だった土地に新たな森林（天然または人工的な）をつくること。(Reforestation)

水没材

川底や湖底に沈んでいる材木。(Sinker wood)

スーパーフレア

エネルギーが通常のフレアの 1 万倍に達する非常に強い太陽フレア。太陽フレアも見よ。(Superflare)

スモーキーベア効果

アメリカ西部の火災管理体制における 20 世紀の大規模な防火キャンペーン効果のこと。本来は森林生態系の一部である定期的、小規模な山火事を、人為的に長期間防止し続けた。森林地帯に不自然な可燃物が蓄積され、大規模で被害が大きい森林火災の発生を招く結果となった。(Smoky Bear effect)

成層圏

対流圏の上、中間圏の下にある地球大気の層（地表から約 10 ― 48 キロの上空)。(Stratosphere)

成長抑制因子

樹木の年ごとの成長の変動を決定する環境因子。(Limiting factor)

世界的異変

増大する温室効果ガスや全球的な気温上昇に関係し、狂ったような気候と気象現象（例えば熱波、干魃、ハリケーン、暴風雪)。(Global weirding)

積雪相当水量（SWE）

積雪に含まれている水の量を表すのに広く用いられている積雪量の測定値。(Snow Water Equivalent)

年輪の欠損を発見できる。(Missing ring)

高気圧

暖かく乾いた天候を伴う、風の吹き出しが時計回り（北半球の場合）または反時計回り（南半球の場合）の気圧が高い部分。(Anticyclone)

杭上住居

湖や、湿原で、杭や柱の上につくられた新石器時代（共通紀元前 5000 年ー 500 年頃）の小型の住居。(Pile dwellings)

洪水年輪

河川の堤防上に生育する樹木に見られ、春か夏の洪水で水没した年を記録する年輪。(Flood rings)

硬組織年代学

軟体動物の貝殻、サンゴ、魚類の耳石などの海生生物の硬組織に見られる年または季節ごとの成長パターンについての研究。(Sclerochronology)

古代後期小氷期（LALIA）

共通紀元536年から660年にわたって、ユーラシア大陸全域に及んだ著しく寒冷な期間。(Late Antique Little Ice Age)

古典期終末期

マヤ文明古典期の最末期（共通紀元 800 年ー 950 年頃)。(Terminal Classic Period)

古年輪年代学

珪化木の年輪の研究。(Paleodendrochronology)

古暴風雨学

過去の暴風雨とハリケーンについての研究。(Paleotempestology)

【さ行】

サイクロン

寒冷で湿った気象を伴う低気圧で、まわりの空気が反時計方向（北半球）または時計方向（南半球）に渦を巻く。(Cyclone)

最大晩材密度

年輪の晩材部分の最大密度で、年輪中の細胞壁が成長シーズンの終わりにどの程度成長したのかを反映する。(Maximum latewood density)

再予測

わかっている過去のイベント（例えば火山噴火）をモデルに計算させ、その出力結果とすでにわかっている気候とを比較して行う気候モデルの検証。ハインドキャスト。(Hindcasting)

参考年輪年代

絶対年代によるか、または正確に年代が決定された年輪年代で、しばしば貢献度が大きい試料の複製製作を伴う。同一地域から得られた年代未決定の一連の年輪のクロスデーティングのための参考試料として使われる。(Reference tree-ring chronology)

ジェット気流

対流圏近く(地上高度約 10 キロ)を高速で、蛇行しながら吹く西風。北半球、南半球でそれぞれ 2 つー 3 つのジェット気流があるのが一般的。(Jet streams)

時系列データ

連続する時間軸の中で記録され、年代順にしたがって並べられた一連のデータ。(Time series)

耳石

脊椎動物の内耳の骨。硬組織年代学では魚類の耳石の年縞を数え、クロスデーティングを行って、古気候情報を抽出することができる。硬組織年代学も見よ。(Otolith)

指標年

同一地域内の大半の樹木で、異常に年輪幅が狭いか広い年。(Pointer year)

霜年輪

樹木の生育シーズンでの降霜の結果、形状が不規則になった細胞を含む年輪。(Frost

climate record)

気候決定論

人間の活動は気候と環境で大きく決まると主張した歴史に対する18世紀の取り組み方。(Climatic determinism)

気候工学

上昇する温室効果ガスの影響を緩和する目的を達成するために、地球の気候システムの営みに対して、計画性を持って大規模に介入する技術。気候介入または地球工学としても知られる。太陽放射管理も見よ。(Climate engineering)

気候復元

代替指標に基づいて、過去の気候変化を定量的に推定すること。(Climate reconstruction)

北大西洋振動（NAO）

北大西洋上空の2つの大きな気団の間でのシーソーのような（振動）気圧の変化。アゾレス高気圧とアイスランド低気圧。(North Atlantic Oscillation)

軌道の変化

地球の気候に影響を及ぼす、10万年、4万年、2万年周期での地球公転軌道の離心率、地軸の傾き、歳差の変化。(Orbital variation)

偽年輪

樹木によっては、例えば、夏のモンスーン気候下で成長する樹木のように、1年で複数の年輪を形成する。偽年輪は年輪境界の顕微鏡観察で見出すことができる。偽年輪の境界から次の年輪への境界は漸移的だが、この正常な年輪の場合は境界が明確である。(False ring)

キバ

古代プエブロ人が宗教儀式や政治的集会に用いた、多くは地下にある部屋。(Kiva)

キャットフェイス

続いて起きた地表火で樹木の幹に残された一連の火傷跡。(Cat face)

旧石器時代

およそ330万年前のヒト族による最初の石器の使用から共通紀元前1万3000年頃の中石器時代の開始までの石器時代の初期。(Paleolithic)

極渦

極域の成層圏で発生する。冬場、この地域が拡がると、中緯度地域は極端に低温になる。低温で、巨大な低気圧性の渦。(Polar vortex)

近世

ヨーロッパの歴史で、中世に続き、産業革命に先行する期間（1500年ー1800年頃）。(Modern Period)

グレート・ハウス

複数階建ての古代プエブロ族の大型の建築物。(Great house)

クローン樹木

根のひこばえ（ルートサッカー）を通して増殖、拡散する植物。(Clonal tree)

クロスデーティング

同じ気候条件または地域で生育する樹木どうしで、年輪幅などの年輪特性の変化を照合させて、個々の年輪または木材片が形成された正確な暦年を決定する手法。交差年代決定法、交差接続法ともいう。(Cross-dating)

珪化木

有機物が鉱物沈殿物で置換されており、木のもとの組織が保存されている化石木。(Petrified wood)

欠損輪

極端に乾燥した年には、樹木によっては年輪が形成されず、その年の年輪が欠損してしまうことがある。クロスデーティングで

用語集

【あ行】

維管束形成層

樹皮と木部の間にある活発に活動する細胞の層で、そこで新たな木部、樹皮の細胞が形成される。(Cambium)

遺産樹木

巨大で樹齢が高く、孤立して生えているのが一般的な樹木で、独特の文化的・歴史的価値を持っている。(Heritage tree)

インポスター症候群

成功した人物（彼女または彼）が自分はペテン師だと思い込み、自分がそうであることがさらされる絶え間ない恐怖を経験する心理学的反応。(Imposter syndrome)

宇宙線生成同位体

太陽フレアのような高エネルギーの宇宙線によって生成される同位体。同位体、太陽フレアも参照せよ。(Cosmogenic isotopes)

エアロゾル

細かな霧状になって空気中に拡散している浮遊粒子。(Aerosol)

エルニーニョ・南方振動（ENSO）

3年から7年ごとに発生し、熱帯太平洋海域の海水温に変化をもたらす気候様式。完全なENSO周期には、温暖なエルニーニョ状態、冷涼なラニーニャ状態、どちらも起こらないニュートラルな状態の3つが含まれる。(El Niño Southern Oscilation)

遠隔相関

しばしば数千キロ離れた遠距離で発生する気象現象の因果関係。(Teleconnection)

延焼誘導植生

火災を煽る森林の可燃物の量。これが小さい場合、延焼の速度は小さく、被害も小さい。大きい場合には、急速に延焼し、破滅的な樹冠火災を招く。下生え。(Fuel load)

【か行】

改正版メルカリ震度階

機器観測を行わずに、地震による揺れの強さを測定する地震強度の尺度。改正版は最初のメルカリ震度階を改良して、1902年に開発された。(Modified Mercalli scale)

火災強度

火災で放出される熱エネルギー。樹冠火災は高温になり、破滅的なものになる。火災強度が低い地表火は樹冠に燃え広がることはなく、被害は軽微だ。(Fire intensity)

環孔材

晩材よりも早材中の導管が大きいことで特徴付けられるカシなどの硬質木。(Ring-porous wood)

完新世

最終氷期のあと、およそ1万1650年前に始まった最も新しい地質時代。(Holocene)

間氷期

2度の氷期にはさまれた地質学上の期間で、温暖で穏やかな気候が数千年間続く。氷期も参照せよ。(Interglacial)

機器観測記録

世界各地の気象台で機器によって毎日観測された気候観測データ。(Instrumental

Sierra Nevada, USA, 1600–2015 CE. *Proceedings of the National Academy of Sciences* 113 (48), 13684–89.

Trouet, V., Taylor, A. H., Wahl, E. R., Skinner, C. N., and Stephens, S. L. 2010. Fire-climate interactions in the American West since 1400 CE. *Geophysical Research Letters* 37 (4), L18704.

Westerling, A. L., Hidalgo, H. G., Cayan, D. R., and Swetnam, T. W. 2006. Warming and earlier spring increase western US forest wildfire activity. *Science* 313 (5789), 940–43.

第16章

Appuhn, K. 2009. *A forest on the sea: Environmental expertise in Renaissance Venice.* Baltimore: Johns Hopkins University Press.

Babst, F., Alexander, M. R., Szejner, P., Bouriaud, O., Klesse, S., Roden, J., Ciais, P., Poulter, B., Frank, D., Moore, D. J., and Trouet, V. 2014. A tree-ring perspective on the terrestrial carbon cycle. *Oecologia* 176 (2), 307–22.

Conard, N. J., Serangeli, J., Böhner, U., Starkovich, B. M., Miller, C. E., Urban, B., and Van Kolfschoten, T. 2015. Excavations at Schöningen and paradigm shifts in human evolution. *Journal of Human Evolution* 89, 1–17.

Corcoran, P. L., Moore, C. J., and Jazvac, K. 2014. An anthropogenic marker horizon in the future rock record. *GSA Today* 24 (6), 4–8.

Flenley, J. R., and King, S. M. 1984. Late quaternary pollen records from Easter Island. *Nature* 307 (5946), 47–50.

Hunt, T. L., and Lipo, C. P. 2006. Late colonization of Easter Island. *Science* 311 (5767), 1603–6.

Kaplan, J. O., Krumhardt, K. M., and Zimmermann, N. E. 2012. The effects of land use and climate change on the carbon cycle of Europe over the past 500 years. *Global Change Biology* 18 (3), 902–14.

Ruddiman, W. F. 2010. *Plows, plagues, and petroleum: How humans took control of climate.* Princeton, NJ: Princeton University Press.

Sandars, N. 1972. *The epic of Gilgamesh.* London: Penguin.

Thieme, H. 1997. Lower Palaeolithic hunting spears from Germany. *Nature* 385 (6619), 807.

Turney, C. S., Palmer, J., Maslin, M. A., Hogg, A., Fogwill, C. J., Southon, J., Fenwick, P., Helle, G., Wilmshurst, J. M., McGlone, M., and Ramsey, C. B. 2018. Global peak in atmospheric radiocarbon provides a potential definition for the onset of the Anthropocene epoch in 1965. *Scientific Reports* 8 (1), 3293.

Shen, C., Wang, W. C., Hao, Z., and Gong, W. 2007. Exceptional drought events over eastern China during the last five centuries. *Climatic Change* 85 (3–4), 453–71.

Stahle, D. W., Cleaveland, M. K., Blanton, D. B., Therrell, M. D., and Gay, D. A. 1998. The lost colony and Jamestown droughts. *Science* 280 (5363), 564–67.

Trouet, V., Babst, F., and Meko, M. 2018. Recent enhanced high-summer North Atlantic Jet variability emerges from three-century context. *Nature Communications* 9 (1), 180.

Trouet, V., Panayotov, M. P., Ivanova, A., and Frank, D. 2012. A pan-European summer teleconnection mode recorded by a new temperature reconstruction from the northeastern Mediterranean (AD 1768–2008). *Holocene* 22 (8), 887–98.

Urban, F. E., Cole, J. E., and Overpeck, J. T. 2000. Influence of mean climate change on climate variability from a 155-year tropical Pacific coral record. *Nature* 407 (6807), 989.

White, S. 2011. *The climate of rebellion in the early modern Ottoman Empire*. Cambridge: Cambridge University Press.

第15章

Abatzoglou, J. T., and Williams, A. P. 2016. Impact of anthropogenic climate change on wildfire across western US forests. *Proceedings of the National Academy of Sciences* 113 (42), 11770–75.

Anderson, K. 2005. *Tending the wild: Native American knowledge and the management of California's natural resources*. Berkeley: University of California Press.

Dennison, P. E., Brewer, S. C., Arnold, J. D., and Moritz, M. A. 2014. Large wildfire trends in the western United States, 1984–2011. *Geophysical Research Letters* 41 (8), 2928–33.

Fenn, E. A. 2001. *Pox Americana: The great smallpox epidemic of 1775–82*. New York: Hill & Wang.

Liebmann, M. J., Farella, J., Roos, C. I., Stack, A., Martini, S., and Swetnam, T. W. 2016. Native American depopulation, reforestation, and fire regimes in the Southwest United States, 1492–1900 CE. *Proceedings of the National Academy of Sciences* 113 (6), E696–E704.

Muir, J. 1961. *The mountains of California*. 1894. Reprint. New York: American Museum of Natural History and Doubleday.

Swetnam, T. W. 1993. Fire history and climate change in giant sequoia groves. *Science* 262 (5135), 885–89.

Swetnam, T. W., and Betancourt, J. L. 1990. Fire–southern oscillation relations in the southwestern United States. *Science* 249 (4972), 1017–20.

Taylor, A. H., Trouet, V., Skinner, C. N., and Stephens, S. 2016. Socioecological transitions trigger fire regime shifts and modulate fire-climate interactions in the

Dean, J. S., and Warren, R. L. 1983. Dendrochronology. In *The architecture and dendrochronology of Chetro Ketl*, edited by S. H. Lekson, 105–240. Reports of the Chaco Center, No. 6. Albuquerque: National Park Service.

Douglass, A. E. 1935. *Dating Pueblo Bonito and other ruins of the Southwest.* Pueblo Bonito Series, No. 1. Washington, DC: National Geographic Society.

Frazier, K. 1999. *People of Chaco: A canyon and its culture.* New York: Norton.

Guiterman, C. H., Swetnam, T. W., and Dean, J. S. 2016. Eleventh-century shift in timber procurement areas for the great houses of Chaco Canyon. *Proceedings of the National Academy of Sciences* 113 (5), 1186–90.

Meko, D. M., Woodhouse, C. A., Baisan, C. A., Knight, T., Lukas, J. J., Hughes, M. K., and Salzer, M. W. 2007. Medieval drought in the upper Colorado River basin. *Geophysical Research Letters* 34 (10), L10705.

Stahle, D. W., Cleaveland, M. K., Grissino-Mayer, H. D., Griffin, R. D., Fye, F. K., Therrell, M. D., Burnette, D. J., Meko, D. M., and Villanueva Diaz, J. 2009. Cool- and warm-season precipitation reconstructions over western New Mexico. *Journal of Climate* 22 (13), 3729–50.

Stockton, C. W., and Jacoby, G. C. 1976. *Long-term surface water supply and streamflow trends in the Upper Colorado River basin.* Lake Powell Research Project Bulletin No. 18. Arlington, VA: National Science Foundation.

Windes, T. C., and McKenna, P. J. 2001. Going against the grain: Wood production in Chacoan society. *American Antiquity* 66 (1), 119–40.

Woodhouse, C. A., Meko, D. M., MacDonald, G. M., Stahle, D. W., and Cook, E. R. 2010. A 1,200-year perspective of 21st century drought in southwestern North America. *Proceedings of the National Academy of Sciences* 107 (50), 21283–88.

第14章

Alfaro-Sánchez, R., Nguyen, H., Klesse, S., Hudson, A., Belmecheri, S., Köse, N., Diaz, H. F., Monson, R. K., Villalba, R., and Trouet, V. 2018. Climatic and volcanic forcing of tropical belt northern boundary over the past 800 years. *Nature Geoscience* 1 (12), 933–38.

Cook, B. I., Williams, A. P., Mankin, J. S., Seager, R., Smerdon, J. E., and Singh, D. 2018. Revisiting the leading drivers of Pacific coastal drought variability in the contiguous United States. *Journal of Climate* 31 (1), 25–43.

Fang, J. Q. 1992. Establishment of a data bank from records of climatic disasters and anomalies in ancient Chinese documents. *International Journal of Climatology* 12 (5), 499–519.

Li, J., Xie, S. P., Cook, E. R., Morales, M. S., Christie, D. A., Johnson, N. C., Chen, F., D'Arrigo, R., Fowler, A. M., Gou, X, and Fang, K. 2013. El Niño modulations over the past seven centuries. *Nature Climate Change* 3 (9), 822.

america (AD 750–950): Hemorrhagic fevers as a cause of massive population loss. *Medical Hypotheses* 65 (2), 405–9.

Buckley, B. M., Anchukaitis, K. J., Penny, D., Fletcher, R., Cook, E. R., Sano, M., Wichienkeeo, A., Minh, T. T., and Hong, T. M. 2010. Climate as a contributing factor in the demise of Angkor, Cambodia. *Proceedings of the National Academy of Sciences* 107 (15), 6748–52.

Di Cosmo, N., Hessl, A., Leland, C., Byambasuren, O., Tian, H., Nachin, B., Pederson, N., Andreu-Hayles, L., and Cook, E. R. 2018. Environmental stress and steppe nomads: Rethinking the history of the Uyghur Empire (744–840) with paleoclimate data. *Journal of Interdisciplinary History* 48 (4), 439–63.

Hessl, A. E., Anchukaitis, K. J., Jelsema, C., Cook, B., Byambasuren, O., Leland, C., Nachin, B., Pederson, N., Tian, H., and Hayles, L. A. 2018. Past and future drought in Mongolia. *Science Advances* 4 (3), e1701832.

Huntington, E. 1917. Maya civilization and climate changes. Paper presented at the XIX International Congress of Americanists, Washington, DC.

Pederson, N., Hessl, A. E., Baatarbileg, N., Anchukaitis, K. J., and Di Cosmo, N. 2014. Pluvials, droughts, the Mongol Empire, and modern Mongolia. *Proceedings of the National Academy of Sciences* 111 (12), 4375–79.

Sano, M., Buckley, B. M., and Sweda, T. 2009. Tree-ring based hydroclimate reconstruction over northern Vietnam from *Fokienia hodginsii*: Eighteenth century mega-drought and tropical Pacific influence. *Climate Dynamics* 33 (2–3), 331.

Stahle, D. W., Diaz, J. V., Burnette, D. J., Paredes, J. C., Heim, R. R., Fye, F. K., Soto, R. A., Therrell, M. D., Cleaveland, M. K., and Stahle, D. K. 2011. Major Mesoamerican droughts of the past millennium. *Geophysical Research Letters* 38, L05703.

Therrell, M. D., Stahle, D. W., and Acuna-Soto, R. 2004. Aztec drought and the "curse of one rabbit." *Bulletin of the American Meteorological Society* 85 (9), 1263–72.

第13章

American Association for the Advancement of Science. 1921. The Pueblo Bonito expedition of the National Geographic Society. *Science* 54 (1402), 458.

Bocinsky, R. K., Rush, J., Kintigh, K. W., and Kohler, T. A. 2016. Exploration and exploitation in the macrohistory of the pre-Hispanic Pueblo Southwest. *Science Advances* 2 (4), e1501532.

Cook, E. R., Woodhouse, C. A., Eakin, C. M., Meko, D. M., and Stahle, D. W. 2004. Long-term aridity changes in the western United States. *Science* 306 (5698), 1015–18.

Dean, J. S. 1967. *Chronological analysis of Tsegi phase sites in northeastern Arizona.* Papers of the Laboratory of Tree-Ring Research, No. 3. Tucson: University of Arizona Press.

第11章

Baker, A., Hellstrom, J. C., Kelly, B. F., Mariethoz, G., and Trouet, V. 2015. A composite annual-resolution stalagmite record of North Atlantic climate over the last three millennia. *Scientific Reports* 5, 10307.

Büntgen, U., Myglan, V. S., Ljungqvist, F. C., McCormick, M., Di Cosmo, N., Sigl, M., Jungclaus, J., Wagner, S., Krusic, P. J., Esper, J., and Kaplan, J. O. 2016. Cooling and societal change during the Late Antique Little Ice Age from 536 to around 660 AD. *Nature Geoscience* 9 (3), 231–36.

Büntgen, U., Tegel, W., Nicolussi, K., McCormick, M., Frank, D., Trouet, V., Kaplan, J. O., Herzig, F., Heussner, K. U., Wanner, H., Luterbacher, J., and Esper, J. 2011. 2500 years of European climate variability and human susceptibility. *Science* 331 (6017), 578–82.

Diaz, H., and Trouet, V. 2014. Some perspectives on societal impacts of past climatic changes. *History Compass* 12 (2), 160–77.

Dull, R. A., Southon, J. R., Kutterolf, S., Anchukaitis, K. J., Freundt, A., Wahl, D. B., Sheets, P., Amaroli, P., Hernandez, W., Wiemann, M. C., and Oppenheimer, C. 2019. Radiocarbon and geologic evidence reveal Ilopango volcano as source of the colossal 'mystery' eruption of 539/40 CE. *Quaternary Science Reviews* 222, 105855.

Harper, K. 2017. *The fate of Rome: Climate, disease, and the end of an empire.* Princeton, NJ: Princeton University Press.

Helama, S., Arppe, L., Uusitalo, J., Holopainen, J., Mäkelä, H. M., Mäkinen, H., Mielikäinen, K., Nöjd, P., Sutinen, R., Taavitsainen, J. P., and Timonen, M. 2018. Volcanic dust veils from sixth century tree-ring isotopes linked to reduced irradiance, primary production and human health. *Scientific Reports* 8 (1), 1339.

Sheppard, P. R., Tarasov, P. E., Graumlich, L. J., Heussner, K. U., Wagner, M., Österle, H., and Thompson, L. G. 2004. Annual precipitation since 515 BC reconstructed from living and fossil juniper growth of northeastern Qinghai Province, China. *Climate Dynamics* 23 (7–8), 869–81.

Soren, D. 2002. *Malaria, witchcraft, infant cemeteries, and the fall of Rome.* San Diego: Department of Classics and Humanities, San Diego State University.

Soren, D. 2003. Can archaeologists excavate evidence of malaria? *World Archaeology* 35 (2), 193–209.

Stothers, R. B., and Rampino, M. R. 1983. Volcanic eruptions in the Mediterranean before AD 630 from written and archaeological sources. *Journal of Geophysical Research: Solid Earth* 88 (B8), 6357–71.

第12章

Acuna-Soto, R., Stahle, D. W., Therrell, M. D., Chavez, S. G., and Cleaveland, M. K. 2005. Drought, epidemic disease, and the fall of classic period cultures in Meso-

Stahle, D. W., Griffin, R. D., Meko, D. M., Therrell, M. D., Edmondson, J. R., Cleaveland, M. K., Stahle, L. N., Burnette, D. J., Abatzoglou, J. T., Redmond, K. T., and Dettinger, M. D. 2013. The ancient blue oak woodlands of California: Longevity and hydroclimatic history. *Earth Interactions* 17 (12), 1–23.

Trouet, V., Harley, G. L., and Domínguez-Delmás, M. 2016. Shipwreck rates reveal Caribbean tropical cyclone response to past radiative forcing. *Proceedings of the National Academy of Sciences* 13 (12), 3169–74.

第10章

Atwater, B. F., Musumi-Rokkaku, S., Satake, K., Tsuji, Y., Ueda, K., and Yamaguchi, D. K. 2016. *The orphan tsunami of 1700: Japanese clues to a parent earthquake in North America.* Seattle: University of Washington Press.

Briffa, K. R., Jones, P. D., Schweingruber, F. H., and Osborn, T. J. 1998. Influence of volcanic eruptions on Northern Hemisphere summer temperature over the past 600 years. *Nature* 393 (6684), 450.

LaMarche, V. C., Jr, and Hirschboeck, K. K. 1984. Frost rings in trees as records of major volcanic eruptions. *Nature* 307 (5947), 121.

Manning, J. G., Ludlow, F., Stine, A. R., Boos, W. R., Sigl, M., and Marlon, J. R. 2017. Volcanic suppression of Nile summer flooding triggers revolt and constrains interstate conflict in ancient Egypt. *Nature Communications* 8 (1), 900.

Miyake, F., Nagaya, K., Masuda, K., and Nakamura, T. 2012. A signature of cosmic-ray increase in AD 774–775 from tree rings in Japan. *Nature* 486 (7402), 240.

Mousseau, T. A., Welch, S. M., Chizhevsky, I., Bondarenko, O., Milinevsky, G., Tedeschi, D. J., Bonisoli-Alquati, A., and Møller, A. P. 2013. Tree rings reveal extent of exposure to ionizing radiation in Scots pine *Pinus sylvestris*. *Trees* 27 (5), 1443–53.

Munoz, S. E., Giosan, L., Therrell, M. D., Remo, J. W., Shen, Z., Sullivan, R. M., Wiman, C., O'Donnell, M., and Donnelly, J. P. 2018. Climatic control of Mississippi River flood hazard amplified by river engineering. *Nature* 556 (7699), 95.

Pang, K. D. 1991. The legacies of eruption: Matching traces of ancient volcanism with chronicles of cold and famine. *The Sciences* 31 (1), 30–35.

Sigl, M., Winstrup, M., McConnell, J. R., Welten, K. C., Plunkett, G., Ludlow, F., Büntgen, U., Caffee, M., Chellman, N., Dahl-Jensen, D., and Fischer, H. 2015. Timing and climate forcing of volcanic eruptions for the past 2,500 years. *Nature* 523 (7562), 543.

Therrell, M. D., and Bialecki, M. B. 2015. A multi-century tree-ring record of spring flooding on the Mississippi River. *Journal of Hydrology* 529, 490–98.

Vaganov, E. A., Hughes, M. K., Silkin, P. P., and Nesvetailo, V. D. 2004. The Tunguska event in 1908: Evidence from tree-ring anatomy. *Astrobiology* 4 (3), 391–99.

第8章

Brázdil, R., Kiss, A., Luterbacher, J., Nash, D. J., and Řezníčková, L. 2018. Documentary data and the study of past droughts: A global state of the art. *Climate of the Past* 14 (12), 1915–60.

Degroot, D. 2018. Climate change and society in the 15th to 18th centuries. *Wiley Interdisciplinary Reviews: Climate Change* 9 (3), e518.

Fagan, B. 2000. *The Little Ice Age*. New York: Basic Books.

Le Roy, M., Nicolussi, K., Deline, P., Astrade, L., Edouard, J. L., Miramont, C., and Arnaud, F. 2015. Calendar-dated glacier variations in the western European Alps during the Neoglacial: The Mer de Glace record, Mont Blanc massif. *Quaternary Science Reviews* 108, 1–22.

Le Roy Ladurie, E. 1971. *Times of feast, times of famine: A history of climate since the year 1000*. New York: Doubleday.

Ludlow, F., Stine, A. R., Leahy, P., Murphy, E., Mayewski, P. A., Taylor, D., Killen, J., Baillie, M. G., Hennessy, M., and Kiely, G. 2013. Medieval Irish chronicles reveal persistent volcanic forcing of severe winter cold events, 431–1649 CE. *Environmental Research Letters* 8 (2), 024035.

Magnusson, M., and Pálsson, H. 1965. The Vinland Sagas: Grænlendiga Saga and Eirik's Saga. Harmondsworth: Penguin.

Nelson, M. C., Ingram, S. E., Dugmore, A. J., Streeter, R., Peeples, M. A., McGovern, T. H., Hegmon, M., Arneborg, J., Kintigh, K. W., Brewington, S., and Spielmann, K. A. 2016. Climate challenges, vulnerabilities, and food security. *Proceedings of the National Academy of Sciences* 113 (2), 298–303.

第9章

Belmecheri, S., Babst, F., Wahl, E. R., Stahle, D. W., and Trouet, V. 2016. Multicentury evaluation of Sierra Nevada snowpack. *Nature Climate Change* 6 (1), 2.

Black, B. A., Sydeman, W. J., Frank, D. C., Griffin, D., Stahle, D. W., García-Reyes, M., Rykaczewski, R. R., Bograd, S. J., and Peterson, W. T. 2014. Six centuries of variability and extremes in a coupled marine-terrestrial ecosystem. *Science* 345 (6203), 1498–1502.

Butler, P. G., Wanamaker, A. D., Scourse, J. D., Richardson, C. A., and Reynolds, D. J. 2013. Variability of marine climate on the North Icelandic Shelf in a 1357-year proxy archive based on growth increments in the bivalve *Arctica islandica*. *Palaeogeography, Palaeoclimatology, Palaeoecology* 373, 141–51.

Griffin, D., and Anchukaitis, K. J. 2014. How unusual is the 2012–2014 California drought? *Geophysical Research Letters* 41 (24), 9017–23.

Marx, R. F. 1987. *Shipwrecks in the Americas*. New York: Crown.

Tegel, W., Elburg, R., Hakelberg, D., Stäuble, H., and Büntgen, U. 2012. Early Neolithic water wells reveal the world's oldest wood architecture. *PloS One* 7 (12), e51374.

第6章

Bradley, R. S. 2011. *Global warming and political intimidation: How politicians cracked down on scientists as the earth heated up*. Amherst: University of Massachusetts Press.

Büntgen, U., Frank, D., Grudd, H., and Esper, J. 2008. Long-term summer temperature variations in the Pyrenees. *Climate Dynamics* 31 (6), 615–31.

Büntgen, U., Frank, D., Trouet, V., and Esper, J. 2010. Diverse climate sensitivity of Mediterranean tree-ring width and density. *Trees* 24 (2), 261–73.

Mann, M. E., Bradley, R. S., and Hughes, M. K. 1998. Global-scale temperature patterns and climate forcing over the past six centuries. *Nature* 392 (6678), 779.

Mann, M. E., Bradley, R. S., and Hughes, M. K. 1999. Northern Hemisphere temperatures during the past millennium: Inferences, uncertainties, and limitations. *Geophysical Research Letters* 26 (6), 759–62.

Oreskes, N., and Conway, E. M. 2011. *Merchants of doubt: How a handful of scientists obscured the truth on issues from tobacco smoke to global warming*. New York: Bloomsbury.

第7章

Esper, J., Frank, D., Büntgen, U., Verstege, A., Luterbacher, J., and Xoplaki, E. 2007. Long-term drought severity variations in Morocco. *Geophysical Research Letters* 34 (17), L07711.

Frank, D. C., Esper, J., Raible, C. C., Büntgen, U., Trouet, V., Stocker, B., and Joos, F. 2010. Ensemble reconstruction constraints on the global carbon cycle sensitivity to climate. *Nature* 463 (7280), 527.

Frank, D. C., Esper, J., Zorita, E., and Wilson, R. 2010. A noodle, hockey stick, and spaghetti plate: A perspective on high-resolution paleoclimatology. *Wiley Interdisciplinary Reviews: Climate Change* 1 (4), 507–16.

Lamb, H. H. 1965. The early medieval warm epoch and its sequel. *Palaeogeography, Palaeoclimatology, Palaeoecology* 1, 13–37.

Proctor, C. J., Baker, A., Barnes, W. L., and Gilmour, M. A. 2000. A thousand year speleothem proxy record of North Atlantic climate from Scotland. *Climate Dynamics* 16 (10–11), 815–20.

Trouet, V., Esper, J., Graham, N. E., Baker, A., Scourse, J. D., and Frank, D. C. 2009. Persistent positive North Atlantic Oscillation mode dominated the medieval climate anomaly. *Science* 324 (5923), 78–80.

Schöngart, J., Piedade, M. T. F., Wittmann, F., Junk, W. J., and Worbes, M. 2005. Wood growth patterns of *Macrolobium acaciifolium* (Benth.) Benth. (Fabaceae) in Amazonian black-water and white-water floodplain forests. *Oecologia* 145 (3), 454–61.

Silverstein, S., Freeman, N., and Kennedy, A. P. 1964. *The giving tree*. New York: Harper & Row.

第5章

Billamboz, A. 2004. Dendrochronology in lake-dwelling research. In *Living on the lake in prehistoric Europe: 150 years of lake-dwelling research*, edited by F. Menotti, 117–31. New York: Routledge.

Büntgen, U., Tegel, W., Nicolussi, K., McCormick, M., Frank, D., Trouet, V., Kaplan, J. O., Herzig, F., Heussner, K. U., Wanner, H., Luterbacher, J., and Esper, J. 2011. 2500 years of European climate variability and human susceptibility. *Science* 331 (6017), 578–82.

Daly, A. 2007. The Karschau ship, Schleswig Holstein: Dendrochronological results and timber provenance. *International Journal of Nautical Archaeology* 36 (1), 155–66.

Haneca, K., Wazny, T., Van Acker, J., and Beeckman, H. 2005. Provenancing Baltic timber from art historical objects: Success and limitations. *Journal of Archaeological Science* 32 (2), 261–71.

Hillam, J., Groves, C. M., Brown, D. M., Baillie, M. G. L., Coles, J. M., and Coles, B. J. 1990. Dendrochronology of the English Neolithic. *Antiquity* 64 (243), 210–20.

Martin-Benito, D., Pederson, N., McDonald, M., Krusic, P., Fernandez, J. M., Buckley, B., Anchukaitis, K. J., D'Arrigo, R., Andreu-Hayles, L., and Cook, E. 2014. Dendrochronological dating of the World Trade Center ship, Lower Manhattan, New York City. *Tree-Ring Research* 70 (2), 65–77.

Miles, D. W. H., and Bridge, M. C. 2005. *The tree-ring dating of the early medieval doors at Westminster Abbey, London*. English Heritage Centre for Archaeology, Report 38/2005. London: English Heritage.

Pearson, C. L., Brewer, P. W., Brown, D., Heaton, T. J., Hodgins, G. W., Jull, A. T., Lange, T., and Salzer, M. W. 2018. Annual radiocarbon record indicates 16th century BCE date for the Thera eruption. *Science Advances* 4 (8), eaar8241.

Reimer, P. J., Bard, E., Bayliss, A., Beck, J. W., Blackwell, P. G., Ramsey, C. B., Buck, C. E., Cheng, H., Edwards, R. L., Friedrich, M., and Grootes, P. M. 2013. IntCal13 and Marine13 radiocarbon age calibration curves 0–50,000 years cal BP. *Radiocarbon* 55 (4), 1869–87.

Slayton, J. D., Stevens, M. R., Grissino-Mayer, H. D., and Faulkner, C. H. 2009. The historical dendroarchaeology of two log structures at the Marble Springs Historic Site, Knox County, Tennessee, USA. *Tree-Ring Research* 65 (1), 23–36.

Fritts, H. C. 1976. *Tree rings and climate.* London: Academic.

Trouet, V., Haneca, K., Coppin, P., and Beeckman, H. 2001. Tree ring analysis of Brachystegia spiciformis and Isoberlinia tomentosa: Evaluation of the ENSO-signal in the miombo woodland of eastern Africa. *IAWA Journal* 22 (4), 385–99.

第3章

Bevan-Jones, R. 2002. *The ancient yew: A history of* Taxus baccata. Macclesfield, Cheshire: Windgather.

Brandes, R. 2007. *Waldgrenzen griechischer Hochgebirge: Unter besonderer Berücksichtigung des Taygetos, Südpeloponnes (Walddynamik, Tannensterben, Dendrochronologie).* Erlangen-Nürnberg: Friedrich Alexander Universität.

Ferguson, C. W. 1968. Bristlecone pine: Science and esthetics: A 7100-year tree-ring chronology aids scientists; old trees draw visitors to California mountains. *Science* 159 (3817), 839–46.

Klippel, L., Krusic, P. J., Konter, O., St. George, S., Trouet, V., and Esper, J. 2019. A 1200+ year reconstruction of temperature extremes for the northeastern Mediterranean region. *International Journal of Climatology* 39 (4), 2336–50.

Konter, O., Krusic, P. J., Trouet, V., and Esper, J. 2017. Meet Adonis, Europe's oldest dendrochronologically dated tree. *Dendrochronologia* 42, 12.

Stahle, D. W., Edmondson, J. R., Howard, I. M., Robbins, C. R., Griffin, R. D., Carl, A., Hall, C. B., Stahle, D. K., and Torbenson, M. C. A. 2019. Longevity, climate sensitivity, and conservation status of wetland trees at Black River, North Carolina. *Environmental Research Communications* 1 (4), 041002.

第4章

Berlage, H. P. 1931. On the relationship between thickness of tree rings of Djati (teak) trees and rainfall on Java. *Tectona* 24, 939–53.

Bryson, R. A., and Murray, T. 1977. *Climates of hunger: Mankind and the world's changing weather.* Madison: University of Wisconsin Press.

De Micco, V., Campelo, F., De Luis, M., Bräuning, A., Grabner, M., Battipaglia, G., and Cherubini, P. 2016. Intra-annual density fluctuations in tree rings: How, when, where, and why. *IAWA Journal* 37 (2), 232–59.

Francis, J. E. 1986. Growth rings in Cretaceous and Tertiary wood from Antarctica and their palaeoclimatic implications. *Palaeontology* 29 (4), 665–84.

Friedrich, M., Remmele, S., Kromer, B., Hofmann, J., Spurk, M., Kaiser, K. F., Orcel, C., and Küppers, M. 2004. The 12,460-year Hohenheim oak and pine tree-ring chronology from central Europe—A unique annual record for radiocarbon calibration and paleoenvironment reconstructions. *Radiocarbon* 46 (3), 1111–22.

Pilcher, J. R., Baillie, M. G., Schmidt, B., and Becker, B. 1984. A 7,272-year tree-ring chronology for western Europe. *Nature* 312 (5990), 150.

参考文献

序章

Čufar, K., Beuting, M., Demšar, B., and Merela, M. 2017. Dating of violins—The interpretation of dendrochronological reports. *Journal of Cultural Heritage* 27, S44–S54.

第1章

Douglass, A. E. 1914. A method of estimating rainfall by the growth of trees. *Bulletin of the American Geographical Society* 46 (5), 321–35.

Douglass, A. E. 1917. Climatic records in the trunks of trees. *American Forestry* 23 (288), 732–35.

Douglass, A. E. 1929. The secret of the Southwest solved with talkative tree rings. *National Geographic*, December, 736–70.

Hawley, F., Wedel, W. M., and Workman, E. J. 1941. *Tree-ring analysis and dating in the Mississippi drainage*. Chicago: University of Chicago Press.

Lockyer, J. N., and Lockyer, W. J. L. 1901. On solar changes of temperature and variations in rainfall in the region surrounding the Indian Ocean. *Proceedings of the Royal Society of London* 67, 409–31.

Lowell, P. 1895. Mars: The canals I. *Popular Astronomy* 2, 255–61.

Swetnam, T. W., and Brown, P. M. 1992. Oldest known conifers in the southwestern United States: Temporal and spatial patterns of maximum age. *Old growth forests in the Southwest and Rocky Mountain regions*. USDA Forest Service General Technical Report RM-213, 24–38. Fort Collins, CO: USDA Forest Service.

Webb, G. E. 1983. *Tree rings and telescopes: The scientific career of A. E. Douglass*. Tucson: University of Arizona Press.

第2章

Dawson, A., Austin, D., Walker, D., Appleton, S., Gillanders, B. M., Griffin, S. M., Sakata, C., and Trouet, V. 2015. A tree-ring based reconstruction of early summer precipitation in southwestern Virginia (1750–1981). *Climate Research* 64 (3), 243–56.

McAnany, P. A., and Yoffee, N., eds. 2009. *Questioning collapse: Human resilience, ecological vulnerability, and the aftermath of empire*. Cambridge: Cambridge University Press.

Oreskes, N., and Conway, E. M. 2011. *Merchants of doubt: How a handful of scientists obscured the truth on issues from tobacco smoke to global warming*. New York: Bloomsbury.
（オレスケス、ナオミ＋コンウェイ、エリック・M『世界を騙しつづける科学者たち』福岡洋一 訳 楽工社 2011）

Powers, R. 2018. *The Overstory*. New York: Norton.
（パワーズ、リチャード『オーバーストーリー』木原善彦 訳 新潮社 2019）

Pyne, S. J. 1997. *Fire in America: A cultural history of wildland and rural fire*. Seattle: University of Washington Press.

Ruddiman, W. F. 2010. *Plows, plagues, and petroleum: How humans took control of climate*. Princeton, NJ: Princeton University Press.

Webb, G. E. 1983. *Tree rings and telescopes. The scientific career of A. E. Douglass*. Tucson: University of Arizona Press.

White, S. 2011. *The climate of rebellion in the early modern Ottoman Empire*. Cambridge: Cambridge University Press.

White, S. 2017. *A cold welcome: The Little Ice Age and Europe's encounter with North America*. Cambridge, MA: Harvard University Press.

Wohlleben, P. 2016. *The hidden life of trees: What they feel, how they communicate—Discoveries from a secret world*. Berkeley, CA: Greystone Books.

推薦図書

Atwater, B. F., Musumi-Rokkaku, S., Satake, K., Tsuji, Y., Ueda, K., and Yamaguchi, D. K. 2016. *The orphan tsunami of 1700: Japanese clues to a parent earthquake in North America*. Seattle: University of Washington Press.

Baillie, M. G. L. 1995. *A slice through time: Dendrochronology and precision dating*. London: Routledge.

Bjornerud, M. 2018. *Timefulness: How thinking like a geologist can help save the world*. Princeton, NJ: Princeton University Press.

Bradley, R. S. 2011. *Global warming and political intimidation: How politicians cracked down on scientists as the earth heated up*. Amherst: University of Massachusetts Press.
（ブラッドレー、レイモンド・S『地球温暖化バッシング』藤倉良、桂井太郎 訳　化学同人　2012）

DeBuys, W. 2012. *A great aridness: Climate change and the future of the American Southwest*. Oxford: Oxford University Press.

Degroot, D. S. 2014. *The frigid golden age: Experiencing climate change in the Dutch Republic, 1560–1720*. Cambridge: Cambridge University Press.

Diamond, J. 2005. *Collapse: How societies choose to fail or succeed*. New York: Viking.
（ダイアモンド、ジャレド『文明崩壊』楡井浩一 訳　草思社　2005）

Fagan, B. 2000. *The Little Ice Age*. New York: Basic Books.
（フェイガン、ブライアン『歴史を変えた気候変動』東郷えりか、桃井緑美子 訳　河出書房新社　2001）

Fritts, H. C. 1976. *Tree rings and climate*. London: Academic.

Harper, K. 2017. *The fate of Rome: Climate, disease, and the end of an empire*. Princeton, NJ: Princeton University Press.

Hermans, W. F. 2006. *Beyond sleep*. London: Harvill Secker.

Jahren, H. 2016. *Lab girl*. New York: Penguin Random House.
（ヤーレン、ホープ『ラボ・ガール』小坂恵理 訳　化学同人　2017）

Klein, N. 2014. *This changes everything: Capitalism vs. the climate*. New York: Simon & Schuster.
（クライン、ナオミ『これがすべてを変える』幾島幸子、荒井雅子 訳　岩波書店　2017）

Le Roy Ladurie, E. 1971. *Times of feast, times of famine: A history of climate since the year 1000*. New York: Doubleday.

Macfarlane, R. 2019. *Underland, a deep time journey*. New York: Norton.

【な行】

【は行】

【た行】

【か行】

索引

【A～Z】

【あ行】

訳者あとがき

著者であるバレリー・トロエ博士は、年輪年代学研究の分野をリードする世界トップクラスの科学者である。2020年以降も著者は、中国の森林火災、気候変動に対する森林植生の応答、年輪からみたバハカリフォルニアの水文気象など、年輪研究に基礎を置いた研究（主に気候学と環境科学分野）を第一線で精力的に続け、多数の研究成果を公表している。

本書は、樹木の年輪と年輪パターンを利用した年輪年代に基づいて気候を復元（寒暖、旱魃、激甚気象など）し、考古学、環境学、社会史学などとも連携する自然科学の1分野である年輪年代学の初歩と応用を一般読者向けに易しく述べた1冊である。類いまれな着想力と実行力を備えた著者が、世界各地のさまざまの場面（とくにフィールドワーク）でのエピソードを交えながら、大学院生時代から現在までの年輪年代学研究と成果の概要を平易な文章で紹介している。本書の各章はトピックスごとにまとめられているが、年輪年代学研究者としての著者の歩みを辿るには、プロローグから最終の第16章までを順に読み進めるのがよいと思う。

本書の内容を簡単に紹介しよう。ストラディヴァリ作のバイオリンの世界的名器、メシアの製作年代と真贋性をめぐる論争を年輪年代学が解決したことを紹介した序章に続いて、第2章から第4章は年輪科学の創設当時の経緯、年輪を用いた年代決定方法の原理、樹木の主な成長抑制因子などが易しく解説されており、実例をあげながら年輪年代学の基礎を解説している。またヨーロッパと北アメリカの最長寿木についても述べられている。第5章は、古代ヨーロッパの木造建築物の年輪による年代決定、そしてローマ時代以降、現在までのヨーロッパでの木造建築物建設数の推移とその社会的背景を紹介している。資材として使われた木材の産地推定についても難破船の事例をあげて解説しており、これも当時のヨーロッパの社会情勢を反映していることがわかる。第6章は、年輪科学によって１９９０年代以降の急激な気温上昇を明らかにした〝ホッケースティック・モデル〟を解説すると同時に、地球温暖化を認めようとしない政治家による気候学者への苛烈な弾圧も紹介されており、最近の地球温暖化に関連して本書のハイライトのひとつである。第7章と第8章では、年輪に記録されたヨーロッパの中世の気候変動（小氷期、中世温暖期など）の原因が大西洋の2つの気団の勢力の変化に求められることが紹介されている。第9章では、ハリケーン、カリフォルニア州の旱魃、カリブ海での海難事故史などと年輪研究による気候変動との関係、第10章では、地震、津波、原発事故、隕石爆発などの突発的イベントをいかに年輪研究が解読したのかなど年輪年代学の分野横断的な研究について述べられている。第11章では、ローマ帝国の衰退・滅亡の原因として、異民族の侵入、感染症（マラリア）の大流行とともに、年輪に記録された紀元２５０年頃から約３００年続いた気候不安定をあげている。続く第12章でも、モンゴル帝国の興亡、ウイグル帝国の滅亡、クメール王朝の崩壊、マヤ文明の崩壊などもやはり年輪が明かす気候の劣悪化と感染症の拡大が原因となっていたことが解説されている。第13章はアメリカ南西部の古代プエブロ文化を衰退に追い込んだ原因が2度の強烈な旱魃にあったことが年輪研究から明らかになったことが紹介され、さらに第14章では、年輪研究に基づくヨーロッパの異常低温や熱波発生と最近の亜熱帯乾燥地帯の拡大による砂漠の拡大傾向がそれぞれ、北半球のジェット気流の蛇行の強化とエルニーニョ・南方振動という気候システムの異常によるものだと説明されている。第15章は、アメリカ西海岸の森林火災の歴史と、湿潤と旱魃をもたらすエルニーニョ、ラニーニャという気候システムの変化が密接に関係していることがわかる。ここでも年輪は森林火災発生状況の正確な復元手法として大きな役割を果たした。最終章では、過剰な森林伐採が招く産業革命以後の地球温暖化、渇水など、現在と近い将来の地球環境の変化への著者の深い憂慮が述べられ、地球温暖化を緩和させるため新たな気候工学的な取り組みも紹介されている。

本書を通読して深く印象に残っている点を最後に書き添えておきたい。第11章で紹介されている、感染症（マラリア）の大流行が強大だったローマ帝国を衰退の一因になったとする考えである。マラリアを媒介する生物（蚊）を大発生させた低湿地の拡大は大規模な森林伐採の結果であった。気候不安定（冷夏と旱魃）に苦しんでいた農村を中心に爆発的に拡大したマラリアが農村の人口激減と食料の生産低下を招き、異民族の侵入とともにローマ帝国を衰退させたという考えが紹介されている。異常気象と感染症の爆発的流行という危機に社会が直面したときこそ、独創性と適応力に根ざした社会の回復力が試されるのだという著者の見方は現代社会への警告と受け止めたい。そして気候変動史と人類史を決定論的に結び付けるのではなく、両者の複雑な関係を理解することが大切であることも本書から学んだことのひとつである。

２０２１年５月

佐野弘好

著者紹介

バレリー・トロエ（Valerie Trouet）

世界のトップ年輪科学者の一人。アリゾナ大学年輪研究室所属の准教授。ベルギー出身。

訳者紹介

佐野弘好（さの　ひろよし）

1952 年大阪府生まれ。九州大学大学院理学研究科修了。理学博士。九州大学理学部助手、同大学院理学研究院教授を経て、2018 年定年退職。九州大学名誉教授。

著書に『日本地方地質誌 8　九州・沖縄地方』（編著、朝倉書店)、『The Geology of Japan』（分担執筆、ロンドン地質学会)、『基礎地質学ノート』（古今書院)、訳書に『岩石と文明』（築地書館）がある。

年輪で読む世界史

チンギス・ハーンの戦勝の秘密から 失われた海賊の財宝、ローマ帝国の崩壊まで

2021年7月6日　初版発行

著者　バレリー・トロエ
訳者　佐野弘好
発行者　土井二郎
発行所　築地書館株式会社
東京都中央区築地 7-4-4-201　〒104-0045
TEL 03-3542-3731　FAX 03-3541-5799
http://www.tsukiji-shokan.co.jp/
振替 00110-5-19057
印刷・製本　シナノ印刷株式会社
装丁　秋山香代子

 ISBN 978-4-8067-1621-1